林慶彰　總策畫

民國時期稀見期刊彙編

第一輯

史學科研究年報 ③

臺北帝國大學研究年報

第三冊

史學科研究年報

第三輯

臺北帝國大學文政學部

臺北帝國大學文政學部

史學科研究年報　第三輯

目次

三佛齊考……桑田六郎……一

日明通交史上の所謂永樂宣德兩要約の疑問と其眞相……小葉田淳……一四五

南洋日本町の盛衰(二)（暹羅日本町の盛衰）……岩生成一……二三九

近代日暹交渉史年表稿……岩生成一……二四九

彙報……二七三

史學科講義題目――「臺灣高砂族系統所屬の研究」の完成と移川教授

──村上教授勇退──菅原功教授海外留學──

の帝國學士院賞受賞──菅原功教授海外留學──

──開學記念展覽會──開學記念講演──中南部修學旅行──臺灣

史料調查室設置──南方土俗例會──歷史讀書會──史學科職員

氏名──史學關係出版物

三佛齊考

桑田六郎

一　緒言……1
二　赤土……10
三　室利佛逝……38
四　三佛齊……74

緒言

唐代に室利佛逝として、又宋代に三佛齊として、頻りに入貢して居るスマトラの王國に就いて、は、從來東西の學者が、幾多の論説を發表して居るが、此の問題は未だ色々の論點を殘して居り、今尙ほ論爭が續けられて居る。自分も、嘗つて、大正八年に東洋學報第九卷第三號に、赤土考を發表して以來、殊に臺北帝大に奉職した關係上、支那史料より見たる南洋に興味を持ち、且研究を怠らなかつた。所が昨年、同僚の小葉田淳學士が、琉球に史料採訪に旅行せられた結果、經濟史研究第十四卷第五及六號に「琉球滿剌加間の通商關係に就いて」、並に史林第二十卷第三號に「舊港及其日琉兩國との交渉について」を執筆され、琉球に殘つて居る琉球と南洋との關係史料を發表せられたので、自分は一面には、大に啓發される所があつたと同時に、一面には學士と意見を異にする所があつた。學士も三佛齊について、可なり深く論究せられたのであるが、勿論專問外のことなので、既に發表せられた東西の先輩諸學者の説を、獨自の批評眼を以て觀察されたのに止まり、新しい史料の搜索やその紹介には及ばれなかつた。

此の點が自分には、物足らなかつたと共に、前述の如く、意見の相違もあつた。是れが、自分が此の論文を執筆する動機となつたのである。

さて此の室利佛逝及三佛齊の研究は、沿革が相當にあり、今日尙ほ續いて居るわけであるが、自分はこの研究の沿革を、凡そ三つの時期に分けて見ることが、出來ると思ふ。卽ち法顯の佛國記や、玄奘の西域記と相次いで、義淨の南海寄歸內法傳及び大唐西域求法高僧傳が研究せられた時期、是れが第一期であり、高楠博士が一八九六年に、英國のオックスフォードで出版された南海寄歸內法傳の研究(1)が、その代表的のものである。是と前後して、他の方面卽ち土俗或は地理的見地から、南洋諸國に關する支那史料の飜譯及び研究が行はれた。一八七六年には文獻通考の中の四裔考が、d'Hervey de Saint-Denys 氏によつて飜譯されて現はれ(2)、一八八六年には George Phillips 氏(3)、その翌年には Groeneveldt 氏(4)、一八九八年から一九〇一年に亘つて Gustav Schlegel 氏(5)など、夫れ夫れ南蠻傳の研究を發表し、次第に研究が深められて行つたが、一九〇四年に Paul Pelliot 氏(6)が、賈耽の道里記の中安南通天竺道及廣州通海夷道を研究し、博引旁搜、南蠻傳の研究を集大成した觀を呈した。次いで G. E. Gerini 氏(7)が、一九〇九年に Ptolemy

の極東に關する記事の研究に、博く支那史料を用ゐ、一九一一年には Friedrich Hirth, W. W. Rockhill 兩氏が協力し、趙汝适の諸蕃志を飜譯註解した。後に Rockhill 氏は Notes on the Relations and Trade of China with the Eastera Archipelago and the Coast of the Indian Ocean during the 14th century を書き、元明に及んだ。(8) Chau Ju-Kua 出版の翌年卽ち大正元年藤田豐八博士が支那から歸られ、南蠻の研究に著手せられ、大正二年に狼牙須國考と「室利佛逝三佛齊舊港は何處か」が發表され、更に矢繼ぎ早やに、島夷志略校注(11)を出された。この書物は、Pelliot 氏も引用して居るが、同氏は古今圖書集成から孫引きして居るので全文は見ないと云つて居る。博士の島夷志略校注は羅振玉氏によりて出版せられ、東西の學者を裨益する所大なるものがあるが、東洋學報に書かれた前記二論文は、西洋の學者に顧みられず、後に述べる G. Coedès 氏や G. Ferrand 氏の室利佛逝考にも引用されて居な い。是は日本文が難解の爲めであつて、誠に遺憾に思はれる。と云ふのは、室利佛逝のみを題目にした論文は、博士のを以て最初とするからである。博士の室利佛逝考(13)は種々有益なヒントに富んで居るが、碑文の研究と宋會要の利用が缺けて居る。宋會要に就いては、博士は前年北京で、南海に關する一部を抄錄され、[14]狠牙須國考に利用されたが、室利佛逝考には用ゐられて居ない。その後大正五年に、博士は羅振玉氏を介して劉承幹氏所藏本の中から市舶の部を抄錄された。[15]そしてその材料を利用せられて、翌大正六年に「宋代の市舶司及び市舶條例」[16]を書かれたのである。從つて市舶に關する宋會要の記事の內に、三佛齊に關する重要な記事があつても、大正二年に書かれた室利佛逝考には利用出來なかつたのである。此の材料は、博士のみならず、西洋の學者は皆三佛齊を論ずるに當つて、是を逸して居る。勿論宋會要は容易に見られなかつた爲めであるが、「宋會要の市舶に關する記事は、粤海關志卷二及三前代事實の部にも轉載されて居る。然しこの粤海關志とても以前は容易に手に入らなかつた。[17]次ぎに博士が利用されなかつた室利佛逝の碑文に就いて述べると、一つは Ligor の碑、一は Kota Kapur の碑である。前者は Lunet de Lajonquière 氏が、マライ半島の Bandon 灣の南で發見し、その拓本を本國に持參せしを、Louis Finot 氏が解說して發表した。それが一九一〇年であつた。[18]同氏はこの碑は佛寺を建立した un roi Jayendra et un roi Çri-Vijayeçvara の頌德に始まり云云として居るが、その後一九一八年に至り、Georges Coedès 氏は是を反駁し、Çrîvijaya は王名ではない、それは國の名であると云ひ出した。(20) 是れは室利佛逝に對して、Śrīvijaya (Çrīvijaya) と云ふ本當の讀方を敎へたものである。この論文の出る前は本當の國名がわからなかつた。高楠博士の Śribhoga を始め、色々の讀み方が考へられたが、何れも根據のない讀み方に過ぎなかつた。(21) 或は囘々敎徒の傳ふる所をそのまゝ踏襲するに過ぎなかつた。自分は是を以て室利佛逝研究の一轉期と見て、一九一八年以前を、此の研究史上の第二期とする。

G. Coedès 氏の室利佛逝國考が發表されると、その翌年 J. Ph. Vogel 氏が同じく室利佛逝國考(22)を書き、G. Coedès 氏の說を補綴しながら是を支持した。その後室利佛逝の研究が盛んになり、室利佛逝のみを取扱ふ論文が相次いで迸出するやうになつた。一九二〇年には C. O. Blagden 氏の The Empire of the Mahārāja, King of the Mountains and Lord of the Isles(23) が出で、一九二二年には Gabriel Ferriand 氏が L'Empire Sumatranais de Çrīvijaya (Journal Asiatique) を發表した。G. Ferrand 氏はこれより先に、Relations de Voyages et textes géographiques arabes, persanes et turks relatifs à l'Extrême-Orient t. I. 1913; t. II, 1914; Malaka, le Malāyu et Malāyur, Journal Asiatique 1918; Le K'ouen-Louen et les anciennes navigations interocéaniques dans les mers du sud,

Journal Asiatique 1919 を書き、廣く回々敎徒の史料を蒐集した。氏はあらゆる方面の史料を以て問題を解決せんとした。從つて氏の室利佛逝考は Çailendra 王朝のことを記せる中央ジャヴァ Yogyakarta の近く Kalasan の梵碑も引けば、又南印度の史料も豐富に引用した。然し同氏の結論には大分疑ひがある。氏の Malaka, le Malāyur 說に反對して、G. P. Rouffaer 氏が Was Malaka emporium voor 1400 A. D. genaand Malajoer? En waar lag Waerawari, Mā-hasin, Langka, Batoesawar? (Met terreinscheten van Djambi, oud-Singhapoera, en de Djohor-rivier) を書き、(24) Malāyur, Djambi 說を說き、又東瓜哇王 Erlangga 王統の刻文にあらはれた馬來の地名と思はれるものを解釋した。然し同氏は室利佛逝の問題には別に意見を出して居ない。南印度の史料と室利佛逝との關係が明かにされると共に、Palembang なる室利佛逝の沒落、Jambi なる末羅遊の勃興が問題になつて來た。詳しいことは本論に讓るとして、一九二六年に N. J. Krom 氏は室利佛逝の沒落と題して、(25) その沒落の主因を Javaka の Candrabhānu 王のセイロン遠征にあるとした。所がその翌年 G. Coedès 氏は、同じ題目の下に、(26) 是を反駁した。元來明史の三佛齊傳に、時瓜哇已破三佛齊據改其名曰舊港三佛齊遂亡とあるのが、誤解の原因になるので、この問題は既に大正二年に、藤田博士も論じて居られる。自分はこゝに新しい史料を呈供して、この問題を考へて見ようと思ふ。G. Coedès 氏は一九三〇年に Les inscriptions Malaises de Çrivijaya を書き、[27] スマトラに於ける室利佛逝の碑を三ヶ紹介した。その中二ヶは Palembang の近傍で一九二〇年に、他の一ヶは Jambi 州内で一九〇四年に發見されて居たもので、室利佛逝と Palembang との關係を知るに重要で、翌年 H. Kern 氏が是を補つて居る。[28]

最後に室利佛逝王室が Śailendra 家に屬して居たことは、南印度の史料所謂 Grand Charter of Leyden によつて明かであるが、ジャバの Kalasan 及 Kĕlurak 兩碑文によると、七七八年及七八二年に、Śailendra 家がジャバに勢力を有して居た。そこで J. P. Vogel 氏及 N. J. Krom 氏等の室利佛逝の Śailendra 家のジャバ發展説が出た。[29] ジャバに大乘佛教を傳へたのも、Barabudur, Chandi Mĕndut, Chandi Kalasan の如き大伽藍の建設も、此の王朝であると論じて居る。所が W. F. Stutterheim 氏は一九二七年に Kĕdoe の銅版刻文に Kalasan 碑中の王名を發見し、[30] Śailendra 家は元來ジャバの王朝であると考へ、二年後に A Javanese period in Sumatran History を書き、從來の説と正反對に、スマトラ史中にジャバ時代を置く新説を出したので、こゝに問題が起つた。R. C. Majumdar 氏は Nālandā の銅版を史料に加へ、Ligor 碑のB面はA面の Śrīvijaya の記事と別物で、Śailendra 家のものとし、更に第三說を出し Rois Śailendra du Suvarṇadvipa[31] 及 The Śailendra Empire. The Struggle between the Śailendras and the Cholas. Decline and Fall of the Śailendras を書き[32]、G. Coedés 氏も On the Origin of the Śailendra of Indonesia を書き[33]、J. Przyluski 氏も此の問題に加はり The Śailendravaṃśa を書く[34]等、Śailendra を中心とする問題が論爭されて居る。詳細は本論第三章に讓るが、此の王朝の名は支那史料には現はれて居ないが、間接には支那史料も此の問題に關係する所がある。

註一　A Record of the Buddhist religion as practised in India and the malay Archipelago by I-tsing, Oxford, 1896.

2　Ethnographie des peuples étrangers à la Chine, par Ma-touan-lin, 1876.

3　Seaports of India and Ceylon, J. N. ch. Br. R. A. S. XX, XXI.

4　Notes on the Malay Archipelago and Malacca, compiled from Chinese sources, Verhand. Bat. Gen. XXXIX.

Supplementary Jottings 通報 VII.

5　Geographical Notes, 通報 IX, X, 2nd S. II.

6　Deux itinéraires de Chine en Inde à la fin du VIIIe siècle, B. E. F. E.-O. IV.

7 Researches on Ptolemy's Geography on eastern Asia, London, 1909.

8 通報 serie II. V. XV. XVI. 1914, 1915.

9 東洋學報三卷一・二號、東西交渉史の研究南海篇、

10 藝文四年四號、東西交渉史研究南海篇、

11 雪堂叢刻、

12 B. E. F. E.-O. IV, p. 255, note 2.

13 「室利佛逝三佛齊舊港は何處か」の略稱とす、

14 東西交渉史の研究南海篇頁四五、

15 桑原博士蒲壽庚の事蹟新版頁二四、

16 東洋學報七卷二號、東西交渉史の研究南海篇、

17 宋會要及粵海關志に就いては蒲壽庚の事蹟頁二四參照、最近宋會要稿出版されたが、未だ入手せぬ、粵海關志は最近廉價本が分册出版されつゝある、

18 Inscriptions du Siam et du la Péninsule Malaise (Mission Lunet de Lajonquière)(Extrait du Bulletin de la Commission archéologique du l'Indochine, 1910; B. E. F. E.-O. XVIII, Le Royaume de Çrīvijaya, p. 2. and appendice. 當時 Vieng Sa 碑として紹介したが後改めた Bijdragen, D. 83, p. 462.

19 B. E. F. E.-O. XVIII.

20 B. E. F. E.-O. IV, Deux Itinéraires, p. 342—343.

21 Le royaume de Çrīvijaya, B. E. F. E.-O. XVIII.

22 Het Koninkrijk Çrīvijaya, Bijdragen tot de Taal, Land-en Volkenkunde van Nederlandsch-Indie, deel 75.

23 J. Straits branch R. A. S.
24 Bijdragen 77. 1921.
25 De ondergang van Çrīvijaya, Mededeelingen der Koninklijke Akadmemie van Wetenschappen, Afdeeling Letterkunde, D. 62 S. B. n. 5.
26 A propos de la chute du royaume de Çrīvijaya, Bijdragen. D. 83.
27 B. E. F. E.-O. XXX.
28 Enkel aanteekeningen op G. Coedès' uitgave van de Maleische inschriften van Çrīvijaya, Bijdragen, D. 88.
29 B. E. F. E.-O. XXXIII. fasc. 1. p. 125. Krom, De Soematraansche period in de Javansche Geschiedenis, 1919. Vogel, Het Koninkrijk Śrīvijaya, Bijd. D. 75. 1919.
30 Een belangrijk oorkonde uit de Kĕdoe, Tijd, 67. 1927.
31 B. E. F. E.-O. XXXIII. fasc. 1.
32 Journal of the Greater India Society. v. I. n. 1, 2, v. II, n. 2.
33 ibid. v. I. n. 2.
34 ibid. v. II, n. 1.

二　赤　土

隋の時南海に赤土國あり、隋と交通して居る。自分は是を唐代の室利佛逝國と同じではないかと考へ、大正八年東洋學報第九卷第三號に赤土考を書いた。是に對して高桑駒吉氏が、長い反對説を、史學雜誌第卅一及卅二編に、赤土國考として發表せられた。然し自分は自説を棄てる必要を認めなかつた。その後長い年數を經て、自分の考へも變はつた。結論に於ては、常時も今日も變らないが、部分的には赤土考の補訂を必要とすることを悟つて居たので、此の機會にその希望を果すことにした。

赤土に關する考證は明代以前には無きものの如く、明代黄省曾は是を南印度西海岸に求めたが、張燮の暹羅説を唱ふるに及んで、後世皆その説を繼承した。費信の星槎勝覽小葛蘭の條に其國山連赤土地與柯枝接境日中爲市西洋諸國之馬頭也とある。黄省曾は西洋朝貢典錄小葛蘭の條に此の赤土を隋の赤土と考へた。小葛蘭は島夷志略の小唄喃で、藤田博士の校注によると、Fandaraina(元史食貨志市舶條梵荅剌亦納)にあたり、唄喃即ち Kaulam 即ち今 Quilon に對する名である(1)。柯枝は今の Cochin であるが、黄省曾の此の比定は問題にならぬ。次ぎに張燮の東西洋考卷二暹羅の條に暹羅在南海古赤土及婆羅刹也と云ふ説は、暹羅は佛教隆盛の地であるから、同じく佛教國である赤土を是に當てたのに過ぎないと思はれる。赤土が暹羅でもなく、又馬來半島でもないことは、隋の使者が赤土に行つた時の行路を考へて見れば、分明することである。次ぎに隋書から必要な記事を拔いて見るに、

イ　赤土國扶南之別種也在南海中水行百餘日而達所都土色多赤因以爲號

ロ　東婆羅剌國西婆羅沙國南訶羅旦國北拒（距の誤）大海地方數千里

ハ　其王姓瞿曇氏名利富多塞不知有國近遠稱其父釋王位出家爲道傳位於利富多塞在位十六年矣有三妻並鄰國王之女也居僧祇城

ニ　煬帝卽位募能通絶域者大業三年屯田主事常駿虞部主事王君政等請使赤土帝大悅賜駿等帛各百匹時服一襲而遣齎物五千段以賜赤土王

ホ　其年十月駿等自南海郡乘舟晝夜二旬每值便風至焦石山而過東南泊陵伽鉢拔多洲西與林邑相對上有神祠焉又南行至獅子石自是島嶼連接又行二三日西望狼牙須國之山於是南達鷄籠島至赤土之界其王遣婆羅門鳩摩羅以舶三十艘來迎吹蠡擊鼓以樂隋使進金鏁以纜駿船月餘至其都

ヘ　尋遣那邪迦隨貢方物幷獻金芙蓉冠龍腦香以鑄金爲多羅葉隱起成文以爲表金函封之令婆羅門以香花奏蠡鼓而送之既入海見綠魚羣飛水上浮海十餘日至林

邑東南並山而行……循海北岸達交阯駿以六(1)年春與那邪迦於弘農謁帝 以上卷八二

ト大業四年三月(2)景寅遣屯田主事常駿使赤土致羅闍(3)

大業五年二月辛丑赤土國遣使貢方物

六年六月辛卯室韋赤土並遣使貢方物 以上卷三

常駿等撰赤土國記二卷が、舊唐書卷四六唐書卷五八に見ゆ。隋書卷三三には記して居ないが、隋書の此の部分は長孫無忌等撰となつて居り、卷三及八二が魏徴上となつて居るので、そこに赤土國記脱漏の原因があると思はる。赤土國記が隋書の赤土に關する記事の據る所であらう。

註1 六は四の誤り、帝紀の四年三月が常駿等歸國の時であらう。

2 代祖元皇帝の諱昺をさけて景を以て丙に代ふ。

3 羅刹の誤り、闍は一本闍に書く、剡と刹と似て居る。致羅刹に就いては次の本文に説明する。

さて隋使常駿等の行程を見るに、彼等は今の安南に沿うて南下して居る。その邊の記事の解説に就いては、藤田博士の狼牙須考に詳しく、又自分の赤土考にも自分の説を述べた。是に就いては今必要を見ないので、再檢討を省く。隋使は次第に南下して、西望見狼牙須國之山と云つて居る。此の狼牙須の位置が確定すれば、自ら赤土の見當も付く筈である。換言すれば、狼牙須の研究は赤土の研究の鍵である筈である。所が狼牙須に就いては、藤田博士の研究が、大正二年に發表されて居る。自分の大正八年發表の赤土考は、博士の狼牙須國考から生れ出たものにすぎない。赤土即ち暹羅說に疑惑を挿んだ學者は、一人はP. Pelliot 氏一人は藤田博士であつたが、何れも積極的に赤土の位置を考定して居ない。藤田博士は狼牙須國考の中に、「人概ね赤土を暹羅となす、是れ隋書傳ふる所の內容を精査せずして、明人の謬見を襲ふ者なり、予別に考定せし所あるも、こゝにさまで必要なければ云はず、」と云つて居られる。自分が博士から赤土に關する高說を聞かずに了はつたのは、今に是を遺憾として居る。

狼牙須は、明人是を錫蘭 Ceylon に比定したが、それは同地の古名 Lanka に附會せるにすぎない。狼牙須は、梁書の狼牙脩、寄歸傳の郎迦戍、諸蕃志の凌牙斯或は凌牙斯加、島夷誌略の龍牙犀角と同じ者と思はれ、又一方にはジャバのMajapāhit 王 Hayam Wuruk (1350–1389) の爲めに、詩人 Prapañca の作つた詩 Nāgarakretāgama に出て來る Lengasuka (2) 又南印度の(3) Chola 王 Rājendra Choladeva I (1012–1042) の東方經略を記した者に見える Ilangaçogam 又 Kedah の記錄 Marong Mahāvansa に見える。その最古の王城の名 Lankasuka[4] がある。支那史料から見て狼牙須が馬來半島にあるのは明かてある。例へば義淨の高僧傳上巻道琳法師の條には越銅柱而屆朗迦歷訶陵 Java 而經裸國とあり、諸蕃志も佛囉安の條に其隣蓬豐 Pahang 登牙儂 Trengganu (凌牙斯)[7]加 Lankasuka 吉蘭丹 Kelantan と記し、馬來半島中部以南の諸國の中に凌牙斯加を數へて居る。

而して Keddah 記錄の Lankasuka の遺址は Keddah Peak (Gunong Jĕrai) の東方約四五英里なる今の Kūbŏh Bālei の傍近に在りと云はる。[8] 此の Gunong Jerai の稍南方 Bukit Meriam で發見された佛教關係の刻文は、Kern 氏によると、五世紀の初めに溯り得るものである。[9] R. O. Winstedt 氏の馬來史によると、[10] Bukit Meriam の近く十乃至十二呎平方の廢址の床の下から、一枚のスレート石板が出た、これは前記 Kern 氏の研究せるもので、その文は "The Laws which arise from a cause, Tathagata told about that, and what is their suppression has thus been told by the great Sramna" "Action (karma) accumulates through lack of knowledge. Action is the cause of re-birth through knowledge (of the nature of things) it comes about that no action is effected, and through absence of action (one) is not born (again)" 床の小さい點から考へ、此の遺址は佛僧の僧庵であ

つたらしいと思はれる。Winstedt 氏は又 Langkasuka と云ふ語は、Perak 河の上流の一支流の名としてのみ現存する、[11] 然し kuala Merbok から遠からず Kedah Peak の麓である Sungai Batu で、牛形の惡魔 Mahishāsura[12] を征服する Durgā 女神の像、シバ神の白牛の頭、及 a yoni が發見され、山上には砂岩の豐富な山を四千呎も運び上げた cut granite and bricks で作られた不明の建物が現存すると云つて居る。尙ほ同氏は、Wellesley 州の北部で、柱と思はれる石に、Bukit Meriam 石板の第二詩と同じ文句が刻んであり、その端に "(the gift) of Buddhagupta, the great sailor, whose abode was at Raktamrttika" と書いたもの、James Low 氏が同州下の佛寺の遺址から、一小珈琲壺や梵銘ある一枚の黃金皿、Cherok Tokun で Buddhagupta の銘と同じ型の刻文のある岩を發見したこと、又 Kuala Selingsing の近くの海濱で數百の cornelian, glass (or paste) and shell beads, portions of bracelets in stone and in blue glass, some pottery and cross-hatched pottery stamps が發見され、[13] Kuala Selingsing, では倒れた木の根の穴から、七世紀或はその後かと思はれる a Pallava seal に "Sri Vishnuvarmmasya" と刻んであると記して居る。B. Ch. Chhabra 氏は昨年 Identification of "Śri Visņuvarman" (J. of the Greater India Society, v. II. n. 1.) を書き、發見の場所は Tanjong

Rawa Kuala Selinsing, Perak で、元來 ring に附いて居た印であるが、ring は未だ發見されない。刻文は śrī viṣṇuvarmmasya で、書體から判じて、西暦四百年或は六百年頃のものと云はれ、王名も varmasya は varmaṇaḥ の Possessive の形と考へられ、南印度の Kadamba 王朝（三―六世紀）の Ravivarman 或は Kṛṣṇavarman (c. A. D. 500) の子孫とか、或は Pallava 王朝の Viṣṇugopa or Viṣṇugopavarman (C. A. D. 340) が考へられたが、Chhabra 氏は是を Ligor 碑 B 面 aftre 775 A. D. の Śailendra 王 Viṣṇu に比定した。同碑 B 面は後に述べる如く、解釋分明せぬ點があるが、Viṣṇu が果して王名とすれば、氏の説は考慮に値する。指環印に就いては、支那史料では諸蕃志及宋史三佛齊の條に文字用番（宋史梵）書以其王指環爲印とある。R. J. Wilkinson 氏によると、Cherok Tokun は Bukit Mertajam に近く、その岩石刻文は色々の時代に屬し、磨滅甚しいが、最古のものは五世紀に屬し、次なるは六世紀に屬すると云つて居る(14)。

以上の史料は、直接狼牙須に關係するものでなく、義淨の羯茶、唐書の箇羅、印度の Kaṭāha, Kaḍāra 回々教徒の Kalah に當る地方に屬するものもあるが、大體この地方の文化の古さがわかる。唯それ等の中に Lankasuka の名が出て來ないのは遺憾であるが、支那史料の方から、その古い存在が證明せられて居る。所で狼牙須は、支那史料では、半島の東側から知られて居る、隋書でも高僧傳でもさうである。そこで藤田博士の如く、その境域が東はPatani地方から西はKedah地方に亘つて居たと考へなくてはならなくなる、武備志末の航海圖には孫姑那Singoraの南に狼西加がある、この狼西加はPatani邊と思はれる。

さて狼牙須國を馬來半島の中腹にあつたとすれば、それを西に見て南下した隋使は何處に行つたか。隋使常駿等は南鷄籠島に達し、赤土の界に至り、赤土の歡迎の使者鳩摩羅に伴はれ、月餘その都に至ると云ふ。この月餘と云ふ文句は赤土の界から月餘では解釋が出來ぬ、自分は嘗つては、これを簡單に誤りとしたが、赤土傳の始めに在南海中水行百餘日而達と云ふ文句から見ると、赤土に至るまでに三ケ月以上を費して居ることになるので、比較すれば月餘も誤りでないかも知れぬ。然しその歸路を見ると浮海十餘日至林邑東南とあつて、往路の日數が疑はしくなる。殊に十月に南下し翌年三月に歸つて居るのであるから順風を利用して居る筈である。勿論船舶にもよるが、義淨の高僧傳には汎舶月餘達室利佛洲（下、大津法師）東風汎舶一月到室利佛逝國（下、無行禪師）とあり、諸蕃志にも三佛齊の條に冬月順風月餘方至凌牙門經商三分三一始人其國とある。諸蕃志の凌牙門は Linga 島である。門と云ふのは今の Linga 島の入江 Linga Road に當るがと思はれる。三佛齊卽ち Jambi に行くのであるから、凌牙門を Singapore 海狹と見る藤田博士の說には贊成出來ない。（東西交渉史の研究南海篇頁五四）唯島夷志略の龍牙門は單馬錫であるから Singapore 海峽と思はれる。然し武備志末の航海圖の龍牙門は Linga 島で、圖にある島の形は梵語 linga である、諸蕃志の凌牙も是をうつしたので島夷志略の兩山相交若龍牙とは全く別物であらう。志略の文は星搓勝覽に引用され、東西洋考巻九は龍牙門に勝覽を引き、又淡馬錫門を記して居る。洋考の龍牙門、淡馬錫門は彭亨 Pahang 沖の地盤山 Pulo Tiuman から麻六甲 Malacca に至る途中であるから Singapore strait と見られ、Lingga 島は別に半島南端から詹卑 Djambi に行く途中に龍雅山と記してある。Lingga 島は馬來半島東岸から南下して、Palembang 或 Jambi に行く航路の咽喉を占めて居る。この島の西南部分に三九二〇呎の高山が聳え、海上から見ると、頗る美觀を呈し、航海者の注意を引くと云はれて居る。[15] 此の山形を鷄籠に比し勝手に鷄籠島と云つたのではあるまいか。

自分は隋の赤土を唐の室利佛逝と同じ國を指して居ると考へる。隋書南蠻傳に大業中南荒朝貢者十餘國其事迹多湮滅而無聞今所存錄四國而已と云ひ、林邑、赤土、眞臘、婆利四國を記し、丹々、盤々二國の入貢を附記す。然し通典、太平寰宇記、太平御覽等で補ふことが出來る。所でそれ等の諸國は赤土を除いて皆唐代にも其名を傳へて居る。是に反して唐代に有名であつて、隋代に聞えないのは室利佛逝である。又室利佛逝は、義淨によれば、當時訶陵と相並んで南海の大國であり、殊に義淨は南海諸國を西より列擧して斯乃咸遵佛法多是小乘唯末羅遊少有大乘耳と云ふ、末羅遊は卽ち佛逝。而して隋書の赤土も、南海に於ける佛敎隆盛の大國である。是れ等の點を考へても、赤土卽室利佛逝ではないかと疑はれるのであるが、更に赤土の四周が、室利佛逝のそれと一致するのを見る時、自分は此の推定を益〻信ずるのである。

隋書所記赤土の四至は東婆羅刺國西婆羅沙國南訶羅旦國北拒（距ノ誤リ）大海である。東の婆羅刺は、唐書に訶陵亦曰社婆曰闍婆在南海中東距婆利とある婆利卽ち今の Bali であらう。婆羅刺は唐書環王國傳に婆利東卽羅刹也とあり、隋書本紀に使赤土致羅闍とあるが、太平寰宇記巻一七七の羅刹國大業三年使常駿到馬と太平御覽卷七八八の羅刹國大業三年常駿使赤土遂通中國を併せ見れば、闍は一本に罽と書き、罽と刹と似た字なので誤りの本となつたらしいので、羅罽は羅刹でなければならぬ。さうすると波羅剌は婆利羅刹の誤りであらう。唐書は又貞觀時林邑王頭黎獻……火珠與婆利羅刹使者偕來と云つて居るが、冊府元龜卷九七〇には貞觀五年林邑獻火珠……云得羅利國婆利國遣使隋林邑使獻方物とあり、兩者矛盾する所あるが、冊府元龜の羅利國は、かゝる國は無いから、羅刹の誤りとして、唐書が羅刹を婆利の東と考へたのは、Bali 島以東は印度文化が波及しない未開の狀態であつたのによるが、常駿等が婆利の東まで行つたわけではないと思ふ。常駿の致羅刹は、唐時僧祇奴を貢獻した如き意味か、或は致を到と書き改めても、その時の羅刹國は赤土を含めて漠然云つたものであらう。尙ほ餘談に亘るかも知れぬが、婆利、婆羅或は是に類する名は、其の時時に研究を必要とする。梁書扶南條の諸簿の東の馬五洲は馬立の誤りで Bali 島であると P. Pelliot 氏は云つて居るが、藤田博士は吳時外國傳に五馬洲出鷄舌香とあるにより、(16) 是は Moluccas の鷄舌卽丁香 cloves の土名 gaumedi を五馬でうつしたものと云はる。義淨の婆里洲は普通 Bali と考へられて居るが、唐會要卷一〇〇 多蔑

Tāmralipti の條に西倶遊國 Gayā 北波刺國東眞陀洹(17) Śrīnagara, Champa とある波刺は Pataliputra(波托利或婆羅利弗多羅)と思はる。名蔑 唐書巻二二二下 は誤り。梁書の婆利國も、自分は曾つては Bali 島かと考へたが、その記事を檢察するに國界東西五十日行南北二十日行有一百三十六聚……而言自淨王夫人卽其國女也云云とあり、印度と思はれる。隋書の婆利國も自交阯浮海過赤土丹丹乃至其國國界東西四月行南北四十五日行とあり、梁書と似て居り、Bali 島とは思はれぬ。若し Bali 島とすれば、そこに至るに赤土の次ぎに閣婆がないのが怪しい。丹丹は册府元龜 巻九六八―九六九 によると、梁中大通三年六月、陳太建十三年十月、至德三年十月に入貢して居る。唐書に單單國あり、乾封總章時獻方物とあり、册府元龜 巻九七〇 によれば乾封元年七月、總章三年である。單々は丹々と同じものであらう。婆利を印度と見れば、丹々は赤土と印度との間にある。この見地から捜すと玄奘の西域記及義淨の高僧傳巻下の三摩呾吒 Samatata が考へられる。是は Ganges 及 Brahmaputra の三角洲地方にあつた國で、Samudragupta に征服されたことは同王の碑文に見えて居る。かく見れば隋書の交阯―赤土―丹々―婆利の行程が理解出來る。唐書は單々在振州東南多羅磨之西と云つて居るが、多羅磨は墮羅鉢底卽ち今の暹羅の Menam 河下流域であらう。南海寄歸傳卷一の南海諸洲の中にも咀々洲があるが、是は右に述べたものと別物で南洋に求むべきものである。丁度同書の盆々洲及び高僧傳の訶陵北渤盆國が、梁以後唐の貞觀二十二年六月冊府元龜卷九七〇或は永徽中唐書卷二二二下まで入貢した盤々國馬來半島中部以北と名が似て、指す所を異にするのと似て居る。義淨の咀々及盆(或渤)盆は小洲で、支那に屢々入貢して居る丹々(單々)、盤々とは類を異にするものであらう。

赤土の西の婆羅娑國は、義淨高僧傳卷上に新羅僧二人南海汎海至室利佛逝國西婆魯師國遇疾俱亡及び寄歸傳に從西數有婆魯師洲末羅遊洲とある婆魯師に符合する。唐書室利佛逝の條には以二國分總西曰郎婆露斯とある。九世紀中頃即武宗宣宗の世の Ibn Khordādzbeh 及 Suleymān 所記の裸人國 Langabālūs が是れに當る。是は Sirandib から十乃至十五日程、Kilah まで六日程で、今の Nicobar 諸島を指し、その名は後世まで用ゐられて居る。是は裸人國であるが、交通の衝になつて居る。酉陽雜俎卷一八に龍腦香樹出婆利國婆利呼爲固不婆律亦出波斯國……其樹有肥有瘦者瘦者有婆律香一曰瘦者出龍腦香肥者出婆律膏也とある。Bali 島には龍腦香を產しないから、この婆利國を同島に比定するわけに行かぬ。これに酉陽雜俎の誤解を認める。何となれば本草綱目卷三五に恭曰龍腦是樹根中乾脂婆律香是根下淸脂舊出婆律國因以爲名也とあり、蘇恭は唐顯慶年間の人、唐本草の增訂者である。酉陽雜俎の婆利國は、實は此の婆律國で、婆律が婆利と似て居るので混同したのかと思はれる。又雜俎の波斯國に就いて、B. Laufer 氏は南洋の波斯なるものを考へ、西アジアの波斯と區別したが(18)、自分は贊成出來ない。矢張り是は波斯人の手によつて輸入されたにすぎない。さて婆利は實在の國であるが、婆律はさうでない。是は固不婆律から假想した國名である。西域記南印度の秣羅矩吒 Malakûta 國の條に秣剌邪山 Malaya-giri に羯布羅香樹あることが記してある。この羯布羅香樹は梵語 Karpūra の對音で、雜俎の固不婆律も字數が多すぎるが、同じ梵語の對音であることは藤田博士も Chau Ju-Kua p. 124 の Hirth 氏等の說に贊成されて居る(19)。梵語辭典を見ると karpūra の他に bāluka と云ふ語もある。是は Karpūra の省略に後尾音が附いたにすぎまい、例へば Indra-Indraka, Gupta-Guptaka, Gopī-Gopikā, Kāla-Kālika, Kālī-Kālīkā の如くに(20)。karpūra が baluka と省略されたとすれば、固不婆律が婆律となつたのと似て居る。所が婆律をスマトラ西海岸の港 Bārūs に當てる說があつた。然しそれは藤田博士等によつて否定された。この港名 Bārūs は樟腦と連合して、馬來語で Kâpor bârus と云はれて居る。狼牙須國に婆律膏を産することは既に梁書に見えて居るが、義淨は寄歸傳巻三に南海少出龍腦と云ふのみ、蘇恭は婆律膏から想像した婆律國を擧げ、酉陽雜俎の婆利說も亦信するに足らず、唯唐書に室利佛逝に多金汞砂龍腦と云つて居る。所が西方の回々敎徒の南洋を記すものに、Mahārāja の治める Djāwaga, Zābag に樟腦を産することを云はないものは殆んど無い位であるが、その上に特定の産地を擧げて居る。是は唐人の未だ知らない所である。郎ち Ibn Khordādzbeh 曰 A gauche et à deux journées de Kilah est l'île de Bālūs, habitée par des anthropophages. Elle produit du camphre excellent, des bananes, des cannes à sucre et du riz. Ibn al-Fakīh (602) 曰 le girofle, le bois de sandal, le camphre, la noix muscade, du Djawaga—pays situé du côté de sud, dans le voisinage de la Chine—d'un pays appelé Fančūr. 又 Mas'ūdī (943) は Elles (îles nommées er-Ramin) sont abondantes en mines d'or et voisines du pays de Kansour, célèbre par son camphre. 及び en parlant du camphre qu'on recueille dans la province de Mansourah et dans d'autres contrees de l'Inde. と云つて居るが、[21] その Kansour, Mansourah は Fančūr の誤り。Avicenne (980―1037) は樟腦の一種を fančūrī と云ふ。[22] 是は Fančūr 產

の kāfūr の意味。 Fančūr は後 Ibn Sa'id (1208 ou 1214—1274 ou 1286) Abūlfidā (1273—1331) になると Pančūr と記さる。 支那ではスマトラの樟腦の產地 Fančūr の名は、南宋の諸蕃志 卷下 に腦子出渤泥 一作佛尼 Burnei 又出賓窣國世謂三佛齊亦有之非也とあるに始まる。 丁度前記 Ibn Sa'id の時代。 次いで島夷志略及鄭和航海圖の斑卒がある。 航海圖では西海岸今の Bārūs 附近に當る。 Marco Polo は Lambri より Fansur に行くと云へば、是れ亦 Bārūs に當る。 Fančūr は Bālūs の Balu が Fan に變り、 Malaya を Malaiur, Malaiyūr と訛る如く čūr と訛つたのであらう。 さて回々敎徒の Laṅgabalus = Nicobar; Balus, Fančūr, Pančūr = Bārūs として、義淨の婆魯師は何處か。 義淨は婆魯師を龍腦に關係させて居ない。 又此の地に至つて死んだ新羅僧二人は何處に行く心算であつたかを考へると、勿論印度に行く心算であつたらうと思はれる。 佛逝國から船でマラッカ海峽を通過して北上し Tamralipti (Tamluk) に行けばよい。 又師子國に行くにも羯茶 Kalah, Kilah から西行して Nicobar 諸島を通過して行けばよい。 若し婆魯師を西海岸の Bārūs とするなら、佛逝卽ち Palembang から Bārūs までの陸路を行くことは到底考へられない。 船で行けば Nicobar 諸島から一度逆戻りをせねばならぬ。 婆魯斯に就いて從來二說ある。 一は高楠博士等のスマトラ北端の Parlāk 卽ち Marco Polo の Ferlec とするもの、一は回々教徒の記錄から考へて行つた G. Ferrand 氏の Bārūs 說。(23) 然し自分はこゝに前二者と異つた意見を持つ。卽ち婆魯師は Laṅgabālūs＝Nicobar の Laṅga を省けるものでは無いか。義淨の高僧傳を見ると、南海から東天竺に行くのと、師子洲に行くものと二通ある。その分岐點は羯茶であつた。義淨自身は羯茶から裸人國を經て耽摩立底に至つた。高楠博士は羯茶をスマトラ島西端に置く關係上、裸人國を Nicobar とされた。然し羯茶は馬來半島西岸にあるのであるから、義淨の裸人國は Andaman 諸島でもよい。是に反して回々教徒は南印度から東方に直行して、Kalah を目指して來るので、Langabālūs 卽ち Nicobar の裸人島をよく知つて居た。然し Andāmān の名も既に Sulaymān (851) が記して居る。回々教徒のこの針路は、スマトラ島北部の發展と關係が深い。嶺外代答の藍里、諸蕃志の藍無里、元史の南巫里、南無力、島夷志略の喃啞里卽ち Marco Polo の Lambri は既に Ibon Khordādzbeh (844–848) に Rāmī とあり、後 Rāmīn, Rāmnī, Rāmini と記す。是は島の北端西側にあつた國である。彼等は又 Kalah, Sribuza の市場で樟腦を買ふに滿足せず、その原産地を求めて行つたのが、卽ち西海岸 Bārūs がその輸出港として發達して行く原因であつたと考へらる。然らざれば西海岸は東西交通の大道から外れて居るので、發展する理由はないのである。

さて最後に赤土の南の訶羅旦に就いては、宋書巻九七呵羅單國治闍婆洲の呵羅單が同書の訶羅陀國と同じ國で、冊府元龜巻九六八には元嘉十年闇波洲訶羅單國とあるが、闇は闍の誤り。是が唐代の訶陵或は波淩宋高僧傳巻二であることを述べれば充分である。

要するに、一、隋使は馬來半島東海岸に沿うて南下せること、二、唐代赤土なく隋代室利佛逝なく、國情相似て居ること、三、兩國の四至の一致。以上の點を以て自分は隋の赤土は唐の室利佛逝であると斷定したい。

赤土に關しては、隋書の記事を主とせねばならぬ。隋書巻三及八二は魏徵上とあるから、宋初編纂の唐書、唐會要、冊府元龜、太平御覽、太平寰宇記等と違つて、唐代の地理學者の説が混じて居ない。通典巻一八八赤土の條に亦曰獅子城及び冬至之日影直在下夏至之日影在南戸皆北向の兩句の挿入があるが、唐代の八の説にすぎない。太平寰宇記巻一七七に次ぎの記事がある。

金利毗逝國在京西南四萬餘里行經旦旦國摩訶新國多隆國者埋國婆樓國多郎婆

黄國摩羅逝國眞臘林邑國乃至廣州東去致物國二千里西去赤土國一千五百里南去波利國三千里北去柳衢國三千里其國有城邑庭舍衣朝霞白氈每食先泥上鋪席而後坐國王名本多揚牙前有隊仗甲鍪甲用具多樹皮其風俗物産與眞臘同

この金利毗逝は、金利毗迦（唐會要卷一〇〇）金利毗逝（冊府元龜、卷九五七 太平御覧卷七八八）と同じく、舎利毗逝を正しき名とし、室利佛逝のことである。さて右の文によると、舎利佛逝は赤土と東西に相隣ることになり、自分の赤土卽室利佛逝の說と衝突することになるが、よく右の文を檢討すると、金利毗逝より廣州に至る間の諸國、及その四至の記事は信用出來ぬものである。卽ち旦旦は唐以前から知られた國で、乾封元年總章三年に入貢した單々と同じものか、或は寄歸傳の咀々洲か。摩訶新は寄歸傳の莫訶信。唐會要は前二者の間に訶陵國を記す。多隆は唐會要多薩にして居るが、多隆は唐書その他の多摩萇の條に東距婆鳳西多隆南千支弗Kânchîpura北訶陵Kalingaとある中の多隆と思はる。波鳳はPallavaか、多隆は案達羅Andhra或は達羅毘茶Drâvidaか、多摩萇はChera or Keralaの都Koruraの名Tâmrachuḍa-kroraに見えるが位置が合はぬ。唐會要によると多摩萇は顯慶四年二月入貢した。その頃南印度の諸國が入貢して居る。卽冊府元龜によると顯慶三年八月には千私弗、舍利君、摩臘三國、龍朔二年五月には千(私)弗、摩臘國が入貢して居る。藤田博士によると、舍利君は舍跋若唐書で本當は舍利若卽ち珠利耶 Chuliya 摩臘は秣羅矩吒 Malayakuta である。寰宇記の耆埋は耆理の誤りで卽ち舍利若ではあるまいか。次ぎの婆樓國は陸眞臘の一名婆鏤に似る、P. Pelliot 氏は賈耽所記スマトラの婆露を擧げて居るが、[25] こゝに出づる國は高宋時代に入貢した諸國と思はれるので、同氏の說は採らぬ。多郎婆黃は二國と見ると婆黃は顯慶元年五月入貢の婆岸 Pagan in Burma ? と見えるが、多郎婆黃は杜和鉢底寄歸傳卷一投(或墮)和羅、墮羅鉢底唐書、西域記 Drâravatî か。[26] 摩羅逝は摩羅遊の誤り、義淨所記の末羅遊であらう。册府元龜卷九七〇によると、貞觀十八年十二月に摩羅游が入貢して居る。唐會要卷一〇〇では三月に火辭彌卽ち迦濕彌羅西域記 Kaśmîr と共に入貢したことになつて居り、唐書卷二二一下も同樣であるが、册府元龜の方が正しいであらう。さて以上の如く、寰宇記の文を觀察すると、この記事は高宗以後に書かれたもので、舍利毗逝から廣州に行く間に印度の國まで含む所を見ると、寄木細工的机上の說であるのがわかる。從つて舍利毗逝の西に赤土を置くのも全然信ずる價値ない說である。義淨の時代に赤土の名が尙ほ存して居たとすれば、義淨がそれを記さない筈はない。然るに記さない所を見ると、當時隋の赤土は他の名に變はつて居たからである。此の事情のわからない者は隋の赤土國は尙ほ存するものと思つて、前揭の如き記事を書いたのである。尙ほ金利毗逝は東去致物二千里北去柳衢三千里と云ふ。致物は闍婆であらうが、柳衢は或は郞迦戊寄歸傳か。致物は次の史料にも出て來るが、除り使はない字である。

拘蔞密在林邑之西陸路三月行山居饒象並養之以供用顯慶元年閏正月來貢在盤盤致物國東南海路一月行南距婆利國十日行東去不述國五日行西北去文單六日行風俗物產與赤土墮和羅同永徽六年八月遣使獻五色鸚鵡唐會要卷一〇〇

右の文は唐書盤々の條に東南有拘蔞密海行一月至南距婆利行十日至東距不述行五日至西北文單行六日至與赤土墮和羅同俗永徽中獻五色鸚鵡と大分改めてあるが、自分は是は却つて改惡であると思ふ。藤田博士は會要の最初の部分丈を利用されて、拘蔞密を Kalyāni inscription の Golamattika (Pegu 海岸に在つたと云ふ) ではなからうかと云はる。[27] 然し Pegu に近い Kalyāni の刻文は十四世紀と Hobson-Jobson p. 495 に記してある。自分は拘蔞密は拘密蔞の誤りで、實は迦摩縷波西域記 Kâmarûpa と吉蔑或閣蔑慧超往五天竺國傳卷上、一切經音義卷一〇〇 Khmèr との兩方を指して居ると思ふ。

卽ち顯慶入貢の拘密蔞と永徽入貢のそれとは別物である。然もその間に致物の說明が混入して居る。次の如く三ヶの文に分解すればこの問題は氷釋する。一、拘密蔞 Kâmarûpa 在林邑之西陸路三月行山居饒象並養之以供用顯慶元年閏正月來貢。二、致物 Java 在盤々（マライ半島上）國之東南海路一月行南（東の誤）距婆利 Bali 國十日行。三、拘密蔞 Khmèr 東去不述 Pandurangâ (Padaran) 國五日行西北去文單（卽陸眞臘）六日行風俗物產與赤土墮和羅同永徽六年八月遣使獻五色鸚鵡。こゝにも赤土が出て居るが、是も記憶に殘つて居る隋の赤土にすぎない。拘密蔞の記事の中に文單國の名があるが、自神龍己後眞臘分爲二半以南近海多陂澤處今謂之水眞臘半以北多山阜處今謂之陸眞臘亦謂之文單國（唐會要卷九八）の文單である。以上を綜合して考へると、金利毗逝と拘蔞密の記事は、共に致物、赤土を記して居る點から見て、同一人の手によつて中宗神龍以後に作られたものと見える。最後に唐書（卷二二二下環王傳）の文に赤土西南入海得婆羅總章二年其王旃達鉢遣使者與環使者偕朝とある。此の文には環王の字が見えるが、環王とは至德以後の林邑の名である。從つて此の中の赤土は全く信ずる能はざるもの、例へ環王は始め林邑と記してあつたのを後世書き改めたとしても、總章入貢の婆羅に赤土を關係させたのは、前揭の諸記事と同じ見方で是を否定すべきものである。冊府元龜巻九七〇には總章二年八月林邑王鉢伽(28)舍跋摩 Prakāçadharma-Vikrāntavarman 1. cr 羅婆王稱達鉢等十一月倭國並遣使獻方物とあり。羅婆は婆羅の誤りかも知れぬが、唐書の赤土西南入海得婆羅が信ぜられぬとすれば、この婆羅は全く白紙に返つて、他の事情例へば王名旃(或稱)達鉢 Chandra varman 或はこの前後の類似の名の入貢國等と考へて、何處にあつたかを考ふべきもの。冊府元龜巻九七〇に貞觀十六年婆羅國の入貢があるが、自分は婆羅は永徽二年入貢の泥婆羅 Nepâla, Nepal の泥が落ちたのかと思ふ。是を赤土に關係させたのは隋書の婆羅利と似て居るからであらう。要之隋書以外の赤土の記事は、史料として價値なく、是によつて自分の赤土卽室利佛逝說は動搖を感じない。

最後に赤土の意味を論じて、本章を終りたい。隋書には所都土色多赤因以爲號とある。J. E. Tennet 氏はその著 Ceylon, v. 1. p. 610. に Tambapanni (Skr. Tāmraparni) と云ふセイロン島の別名が "Copper-palmed" の意味なるを以て、是を隋書の赤土に當てたが、それでは赤土の四至の說明も出來ぬ。馬來半島西岸 Wellesley 州北部で Buddhagupta, the great sailor, whose abode was at Raktamrttika の刻文が發見されたことは既に狠牙須の條に述べた。II. Kern 氏は是を隋の赤土に當てたが、赤土をシャム或はシャム灣岸に求めた。(29) 梵語で rakta は赤 mrittika は土の義。所が G. E. Gerini 氏は是に反對し、赤土の名を持つ場所がシャム灣及馬來半島に數ケ所ある。その中に半島西岸の Koh (or Pulo) Lantar の北に Tānah Mèrah (馬來語赤土) がある。故に Rakta-mrttikā は今の Mergui である。Mergui 地方はブルマ語で Myatmyo, Beitmyo と云ひ、Myat は a fringe or border を意味すると Captain Butler 氏が傳へて居るが、ブルマ語 amyit "a fringe" は書く時は mrit と書く。シャム語 mārit に同じ。是れは梵語 mṛtsā, mṛttikā 巴利語 mattikā で土の義、南ブルマの Kalyāni の碑に Gola-mattika-nagara (the present Ayethema) "many mad-and wattle houses resembling those of the Gola people" とあるから、Mergui (Mṛit, Mārit) は Raktamṛttikā の港であると Gerini 氏は云ふ。(30) 氏は梵語 mṛid, mṛit も土を意味することを脱して居るが、氏の引用する所を見るに、Mergui の mṛit, mārit は梵語 mṛid, mṛit と關係するとしても、それは border-land の意にすぎぬ。それによつて Raktamṛttikā との一致は斷定し得ない。

馬來半島の赤い土はシンガポールにも見られる。石原兄弟はシンガポールの道路にしいた赤い砂利石からヒントを得て、半島東岸の Trengganu の Kemaman 河の十六七哩上流に赤い山を發見した。それが良質の赤鐵鑛の山であつた。スマトラの Menangcabu の採礦及製鐵は Marsden, Crawfurd 兩氏も傳ふる所で、殊に前者は、その他の地方にも鐵が多いことは、土地に與へる色によつても分ると云つて居る。土地に與へる色とは赤色である。雨量と温度の關係で南洋の土は赤い。かく見れば隋の赤土國を唐の室利佛逝 Palembang 地方に置いても差支へがない(31)。Raktamṛttikā も亦同地であらう。自分は甞つて、Palembang 地方の土色に就いて分明しないため、支那の五行思想からも赤土の説明が出來ると考へたが、それは蛇足の樣に思ふ。

註1 藤田博士大小葛蘭考、史學雜誌編二五號二、東西交渉史の研究南海篇。

2 B. E. F. E.-O. IV. p. 343, note 2. 及藤田博士狼牙須考七。

3 B. E. F. E.-O. XVIII, G. Coedès, Le Royaume de Çrīvijaya, p. 11—13. 及 G. Ferrand, L'Empire Sumatranais de Çrīvijaya, p. 45.

4 The Keddah Annals, translated from Malay by James Low, Bangkok, 1908, chapt. p. 14, notes p. 37.

5 G. Coedès, Le Royaume de Çrīvijaya, p. 13.

6 此の國は Jaiya et très probablement Nagor Sri Dharmarāj を含む、B. E. F. E.-O. XVIII, G. Coedès, Le Royaume de Çrīvijaya, p. 18.

7 本文に加の字一字あり、Chau Ju-Kwa p. 69 は是を略し、藤田博士狼牙須國考頁三三に加吉蘭丹とするも、自分は波牙斯の三字を脱せるものと考ふ。

8 東西交渉史の研究南海篇頁三三―三四。

9 B. E. F. E.-O. XVIII, G. Coedès, Le Royaume de Çrīvijaya, p. 13.

10 R. O. Winstedt, A History of Malaya, Singapore, 1934, p. 19—21.

11 R. J. Wilkinson 氏は Patani 河の支流とする。A History of the Peninsular Malays, with chapters on Perak and Selangor, Singapore, 3rd edition, 1923, p. 15.

12 Mahishahura, Winstedt, A History of malaya, p. 21 は誤り。

13 The commonest types of glass-beads are opaque yellow, opaque blue, opaque green, clear blue, clear yellow, dark red, and orange paste with dark-red striations. One type has "a core of non-translucent yellowish paste, plated with gold-leaf which is covered with clear yellow glass."

14 R. J. Wilkinson, A History of the Peninsalar Malays, p. 12.

15 Alexander George Findley, A Directory for the navigation of the Indian Archipelago and the coast of China, 1889, p. 208.

16 東西交渉史の研究南海篇頁六八五。

17 唐書卷二二二下の名蔑東接眞陀桓西倶游南屬海北波剌の名蔑は多蔑の誤り。眞陀洹と似た耨陀洹がある。唐書卷二二二下河陵の條に墮和羅の屬國として曇陵陀洹を擧げ曇陵在海洲中陀洹一曰耨陀洹として居る。然し唐會要卷九九には曇陵吐火羅之屬國也居大洲中：貞觀十六年遣使入貢とある。吐火羅と墮和羅は混同できぬ。陀洹は册府元龜卷九七〇に貞觀十七年に入貢して居るが、唐會要には耨陀洹とし十八年入貢とあり、墮和羅西北として居り、海行五月至廣州とある。且唐書所記陀洹の國情は會要の所記と同じ。從つて耨陀洹が墮和羅の屬國であるとする唐書の說はそのまゝ受け入れるわけはゆかぬ。按ずるに耨も呉と同じく梵語 Sri をうつすのではあるまいか。然し耨陀洹はビルマの Tagaung を云ふのであらう。

18 B. Laufer, Sino-Iranica, p. 468—487.

19 東西交渉史の研究南海篇頁二九—三〇。

20 赤沼智善、印度佛教固有名詞辭典。

21 Maçoudi, Les Prairies d'or, texte et traductions par C. Barbier de Meynard et Pavet de Courteille, Paris, 1861, t. I, p. 338, t. III, p. 48. 他の回々教徒の引用文は G. Ferrand, Relation de voyages et textes geograohiques, arabes, persans et turks relatifs à l'extrême-orient du VIIIe au XVIIIe siècles, Paris 1913. に據る。

22 G. Ferrand, Relation, I. p. 288.

23 G. Ferrand, L'Empire Sumatranais de Çrīvijaya, p. 72.

24 東西交渉史の研究南海篇頁一二七。

25 B. E. F. E.-O. IV. p. 326.

26 G. Ferrand, Malaka, le Malāyu et malāyur, p. 91. のスマトラ東南の Tulanbawan とする説は問題にならぬ。J. Asiatique, s. XI, t. XI, p. 477.

27 東西交渉史の研究南海篇頁一一五。

28 唐會要卷九八には舍が含となつて居り、G. Maspero, Le Royaume de Champa, 1928, p. 246. の年表も含であるが舍を正しとす。

29 G. E. Gerini, Researches on Ptolemy's Gesgraphy of Eastern Asia, 1909, p. 83.

30 ibid. p. 82—83.

31 W. Marsden, History of Sumatra, p. 22. J. Crawfurd, Dictionary of the Indian Islands, p. 417. 理學士市村毅氏及商工省技師千谷好之助氏談話。

三　室利佛逝

室利佛逝國に就き正しい知識を支那に紹介した者は僧義淨である。義淨が南洋を經て渡天の途に就いたのは、咸亨二年年三十七であつた。彼の求法高僧傳に咸亨三年とあるは誤りで、寄歸傳所記を正しとする。十一月波斯船に乘船し、冬の季節風を利用し、兩旬ならずして佛逝國に之き、停ること六ケ月聲明を學び、末羅瑜國に行き、こゝにも二ケ月停つて、轉して羯茶に向ひ、十二月(咸亨三年)に至つて東天に向ひ、北行十日餘、裸人國を經、更に西北行半月餘にして、咸亨四年二月八日耽摩立底 Tāmralipti, Tamluk に達した。此の地は東天竺の門戶であつた。そこに留る間梵語を學び聲論を習つた。五月出發中天那爛陀 Nâlandâ, Bargâon に赴き、那爛陀寺に住すること十歲、その間聖迹を偏禮し經を求め、垂拱元年歸途に就き、再び耽摩立底にて乘船、羯茶を經て佛逝に歸つた。所將梵本三藏五十萬餘頌。佛逝には當時大德釋迦雞栗底 Sakyakirti 以下佛僧一千を越ゆ。

義淨はこの地に於て、更に梵經を鈔寫せんと欲し、墨紙及雇手直を本國に求める書信を賴むため、佛逝江口に停泊して居た商舶に乘船せる所、風の都合で船がそのまゝ出帆したため、永昌元年七月二十日廣府に歸つた。然し梵經五十萬頌が佛逝に置いたまゝになつて居るので、その年十一月再び佛逝に渡つた。その後天恩を請ひ西方造寺を計り、永淳二年以來佛逝に來た居た大津法師を本國に遣歸することにした。大津法師は天授二年五月十五日附舶長安に向つた。その時義淨は彼に新譯雜經論十卷南海寄歸內法傳四卷西域求法高僧傳兩卷を委托した。是によれば寄歸傳及高僧傳の製作は、垂拱元年 685 A. D. 天竺より歸つて後、或は永昌元年 689 A. D. 末に廣府から歸つた後、天授二年 691 A. D. 五月十五日までの間にある。義淨はその後更に數年佛逝に停つて、證聖元年仲夏に河洛に歸つた。義淨は東裔諸國として室利察呾羅國郎迦戍國社杜の誤和鉢底國臨邑國寄歸傳卷一を擧ぐ。臨邑は又瞻波或占波と書き他に扶南或跋南が見える。又南海諸洲としては婆魯師洲末羅遊洲即今尸利佛逝國是莫訶信洲訶陵洲呾呾洲盆盆洲婆里洲掘倫洲佛逝補羅洲阿善洲末迦漫洲又有小洲不能具錄寄歸傳卷一を擧げて居るが、この中に羯茶が略されて居る。義淨は玄奘の如き旅行好きの人ではない、印度も中天竺以外に遍歴して居ない。從つて南海に於ても、佛逝國の他は、廣府から佛逝を經て東天耽摩立底に至る間の諸國より他知らなかつたと察せられるので、以上列擧した諸國の大部分は、當時彼と同じく南海に行つた他の佛僧とか舶商とか等から聞いたものであらう。求經に專念したと見え、當時の佛逝國王の名さへ記してない。その位置も又如室利佛逝國至八月中以圭測影不縮不盈日中人立並皆無影春中亦爾一年再度日過頭上若日南行則北畔影長二尺三尺（1）日向北邊南影同爾 寄歸傳卷三 とあることによつて赤道附近であることがわかり、高僧傳によつて佛逝 十五日程 末羅瑜 十五日程 羯茶 無行禪師傳 がわかるのでマラッカ海峽の東に佛逝があるを知るのみ。然し佛逝がスマトラ島にあることは、賈耽の廣州通海夷道 唐書卷四三下 に蕃人謂之質 malay sĕlat "strait" 南北百里北岸則羅越國南岸則佛逝國とあるによつて明かである。かくの如く佛逝の位置を追求すると、最後に G. Coedès 氏によつて紹介された Palembang 傍近發見の 683 A.D. 及 684 A.D. の室利佛逝の碑が、佛逝國卽 Palembang なることを明證する。そして義淨が佛逝江口と云つて居るのは、同地と海とを連絡して居る河の河口であることがわかる。

次ぎに室利佛逝の碑に就いて述べると、一は Palembang の西南 Bukit Seguntang 丘陵の麓 Musi 河の支流 Sungei Tatang の岸 Kĕdukan Bukit 村で一九二〇年に發見された。厚い積石に刻んだ十行の文、佛譯は Prospérité ! Fortune ! En Çaka 650, le onzième jour de la quinzaine claire du mois de Vaiçākha, Sa Majesté monta en bateau pour aller chercher la puissance magique. Le septième jour de la quinzaine claire du mois de Jyeṣṭha, le roi se libéra de……Il conduisit une armée de vingt mille; des suivants…… an nombre de deux cents se déplacant en bateau, des suivants à pied au nombre de mille trois cent douze arrivèrent en presence (du rois ?), ensemble, le coeur joyeux. Le cinquième jour de la quinzaine claire du mois de……, léger, joyeux, vint et fit le pays…… Çrīvijaya, doué de puissance magique, riche……

二は Palembang の西約五キロの Talang Tuwo で同じく一九二〇年に發見された。一塊の砂石に刻んだ十四行の文。その譯文は Prospérté ! Fortune ! En çaka 606, le deuxième jour de la quinzaine claire du mois de Caitra: c'est à moment-là que ce jardin (nommé) Çrīkṣetra a été fait sous la direction de S. M. Crī Jayanāça. Voici le voeu de Sa Majesté: Que tout ce qui est planté ici, cocotiers, aréquiers, palmiers à sucre, sagoutiers et les divers arbres dont on mange les fruits, ainsi que le bambous *haur*, *vuluh* et *pattum*, et caetera; et aussi, que les autres jardins avec les barrages, les étangs, et toutes les bonnes oeuvres faites par moi, servent au bien de tous les êtres, mobiles ou innobiles, et soient pour eux le meilleur moyen d'obtenir la félicité. S'ils ont faim à la halte ou en cours de route, qu'ils trouvent des aliments et de l'eau à boire. etc.(2) Palembang 地方で發見された石佛像、Avalokiteśvara 石像、銅の佛頭、Maitreya 像に就いては N. J. Krom 氏の解説があり、(3) Devaprasad Ghosh 氏が更に是を研究して居るが、(4) 石佛像は四世紀を下らぬと云つて居る。是れ等は室利佛逝の佛敎藝術の遺物であることは明かである。G. Coedès 氏は更に Djambi 河卽ち Batang Hari の南支流 Mĕrangin 河の上流にある Karang Brahi の碑を紹介して居る。是は旣に一九〇四年に發見され、一九一四年に Kern 氏が Kota Kapur 碑と同時代のものと云つた丈で一九二〇年に及び、Krom 氏が Kota Kapur 碑と少くも趣旨に於て同一であると發表した。Kota Kapur は Palembang 河口の沖に橫はる Bangka 島內 Mĕnduk 河の北、河と Pangkal Mundo の間にあり、その碑は一八九二年に發見されて居た。高さ一米七七のオベリスク形の碑。十行の文はよく保存されて居た。その中數ヶ所の文句が Karang Brahi 碑に缺げてる他、同じ內容で、Succès !.... O vous, toutes les divinités puissantes qui été rassemblées et qui protégez (cette) province de Çrīvijaya; vous aussi, Tandrun luah (?) et toutes les divinités par qui debutent toutes les formules d'imprécation ! Lorsqu'à l'interieur de toutes les terres (dépendant de cette province) des gens se revolteront·····, conspireront avec les révoltés, · parleront aux révoltés, prêteront l'oreille aux révoltés, connairont les révoltés, ne seront pas déférents, ne seront pas soumis, ne seront pas fidèles envers moi et envers ceux qui sont investis par moi de la charge de dātu, que les gens *auteurs de ces actions-la* soient tués par l'imprécation; qu'une expédition (dirigée contre eux) soit envoyée sur le champ sous la clan et leur famille. Et de plus, que toutes leurs mauvaises actions, (telles que) troubler l'esprit des gens; les rendre malades, les rendre fous, faire usage de formules, de poisons, employer les poisons upas et tuba, le chanvre, le sarāmvat, les philtres, soumettre les autres à leur volonté et caetera, (que ces actions) soient dépouvues de succès et retombent sur ceux qui sont coupables de ces mauvaises actions, *et aussi qu'ils soient tués par l'imprécation. Et par surcroît; que ceux qui inciteront à endommager, qui endommageront la pierre placé ici, soient tués aussi par l'imprécation et soient châtiés aussitôt. Que les meurtriers, les révoltés, ceux qui ne sont pas dévoués, qui ne sont pas fidéles envers moi, que les auteurs de ces actions soient tués par l'imprécation.* Mais si les gens sont soumis, sont fidèles envers moi et envers ceux qui ont été investis par moi de la charge de dātu, que la bénédiction soit sur leur entreprises, ainsi que sur leur clan et leur famille: succès, aise. santé, absence de calamités, abondance pour tous leurs pays! *Çaka* 608 (686 A. D.) *le premier jour de la quinzaine claire du mois de Vaiçākha, c'est à ce moment-là que fut proférée cette imprécation; elle a été gravée au moment où l'armée de Çrīvijaya venait de partir en expédition contre la terre de Java qui n'était pas soumise à Çrīvijaya.* イタリック(5)にした部分が Karang Brahi碑に缺ぐ。以上の碑文の年代は六八三年高宗弘道元年、六八四年中宗嗣聖元年、六八六年嗣聖三年であつて、丁度義淨が印度から佛逝に歸つた前後數年間に當る。然し彼は室利佛逝のジャバ征伐等は一言も記さない。Çrī Jayanāça 王の Çrīkṣetra 園の建設に就いても同じ。唯義淨は佛逝國と末羅遊との關係に就いて、重要なことを記して居る。寄歸傳卷一に末羅遊洲卽今尸利佛逝國是、高僧傳卷下玄逵律師の後に往末羅瑜國今改爲室利佛逝也と記す。是は高楠博士以下學者概ね佛逝國が末羅瑜を合併したと解して居る。唯藤田博士は「室利佛逝三佛齊舊港は何處か」の論文中に、島夷志略に舊港の名があり、諸蕃志に巴林馮 Palembang が三佛齊の屬國と算へられて居るから、室利佛逝の名の改爲の室利佛逝に移り、そ

の原地を舊港と稱するに至つたのであるまいかと思ふと云つて居られる。(6) そして島夷誌略校注三佛齊の條にも唐時室利佛逝有二舊國在東殆謂浡淋邦新國在西殆謂詹卑也とある。自分も嘗つては博士の說に從ひ、都を移したのかと考へたが、是は矢張り普通の合併說が宜しい。高僧傳を見ると、佛逝と末羅遊は地理的にハツキリ區別されて居るから、佛逝の中心が末羅遊に移つてしまつたとは考へられぬ、藤田博士の說の如くならば、舊港と云ふ名は元以前にも見えなくてはなるまい。唯佛逝が末羅遊を併合した爲めに、末羅遊の名が佛逝にも適用される樣になつたかと思はれるのは、寄歸傳卷一に斯(南海諸國)乃咸遵佛法多是小乘唯末羅遊少有大乘耳の羅遊は高楠博士の說の如く實は佛逝の筈であるからである。諸蕃志に三佛齊の屬國に勃淋邦を擧げて居る點から氣が付いて、當時の三佛齊の中心は、Palembang でなくその西の Djambi であらうと云ふ考へは、藤田博士の後、學者の問題となつて色々說が出て居る。然しそれに對する批評及び自分の意見は次の章に述べることにする。兎に角西洋の學者では、唐時に佛逝が詹卑に移つたと說く者はない。藤田博士の說は、此の遷移を餘り遠く溯りすぎて居ると思ふ。藤田博士は段公路の北戶錄に占卑國出偏核桃形如半月狀波斯人取食絕香美とあるを引き、又劉恂の嶺表錄異にも偏核桃の條に畢占國とあるが是は固より占卑の誤であらうと云はる。(1) 北戶錄は唐書藝文志に段公路北戶雜錄三卷 文昌孫 とあるもので、書中に咸通十年とあるから懿宗時代の人と云はれて居る。嶺表錄異の劉恂は昭宗の時出でて廣州司馬となつた人であるから、段公路より後輩に當る。從つて嶺表錄異は北戶錄から偏核桃の記事を採つたとして宜しい。然らば畢占は占卑の誤りであること確かで、占卑國は大中六年に入貢して居る。卽ち大中六年十二月占卑國佛邪葛等六人來朝 唐會要卷一〇〇 大中六年十二月占卑國勿邪葛等六人來朝貢方物 太平寰宇記卷一七七 大中六年十一月占卑國來朝 傳作僉毗 僉獻象魏謨請還其使從之 玉海卷一五四所引實錄。大中六年は懿宗の前宣宗の世であるから、段公路は占卑國の入貢を知つて居る筈である。この占卑は藤田博士の云はれる如く、スマトラの Jambi 卽ち義淨の末羅瑜であらう。然し占卑が室利佛逝と稱しないことに注意するなら、義淨の末羅瑜今改爲室利佛逝の文句を、室利佛逝が末羅瑜に遷つたと解する博士の說の誤つて居ることが、それでもわかる。

次ぎに室利佛逝國の入貢を諸書に就いて檢するに、唐書 卷二二二下 室利佛逝傳を基本として、是を注釋する形を取ると次の如くなる。

唐書曰咸亨至開元間數遣使者朝衣。されど高宗時代の入貢は他書に見えぬ。唯唐會要 卷一〇〇 に證聖元年 A. D. 695 九月五日勅蕃國使入朝其糧料各分等第給南天北天竺波斯大食等國使宜給六箇月糧尸利佛誓眞臘訶陵等國使給五箇月糧林邑國使給三箇月糧とあるから、その前に佛誓の入貢があつたと見える。册府元龜 卷九七〇—九七一 によると、長安元年 A. D. 701 十二月佛誓國遣使貢方物を始めとし、(8) 開元四年 A. D. 716 三月佛誓國遣使朝貢とある。

唐書曰又獻侏儒僧祇女各二及歌舞官使者爲折衝以其王爲左威衞大將軍賜紫袍金鈿帶。册府元龜 卷九七一 に開元十二年七月尸利佛誓國遣使俱摩羅獻侏儒二人價 僧の誤 耆女一人雜樂一部及五色鸚鵡授摩羅折衝賜帛百疋放還蕃とあり、同書 卷九七五 には七月丁丑とあり價耆婦女、賜帛一百疋とある他皆同文。又同書 卷九七五 は前條に次いで八月庚子制曰尸利佛誓國王尸利陁羅拔摩遠修職貢誠勤忠款嘉其乃誠宜有褒賜可遙授左威衞大將軍賜紫袍金鈿帶と記す。同書 卷九六四 にも略同文を載せて居るが、褒賜を褒錫、陁を施 陁の誤り として居る。俱摩羅は Kumāra で譯童子、僧祇或は僧耆は pers. zangi 卽ちアフリカ東海岸の黑奴である。次いで同

書 卷九七一 に開元十五年 A. D. 727 十一月拂誓國王遣使獻五色鸚鵡と記して居る。[9]

唐書曰後遣子入獻詔宴于曲江宰相會封賓義授右金吾衞大將軍還之。舊唐書 卷九本紀に開元二十九年 A. D. 741 十二月佛逝國王遣子來朝獻とあり、冊府元龜 卷九七一に十二月拂誓國王啝國王各遣其子來朝具獻方物、又同書 卷九六五 には天寶元年 A. D. 742 正月佛逝國劉滕未恭爲賓義王授右金吾衞大將軍……賜帛八十疋放還部落とある。唐書は以上を以て終つて居るから、同書の其王號曷密多 amṛita "immortal" は天寶以前の話。以上佛誓王名は Talang Tuwo 碑 A. D. 684 の Çrī Jayanāça 開元十二年の三尸利陁羅拔摩、天寶元年の劉滕未恭が知られて居るのみ。三尸利陁羅拔摩は G. Ferrand 氏は三の字を見落し Çrīndravarman とする。[10] 三の字は王の誤りと思はる。劉滕未恭の未恭は末恭の誤りで、Rudrawarman と讀むのかも知れぬ。

天寶以後久しく佛誓國入貢の記事が無く、昭宗天祐元年に至つて、冊府元龜 卷九七六 に昭宗天祐元年 A. D. 904 佛齊國入朝使蒲訶栗可寧遠將軍。唐會要 卷一〇〇 に天祐元年六月授福建道佛齊國入朝進奉使都番長蒲訶栗寧遠將軍とある。文獻通考 卷三三二 三佛齊の條に唐天祐元年貢方物授其使都蕃長蒲訶栗寧遠將軍。又群書考索後集財賦門卷六四三佛齊の條に唐天祐中嘗來貢物とある。是に就いては次の章に說明を讓る。この間支那史料が缺けて居る。唯碑文の方に大曆十年A.D.775の碑が馬來半島にある。此の碑はG. Coedès氏はVieng saの碑として紹介したが、後にそれは問違ひで、Ligor (Vat Sema Müong)の碑と改めた。[11] 碑は兩面に文あり、一面はÇrīvijayaに關係し、一面はÇailendravaṅçaに關係する。前者は長文であるが、後半を引くとVictorieux est le roi de Çrīvijaya, dont la Çrī a son siege echauffé par les rayons émanés des rois voisins, et qui a été diligement créé par Brahmā comme si ce Dieu n'avait eu en vue que la durée du Dharma renommé. Le roi seigneur de Crīvijaya, seul roi suprême de tous les rois de la terres entière, a élevé ces trois beaux édifices de briques, sejour de Kajakara (=Padmapāṇi), du Destructeur de Māra (=le Buddha), et de Vajrin (=Vajrapāṇi). Ce séjour divin, constitué par un groupe de trois caityas, (comparable à un) précieux diamant au milieu de cette montagne que sont les souillures de l'univers, et procurent aux trois mondes une remarkable splendeur, á été donné au meilleur de tous les Jinas qui résident aux dix points de l'espece. Ensuite, le chapelain royal nommé Jayanta ayant reçu du roi cet ordre excellent: "Fais trois stūpas》, il les fit. Quand ce (Jayanta) fut mort, son disciple le sthavira Adhimukti fit deux caityas de briques près des trois caityas (élevés par le roi). (L'année) çākarāja (designée) par les (six) saveurs, le nombre neuf, et les (sept) munis étant révolue (697 ç=775 A. D.) le onzième jour de la quianzaine claire du mois de Mādhave le Soleil se levant en compagnie de Vénus dans le Cancer, le roi de Çrīvijaya semblable au roi des Devas, supérieur aux autres rois, ayant l'aspect du cintāmaṇi. attentif aux trois mondes, a élevé ici . . . stūpa……[12] 此の碑文によつて、七七五年卽代宗大曆十年に室利佛逝王が此の地に寺院を建立したこと、換言すればこの地方に努力を持つて居たことが分明する。それにして此の後昭宗天祐元年 A. D. 904 まで、約百三十年間一向に支那史料にも現はれず、碑文の方でも Sailendras 家の碑文が、一時考へられた如く、室利佛逝と關係あるものでないとすれば、この方面も何等傳へる所がないことになる。所がこゝに注意すべきことは隣國訶陵のことである。訶陵は天寶以前に入貢すること少く、天寶以後に入貢頻繁である。卽ち天寶以前では貞觀二十一年遣使獻金花等物 寰宇記卷一七七 或は貞觀二十二年朝貢使至 會要卷一〇〇 この入貢は册府元龜には見えぬ。乾封元年總章三年の入貢が册府元龜 卷九七〇 にある。總章三年のは訶羅とあるが訶陵のことであらう。又前に引用した證聖元年の勅 會要一〇〇 に訶陵の使者には五箇月糧を給するとある。とに角訶陵の入貢が少い。然るに天寶以後に於ては、唐書巻二二二下曰大暦中訶陵使者三至。大暦三年十一月遣使朝貢、同四年正月同前冊府元龜巻九七二。又唐書曰元和八年獻僧祇奴四五色鸚鵡頻伽鳥等憲宗拜内四門府左果毅使者讓其弟帝嘉美並官之訖大大の誤和再朝貢。元和十年八月遣使獻金含の誤抵祇の誤僮及五色鸚鵡頻伽鳥幷異香名寶冊府元龜巻九七二元和十年遣使獻僧祇僮及五色鸚鵡寰宇記一七七唐會要巻一〇〇は元和八年とし、冊府元龜の異香までの文を記す、是は十年八月の誤りであらう。元和十三年遣使進僧耆女二人鸚鵡玳瑁玳の誤及生犀等冊府元龜九七二十三年十一月獻僧祇祇の誤女二人及玳瑁璫生犀等唐會要一〇〇又唐書曰咸通中遣使獻女樂。この事は他書に見えぬ。以上の如く天寶以後は頻に訶陵國が入貢して居り、是に反して佛誓の入貢がないのは何事かを物語つて居るのであるまいか。天寶以前に佛誓が頻りに唐に入貢し、天寶以後大暦元和の間訶陵が頻りに入貢して居るのは、兩國の盛衰消長を示すものではあるまいか、尚ほ進めて言へば、大暦、元和卽ち八世紀の後半から九世紀初めに亘る訶陵の活動は、則ちジャバの Sailendras 家の活動を意味して居る。同王家の碑文が中央ジャバの Jogjakarta 州内 Kalasan 及同州内 Prambanan の Lolo Jonggrang の寺の北に當る Kĕlurak

と馬來半島中部の Ligor に發見された。先づ瓜哇の碑に就いて見るに、Kalasan 碑は 700 śaka=778 A.D. のもので、その趣旨は女神 Ārya Tārā の爲めに Śailendra 家の guru "précepteur" が一寺を建立したことで、R. C. Majumdar 氏によると(13)その要略は Adoration de la déesse Ārya Tārā. Le précepteur (guru) des rois Śailendra avait fait édifier un temple de Tārā avec l'aide (ou le consentement) du ((Mahārāja dyaḥ Pañcapana Panaṃkaraṇa)) Sur. les ordres du guru, quelques officiers du roi construisirent un temple avec l'image de la déesse Tārā, ainsi qu'une maison d'habitation pour les moines professant le Vinaya-Mahāyāna. Dans le royaume prospère de ((l'ornement de la dynastie Śailendra)) (Śailendra-vaṃśatilaka), le temple de Tārā a été construit par le precepteur des rois Śailendra. En l'an 700 saka, Mahārāja Panaṃkaraṇa fit un édifier un temple à Tārā pour le culte du Guru (gurupūjartham) et fit don au Sangha du village de Kalasan. Ce don doit être protégé par les rois de la dynastie Śailendra. Śrīmān Kariyana Panaṃkaraṇa fait cette requête à l'adresse des rois futurs. , Kĕlurak 碑は 701 śaka=782 A.D. のもので、是も Majumdar 氏によると、その文中に Cette terre est protégée par le roi appelé Indra, qui est un ornement de la dynastie Śailendra Śailendravaṃśatilaka), qui a vaincu les rois dans toutes les directions, qui a détruit le plus puissant héros ennemi (vairivaravīravimardana). par lui dont le corps a été purifié par la poussière de pieds du Guru venu de Gauda (Gauḍivīpaguru),…cette image de Mañjuśrī a été érigée pour le bien-être du monde par le précepteur royal (rājaguru). En année 704 śaka, Kumāraghoṣa (c'est-à-dire le précepteur venu de Gauda mentionené plus haut) érigea ce Mañjughosa. とある。これらの碑文によつて當時 Śailendra 王家がこの中央ジャバの地方に居たことがわかる。所が所謂 Grande charte de Leyden なる南印度 Chola 王 Rājarāja, 一世の記錄がある、其の梵文は一〇四四年に、tamil 文は一〇四五年に書かれて居るが、それによると Śrī Māravijayottuṅgavarman, roi de Kaṭāha et roi de Śrīviṣaya, issu du la dynastie śailendra とあるから、年代は遲れるが、室利佛逝王家も此の名を持つて居たのがわかる。緖言にも述べた如く、一時はジャバの Śailindra 家とスマトラの Śailendra 家を同一に考へ、室利佛逝のジャバ征服と考へた。然し是に對して W. F. Stutterheim 氏の反對說が出た。氏は kĕdoe 發見の銅版の刻文 907 A.D. に、rakai matarām. sang ratu Sañjaya. çrī mahārāja rakai panangkaran. çrī mahārāja rakai panunggalan. çrī mahārāja rakai warak. çrī mahārāja rakai garung. çrī mahārāja raki pikatan. çri mahārāja rakai kayu wangi. çrī mahārāja rakai watu humalang, terwijl dan de nog levende konig volgt: çrī mahārāja rakai watu kura. と Sañjaya 王統の諸王名が列擧してあるが、その二番目の王は Kalasan 碑 778 A.D. の Mahārāja paṇangkaraṇah, kariyāna paṇangkaraṇaḥ çrīnāṇ と同じとした。[14] それで Kalasan 碑の Śailendra 家は Tjanggal 碑 732 A.D. を立てた Sañjaya 王の家柄と同じでなければならぬと云ふ論に達し、瓜哇の Śailendra 家のスマトラ發展を考へた結果 A Javanese Period in Sumatran History となつた。自分は未だ此の本を入手しないので、氏の説を十分理解出來ないが、Kĕdoe の刻文に Śailendra の名が見えないのは怪しい。F. D. K. Bosch 氏が Stutterheim 氏の説を色々批評して居るが、Kalasan 碑の paṇangkaraṇaḥ と Kĕdoe 刻文の panangkaran の比定には贊成して居る。[15] 所で瓜哇とスマトラの室利佛逝を關係させるには、Nālandā plate が重要な役割を演ずる。是は Bengal の Pāla 王朝の Devapāla 王世九年 ca. 860 A.D. の銅版で、その刻文に同王が Mahārāja Śrī Bālaputradeva, roi de suvarṇadvīpa の請求により、その建立した佛寺に五村を贈與したことを記し、末尾に Bālaputradeva の系圖として Il y eut un grand roi de Yavabhūmi dont le nom signifiait "tourmenteur des ennemis courageux" (vīravairimathanānugatabhidhānaḥ) et qui était un ornement de la dynastie Śailendra, Il avait un fils vaillant (appelé) Samarāgravīra (ou celui qui est le premier dans la bataille). Sa femme Tara, fille du roi Srī Varmasetu de la race lunaire, ressemblait à la déesse Tārā. De cette femme, il eut un fils Srī Bālapptra qui fiit construir un monastère à Nālandā とある。(16) 是によると Suvarṇadvīpa 王 Bālaputra の祖父は Yavabhūmi 王で Śailendra 家に屬する。Yavabhūmi は普通ジャバと解されるが、Suvarṇadvīpa は義淨の金洲と同じくスマトラであらう。A. Foucher 氏が紹介したネパールの佛畫に中央に菩薩右に Tārā 女神左に Marīcī or Hayagrīva を畫き Suvarṇṇapure Crī-Vijayapure Lokanātha "Avalokiteçvara à Çrī-Vijayapura dans Suvarṇapura" と書いてある。G. Coedès 氏は Suvarṇabhūmi は Burma も指すからとて躊躇したが、G. Ferrand 氏は是をスマトラと斷定した。(17) 自分も Ferrand 氏の說に贊成する。是によると Bālaputradeva は室利佛逝王、その祖父は Śailendra 家の瓜哇王である。此の瓜哇王を Stutterheim 氏は Sañjaya に比定せんとしたが、それは無理で Bosch 氏の說の如く、(18) Kĕrulak 碑の vairivaravīravimardana とするのが正しい。G. Coedès 氏は更に Ligor 碑の B 面に aśesasarvārighamada "impassioned for the murder of his innumerable enemies" とあるのも同じと見て居る。(19) 同氏の讀み方は corrected reading と斷つて居る如く、P. Mus 氏の訂正に從つたので(20) B.E.F.E.-O. XVIII. appendice

の讀み方と違ふ。今 G. Coedès 氏の譯文を引くと、B 面の文は Ce roi suprême de rois, le seul qui par son éclat soit comparable au soleil (dissipant) cette nuit qu'est la troupe de tous ses ennemis, ressemblant par sa beauté charmante à la lune d'automne sans tache, ayant l'aspect de Kāma incarné, ayant l'aspect de Viṣṇu...chef de la Famille du Roi des monts, nommé Çrī Mahārāja. で、la famille de roi de monts は Śailendravaṃśa の譯である。然し Majumdar 氏は L'inscription B débute par l'éloge d'un empereur (rājādhirāja) dont le nom était (Viṣṇvākhyo). La dernière ligne est difficile à interpréter. Elle semble se rapporter à un seigneur de la Sailendra appelé Srī Mahārāja, et il est probable, mais non absolument certain, que ce personnage est le même que le rājadhirāja nommé Viṣṇu. (B.E.F.E.-O. XXXIII. p. 122) と云ひ、Viṣṇu を王名にして居り、Srī Mahārāja の關係が分明せぬ樣に見て居る。兎に角 Coedès に從へば、年代を記してない Ligor 碑の B 面は Kĕrulak 碑 782 A.D. と同時代のものとなり、又その Śailendra 家は瓜哇の同王家となる。前章に Selinsing 發見の Srī Viṣṇuvarman 王印を B. Ch. Chhabra 氏が Ligor 碑 B 面の Viṣṇu に比定したことを述べた。(J. of Gr. Ind. Soc. v.II. n.1) その時諸蕃志三佛齊の條に以其王指環爲印とあるを指摘したが、此の三佛齊は Śailendra 家の三佛齊であるから、若し Chhabra 氏の

比定を正しとすれば、指環印使用は同王家がスマトラに移る以前からの風習かも知れぬ。Nālandā 銅版の Yavabhūmi 王の子 Samāragravīra に就いては、二度まで中部瓜哇の王の名として出て居る Samarottunga と意味を同じくし、Krom 氏が Kalasan の Samarottunga ではなく、Kĕdoe 刻文 847 A.D. の Samarottunga を、銅版の Samāragravīra に當てたのを、Stutterheim 氏が等閑に附して居ることを Bosch 氏は疑問とした。(21) 然し Majumdar 氏も Krom 氏の説を疑つて居る。(22) 予も Nālandā plate の Śamāragravīra が果して瓜哇王であつたかに疑ひを持つ。然しそれは兎に角として Śailendra 家の瓜哇王の孫 Bālaputradeva が如何にして Suvarṇadvīpa 卽ち室利佛逝の王となつたか、その事情は一向に分明せぬが、自分は是は事實と見てよいと思ふ。

丁度此の時代に當る Ibn Khordādbeh は Le roi du Djāwaga s'appelle Pungawa ;…le roi des îles de la mer orientale, le Mahārādja…と云ひ、又 Cette île (Kilah) appartient au royaume du Djāba l'Indien. と云つて居る。pungawa は skr. pungava "a hero, or eminent person, chief, best, most excellent." Sulaymān も Kalāh-bar est une dependance de Djāwaga と云つて居る。Kalāh-bar の bar は Ferrand 氏は skr. vāṭa, vāra "pays" と解した、Malabar. Malayabar も同じ。(23) 然し M. Williams の梵語辭典を見るに vāṭa, vāra に "pays" の義が見當

らぬ。Hobson Jobson p. 539 も vāra を "region" とするが怪しい。J Przyluski 氏は梵語 bharu "sea" Malay, baroh "sea, sea coast" を引く。[24] 要するに Kalāh-bar, Malabar の bar は skr. bharu, Malay, baroh 或は Arab. bahr "sea" か。さて Ibn Khordādzbeh 及 Sulaynān によると、Zabag, Djawaga は Kalah, Kilah を屬國とする。是は南印度の史料に roi de Katāha et Crīvijaya とあるのと一致する。是は次の章に述べるが、Kalah, Kilah, skr. Kaṭāha, tamil Kaḍāram, Kiḍāram 羯茶義淨箇羅唐書は皆同じく、馬來半島西岸 Malacca 海峽に面する港で、今の Kedah にその名を遺して居る。此の點から見ると Zābag, Djāwaga=Çrīvijaya となる。是は G. Ferrand 氏の主張である、[25] Zābag, Djāwaga は印度人の用ゐる Jāvaka である。梵語辭典を見ると ka と云ふ affix は辭典に It may also be added to nouns to express diminution, deterioration, or similarity (e. g. putraka, a little son ; asvaka, a bad horse or like a horse) とあるから、Javaka が馬來半島及スマトラ島に適用されるのも不思議でないと思ふ。現に後に述べる如く、Jāvaka が馬來半島中部 Ligor 地方に對して用ゐられて居る。然し Djāwaga=Çrīvijaya は、Ferrand 氏の説明丈では自分は滿足できなかつた。それは Mahārāja に就いてである。Ligor 碑の B 面に Crī Mahārāja が見えるが、是は Majumdar 氏の指摘す

る如く、A面のÇrīvijaya の刻文と別物とすれば、Ferrand氏の用ゐた史料文では、室利佛逝王がMahārāja と云つた證據はなくなる。所がこの問題を解決するものは、前に述べた Nālandā plate であると思ふ。その Suvarṇadvīpādhipa Mahārāja Śrī Bālaputradeva は室利佛逝王がMahārāja と稱した最初ではあるまいか。是が Ibn Khordādzbeh, Sulaymān の時代に當るから、彼等に Zabag の Mahārāja の記事があつてもよいわけである。前に引用した Kalasan 碑 Ligor 碑 B 面及び Kĕdoe 刻文の諸王は Mahārāja の肩書を持つて居る。そこでかう云ふ結論が出て來る。即ち Bālaputradeva の室利佛逝王となつたことによつて、一には瓜哇王の傳統的肩書である Çrī Mahārāja が室利佛逝に輸入されたこと、二には瓜哇の Śailendra 家と室利佛逝王家との關係が生じ、室利佛逝王家も Śailendra 家になつたこと、以上二つの事が起つたものと考へられる。かく見ることにより、所謂 Grande Charte de Leyden の Śailendra 家の roi de Kaṭāha et de Çrī Viṣaya の說明が付く。Çrī Viṣaya に就いては、梵語辭典に vishaya "kingdom, district" の譯があり、從つて Çrī Viṣaya "le district de la fortune, le pays fortuné" となる。Cham の碑文によると領土を區分して pramāṇa, vijaya の二つにして居る。(26) 梵語 vijayá は victory, conquest の義と province, district の義がある。室利佛逝を Çrī viṣaya と書いた例は他に無い、他は皆 Çrī Vijaya である。G. Coedès 氏は Çrī Vijaya を Çrī Visaya と同義に解した。(27) 然し Vijaya を勝利の意味に解し、Grande Charte de Leyden のみが是を Viṣaya と解したとも取れないことは無い。以上の論を表に現はすと

	Mention of Śrīvijaya	Mention of Sailendra	
天寶元年 742	Inscriptions from Palembang, Bangka etc. (683—686) Stèle of Ligor, face A (775)		Inscr. of Čangal (732) (Sañjaya)
此の間佛誓入貢無く 訶陵頻りに入貢す		Insor. of Kalasan (778) (Panangkaraṇah) ″ ″ Kĕrulak (1782) ″ ″ Ligor. B (after 775) Nalanda plate (ca. 860) (Yavabhūmipāla —o— Bālaputradeva, roi de Suvarṇadvipa.)	Panangkaran of Insor. of Kĕdoe (829) Mahārāj of Zābāg of Ibn Khordādzbeh
天祐元年 904 三佛齊入貢		Great Charter of Leyden (1006) (Śailendravaṁsa, Kaṭāhādhipati, Çrī-visayādhipati.)	

此の表により、唐天寶元年以後、天寶の亂も考慮して、天祐元年まで、佛誓

の入貢の無かつたことにより、九世紀の前半に於いて室利佛誓の不振がわかり、その後半 Bālaputradeva 以後、Sailendra 家によつて復活したことが想像される。その復活した佛誓國が、三佛齊として、宋初より盛んに入貢したことは次の章に述べる。

最後に尙ほ二三述べたいことがある。宋書に斤陀利國あり、梁書に干陀利あり、何れも入貢して居る。東西洋考卷三に舊港古三佛齊也初名干陀利と云ひ明史等も同じ。然し其の理由は不明で Groeneveldt 氏はスマトラの古名 Andalus を引用した[28]。Andlus の名は Sajarah Malayu 第二章の初めに[29] There is a country in the land of Andalás named Paralembang; which is at present denominated Palembang と出て來る他分明せぬ名である。自分は是は Indra の訛りかと思ふ。P. Pelliot 氏は Pulao Condor を是に當てた[30]。是に反して G. Ferrand 氏は南印度の史料の Kaḍāram, Kiḍāram を考へ、是をスマトラに置き、是に最も近いスマトラの名は干陀利、斤陀利及び Jbn Mājid の Hāwiya (1462 A.D.) の Kandārī であるとし、是を土名 Andalus 及 Barros の Andaloz と關係させた[31]。然し Kaḍāram, Kiḍāram をスマトラに置くのは誤解で、馬來半島西岸に置く G. Coedès 氏の說が正しい。回々教徒の記錄では Ferrand 氏の

Relation, p. 386 に Rasīd ad-Din (1310 A.D.) の Kandulāv 島もある。自分は是こそ Andalus を云つたものと思ふ。然し Andalus の名が何時から始まつたか分明せぬが、文獻上では隨分後世である。G. Ferrand 氏は明人の說や Andalus の名に囚はれて居る爲めに誤解に陷つたのであらう。自分は後世のもと切り離して、Kaḍāram; Kidārm が義淨の羯茶まで溯り得るのであるから、是を斤(或干)陀利に結び付けて考へては如何かと思ふ。隋書に赤土國王姓瞿曇とあり、梁書に天監元年干陀利王瞿曇修跋陀羅とある。王姓が同じであるのは、兩者間に關係あることを示すものではあるまいか。自分の想像では斤(或干)陀利卽ち馬來半島西岸の Kaḍāram 國の一派が、スマトラの　mbang に移住して、建國したのが隋の赤土國唐の室利佛逝國ではあるまいかと思ふ。尙ほ J. Przyluski 氏は梵語で banana tree の意味を持つ kandalī を考へた。そして If Kandalī was originally the indigenous name of a great kingdom, it was doomed to dissappear before a nobler form such as Śrīvijaya or Samudra と云つて居るが(32)、是も明人の舊說に囚はれたものである。梵語辭典では kandala, kadala, kadalaka "a banana tree" であるが、斤(或干)陀利を梵名 Kaṭāha のタミール形 Kaḍāra, Kiḍāra とすれば、梵名 kaṭāha が如何なる義を持つかを考ふべきである。辭典によると kaṭāha の義の中に a turtle's shell がある。其の産地或は輸出地と云ふ意味で、この名が地名となつたのかも知れぬ。

次ぎに舊唐書卷三貞觀二十一年の條に、是歲墮婆登乙利鼻林送都播羊同石波斯康國吐火羅阿悉吉等遠夷十九國並遣使朝貢とある。唐書本紀には此の記事無し。馮承鈞氏の蘇門答剌古國考は G. Ferrand 氏の L'Empire Sumatranais de Çrīvijaya の飜譯であるが、中に往々譯者の研究を加へて居る。その一に、舊唐書の鼻林送を鼻林迸の誤りとし、Palembang に比定した(33)が贊成出來ぬ。是は唐書本紀には見えず、冊府元龜卷九七〇には正月龜玆羊同石國吐蕃波斯康國吐谷渾、二月陁洹、十二月都播、是歲葱嶺墮婆登國龜玆國吐谷渾突厥車鼻可汗の入貢を記して居る。墮婆登は後に述べるとし、都播は唐書卷二一七下に見える北狄、羊同は文獻通考卷三三五唐會要卷九九に見える大羊同。乙利鼻林送の字は他書に見えぬ。然し是は唐書卷二一七下拔野古の條に二十一年大俟利發屈利失擧部內屬置幽陵都督府とある俟利發屈利失に當ると思ふ。次ぎに墮婆登に就いては、東洋學報卷九、號三の赤土考にも論じた如く、新舊唐書及冊府元龜の墮婆登は通典卷一八八唐會要卷一〇〇太平寰宇記卷一七七には單に婆登とあり、是を宋書卷九七の闍婆婆達及婆達、南史卷七八の闍婆達と比較したが、その四周に就いて、東與訶陵西與迷黎連接北隣大海會要、寰宇記の連接の連が、他書では車となり、唐書では迷黎車を國名として居る。連接の書き方は晉書卷五七陶璜の傳にも連接扶南の例あり、又舊唐書卷一九八天竺の條にも東天竺東際大海與扶南林邑隣接西天竺與罽賓波斯相接とあり參考になる。迷黎は義淨の末羅瑜(或遊)と思はれるから、婆登は西部闍婆でなければならぬ。是は恐らく Taroema Nagara 國であらう。その名に Ma 或は Mahā が附いた形が婆達及び婆登であらう。吳の孫權の時扶南に使に行つた康泰は諸薄之西北有薄歎洲土地出金太平御覽卷七八七と云つて居るが、その薄歎も婆達と同じかも知れぬ。Sunda 新拖諸蕃志の名は宋代に始まる。馮承鈞氏は又按新唐書驃國傳闍婆之北(馬來半島)有國其王名思利摩訶羅此名適與便沙銘大王殿下之原文對音合亦可參證也と云つて居るが(34)、驃國傳の闍婆は瓜哇とは思はれぬ。越海卽闍婆也は海路東天竺の意味で闍婆は Champa Nagara と考へる。その次ぎに十五日行踰二大山一日正迷一日射鞮有國其王名思利摩訶羅闍とあり、この思利摩訶羅が馬來半島の國とは考へ難い。

尙ほ瓜哇の Śailendra 家に就いて R. C. Majumaar 氏の說(35)と G. Coedès 氏の說(36)を述

べたい。元來Śailendraとは King of mountains の意味でヒマラヤの別名である。Śaila-rāja, Śaila-dhipa, Śaila-patī も同じ。Majumdar 氏は曰く、Kaliṅga 卽今の Orissa は五六世紀に Ganga dynasty と Sailodbhava dynasty が治めた。又その西 Vindya 地方には Śaila dynasty があり、刻文によるとその先祖はヒマラヤの娘 Ganga とするが、最初の王は Śailavanśatilaka "ornement de la famille de Śaila" の titre を持つて居た。此の三王朝の名は Śailendra と云ふ名と源を同じくするものと考へる。殊中注意すべきは Ganga 諸王で、その名に Mahārāja 或は Mahādhirāja が附く、中にも Viṣṇu-gopa-Mahādhirāja は Ligor 碑の Viṣṇvākhyo-Mahārājanama "ayant le nom de Viṣṇu Mahārāja" と殆んど同義である。であるから南洋の Śailendra の起原は Kaliṅga であり、南ビルマ及馬來半島を經て東方に其の勢力を擴張したのである。以上が Majumdar 氏の說である。元來南洋の文化は印度の影響で發達したもので、瓜哇の訶陵の名も Kaliṅga に關係して居る。從つて Śailendra の名が Kaliṅga と關係あると云ふ說は首肯される。唯 Ganga 王朝は Mysore 地方の大部分を二世紀から十一世紀まで治めた王朝で、Orissa 地方の Gangas はその分派で六世紀から十六世紀まで續いたと V. A. Smith 氏は云つて居る。[37] 從つて Mysore の Ganga 王朝を研究する必要があると考へらる。Śailendra の名がその起原は印度にあるとして、その歴史的關係は如何か。是に就いて Coedès 氏の說が發表された。同氏は Śaildndra を扶南に結び付け、更にそれと瓜哇との歷史的關係を想像した。扶南は G. E. Gerini 氏が Researches, p. 207 に於て、Khmèr 語 P'hanom (Banam, or Vanam) "a mountain, mountaineer" に當てたが、L. Finot 氏も同じく Khmèr bnam (modern: phnom) を當てた。Śailendra に就いては土語 kuruṅ bnam "king of the mountan" を考へ、梵語形としては Han Cei の碑に parvatabhūpāla とあるを擧げた、Coedès 氏はそれに Kuk Práh Kŏt の碑に Śailarāja とあるのを發表した、その譯文は King Īśānavarman who found his only pleasure in the company of sages, attained, after traversing the earth, the exalted position of king of the mountain (the Himālaya) それから扶南王は皇帝の肩書を要求し、Bhabavarman I. は Sārvabhauma 卽ち Ćakravartin 轉輪王と同義の語を用ひ、Yaśovarman I. は Adhirāja of Vyādhapura の肩書を用ゐて居るのは Ligor 碑の Śailendra 家の Srī Mahārāja に相當する。而して扶南は眞臘に亡ぼされたたことは、支那の書に明文がある。それで Kalasan 刻文の Śailendra 家は扶南の王族ではあるまいか。Abū Zayd が傳へる Zâbug 王の Khmer 侵入、七六四 七の誤 年七七四年及七八七年の瓜哇の

南 Campa 侵入、及び瓜哇の Ligor 征服は、彼等の舊領土回復の企てである。以上が Coedès 氏説の要點であるが、扶南王族の瓜哇移住及びその復讐は單に Coedès 氏の作つた物語の樣に思はれる。扶南は隋書では既に眞臘に亡ぼされた樣になつて居るが、唐書では治特牧城俄爲眞臘所幷益南徙那弗那城武德貞觀時再入朝とある。義淨は跋南舊扶南と云つて居るが、彼は眞臘を記して居ないので、眞臘を指して居るのかとも思はれる。冊府元龜では武德貞觀の間眞臘は頻りに入貢すれど、扶南の入貢はない。唐書眞臘傳では其王刹利伊金（舍の誤隋書奢）那貞觀初幷扶南とあるが、この併合は既に隋書に見えて居る。唐會要卷九八には梁大同中始幷扶南而有其國とあるが、冊府元龜では陳の世に扶南が入貢して居る。自分は矢張り隋書所記伊奢那先の父質多斯那(38) Citrasena, Mahendravarman の併合が、年代を決するには重要と考へる。又唐書所記那弗那城南遷後久しく一國として存在したとは考へられぬ。冊府元龜では隋唐扶南の入貢を記さぬのに、唐書の武德貞觀時再入貢は怪しい。唐書の誤解ではあるまいか。瓜哇の侵入は大越史記全書に大曆二年 767 A.D. 崑崙闍婆來寇攻陷州城經略使張伯儀求援於武定都尉高正平援兵至破崑崙闍婆軍於朱鳶伯義更築羅城とあるによる。是は他書に見えず、唐書卷一三六に張伯儀傳があるが、類似の記事もない。大越史記全書丈では信賴が出來ぬ。碑文ではMajumdar氏によると、[39] Po-NagarのSatyavarman王碑784 A. D.に、Saka 696=A. D. 774にferocious, pitiles, dark-coloured people of other citiesが來寇し、Mukhalinga of the God (Śambhu, established at Kauṭhāra by Vicitrasāgara)を奪ひ、神殿に放火したとあり、又Yang TikuhのIndravarman I.碑799 A. D.にBhadrādhipatiśvara神殿がJava軍の爲めにŚaka 709=A. D. 787に燒かれたと記してある。是によると大曆九年と貞元三年に入寇したことは確かである。

眞臘Cambodiaの方では、直接入寇の記錄は無いが、Sdŏk kăk thomのJayavarman II. (802–869 A. D.)の碑にKambujadeśa was no more dependent on Javā and there was (in this kingdom)·no more than one single sovereign who was cakravartinとあり、王はMahendra (Phnom·Kulên)山に都し、同時にdevarājaの儀式を制定したとG. Coedès氏は云つて居る。Champaに入寇した者が碑文ではJavavala "army of Java"とあり、單なる馬來人の入寇でなく、組織ある瓜哇軍の侵入であつたこと、又此のJavaが今の瓜哇であること、Coedès氏の云ふ通りである。然し是れが同氏の考へる如く、瓜哇に逃れた扶南王族の舊領土回復であらうか。自分にはさうは考へられぬ。

扶南の滅亡を唐初と考へても、Kalasan 碑 778 A.D. 及以上兩度の入寇 774, 787 A.D. までに百年以上の距りがある。扶南と瓜哇を結び付ける直接の證據はない以上、Coedès 氏の說は單に想像にすぎぬ。自分の考へでは、瓜哇の Śailendra 起原は別問題として、瓜哇の占婆及眞臘への入寇及び馬來半島 Ligor への發展は支那史料から見て、前に述べた如く、唐の後半期の訶陵の活動がうかがはれるので、訶陵が唐の前半期に於ける佛誓國の活動の跡を追つて北進したものと解釋する。扶南の如きは眞臘に併合されて自然消滅をした者であらう。瀕死の扶南王族が瓜哇で復活するなどは考へ難い。自分は瓜哇の Śailendra は Kaliṅga と關係あるのではないかと思ふ。瓜哇が訶羅單(或陀)南北朝と云ひ、訶陵唐代と云つたのは、勿論 Kaliṅga に關係あるが、Śailendras も Kaliṅga から來たものではあるまいか。瓜哇の八九世紀の大伽藍も、Śailendra が印度から來たものとすれば不思議はないが、扶南から來たのでは如何であら

G. Coedès 氏の說に對して、J. Przyluski 氏は別に意見を發表した。氏は cakravartin の住む the cosmic mountain 卽ち Indra の Sumeru. 或は Śiva の Kailāsa, Hemādri, Suvarṇādri を考へ、Śiva の別名 Giriśa は Śailendra と同意義であるから、後者も Śiva の

別名と考へ得。而して Sūryavaṃśa, Somavaṃśa が Surya "the Sun" Soma "the Moon" の子孫である如く、Śailendravaṃśa は Śiva の子孫であるから、當然 Mahārāja と稱し得。若し此の說明が正しければ、二つの異なつた地方に、二つの王朝が同じ名を持つことがあつても、何の推斷も引出し得ない。支那史料南齊書に Maheśvara 摩醯首羅天神)が Motan 山(摩耽 Mahendra)に常に降るとあり、瓜哇では Śiva 崇拜が Sañjaya 王の Janggal 碑 732 A. D. にあらはれ、後には Śiva と Buddha が結合して來る。諸蕃志三佛齊の條に有佛名金銀山佛像以金鑄每國王立先鑄金形以代其軀とある。是に就いて從來の解釋は要領を得ないが、是は Śiva-Buddha と同一視された王の像であり、金銀山とは貴金屬でなつて居る the cosmic mountain であると云つて居る。(40)

然し Coedès 氏の說も色々歷史的事實を考慮して扶南と瓜哇の Śailendra との關係を考へたので、單に Śailarāja, Śailendra の名の同じことからのみ考へたわけではあるまい。Śiva 崇拜から Śailendravaṃśa の名が起るとしても、Sañjaya (732 A.D.) 王は Śiva 崇拜者であつたのに、Śailendravaṃśa の名は起らず、この名は Kalasan 碑 728 A.D. から始まつて居る。然も瓜哇の Śailendravaṃśa は大乘佛教の瓜哇輸入者として知られて居る。Przyluski 氏は Śiva の形態は南印度に、大乘佛教の影響はその源を北印度殊に Bengal の Pala 王朝 c. 750 A.D.—1199 A.D. に求むべしと云つて居るのを見ても、瓜哇の Śailendras は Sañjaya 王統とは別に新に起つた王家であると考へねばならぬ。

Majumdar 氏は 879 A.D. までに Śailendras はその勢力を失ひ、その時は他の王朝によつて中央瓜哇が治められて居たと云つて居る(41)。他の王朝とは Sañjaya 王統の復活せるものである。前に述べた如く Stutterheim 氏は Kědoe 刻文の Sañjaya 王統の王 Panangkaran を Kalasan 刻文の Puṇangkaraṇa 王に比定したが、然らはその Kědoe 刻文の諸王は Śailendra 家の王と考へらるるが、この碑は 829 Śaka=907 A.D. のものであるからその年代まで同家の統治が續いて居ると見なければならぬ。要之瓜哇の Śailendra 王家に就いては、その起原に就いてのみならず、Sañjaya 王統との關係など種々分明せぬ點があり、尚ほ將來研究を要するが、八世紀後半及九世紀前半に中央瓜哇に Śailendra 家が君臨し、その間 Sañjaya 王統は東部瓜哇に居り、九世紀末頃から次第に Sañjaya 王統は中央瓜哇に復活を始め、九世紀中頃から Śailendra 家と室利佛逝との間に關係が出來て居たので、Śailendra の名も後には専ら室利佛逝王家の名として殘る様になつたこと丈は確かな様に思はれる。そして室利佛逝が十世紀中頃から再び活動を始めたことは、次の章に述べる如く宋代の三佛齊に關する史料及び南印度 Chola 王朝の刻文によつて知られる。

注

1 藤田博士は二尺三寸とせられるがその據る所は何か不明、東西交渉史の研究南海篇頁六五。

2 B.E.F.E.-O. XXX, G. Coedès, Les inscriptions Malaises de Çrīvijaya.

3 Antiquities of Palembang, Annual Bibliography of Indian Archaeology, 1931. p. 29—33.

4 Early art of Srivijaya, J. of the Greater India Society v. 1. n. 1.

5 B.E.F.E.-O.XXX. p. 48—49.

6 東西交渉史の研究南海篇頁六六。

7 同右頁六二。

8 G. Ferrand 氏の 702 A.D. は誤り、L'Empire Sumatranais de Çrīvijaya, p. 7.

9 ibid. p. 8 に七二八年とするは誤り。

10 ibid. p. 8.

11 B.E.F.E.-O. XVIII, Le Royaume de Çrīvijaya p. 29-32; Bijdragen, D. 83, p. 462, note, にはVeing Sra とある。Journal of the Greater India Society v. 1. n. 2. p. 1.

12 B.E.F.E.-O. XVIII. Le Royaume de Çrīvijaya, appendice.

13 B.E.F.E.-O. XXXIII. Fasc. 1, 1933, Les roi Śailendra de Suvarṇadvīpa.

14 Tijdschrift, Deel 67, Een Belangrijke oorkonde uit de Kědoe.

15 Tijdschrift, Deel 69, 1929. Boekbespreking.

16 B.E.F.E.-O. XXXIII, Fasc. 1. p. 123; J. of the Greater India Society v. 1, n. 1. p. 14.

17 Etude sur l'iconographie buddhique de l'Inde, 1900; B.E.F.E.-O. XVIII, p. 4; L'Empire Sumatranais, p. 43.

18 Tijdschrift, Deel 69, 1929.

19 J. of the Greater India Society, v. 1. n. 2, p. 65—66, note.

20 B.E.F.E.-O. XXIX, p. 448

21 Tijdschrift, 69, Bespreking.

22 J. of the Greater India Society, v. 1. n. 1. p. 21.

23 Relations de voyages, p. 38, note 5; p. 39, note 6.

24 J. of the Greater India Society, v. 1. n. 2. p. 95.

25 L'Empire Sumatranais, p. 107

26 G. Maspers, Le Royaume de Champa, p. 26, note 1.

27 B.E F.E.-O. XVIII, Le Royaume, p. 4, note 3.

28 Notes, p. 6.

29 J. Leyden, Malay Annals, p. 20.

30 B.E.F.E.-O. IV, p. 218.

31 J. Asiatique, 1919, Le K'ouen-louen, p. 264—267; J. Asiatique, 1922, L'Empire Sumatranais, p. 50—51.

32 Indian Colonization in Sumatra, J. of the Greater India Society v. 1, n. 2, p. 101.

33 蘇門答剌古國考頁九五。
34 右同、頁九九。
35 Les Rois Śailendra de Suvarṇadvīpa, B. E.F. E.-O. XXXIII, fasc. 1, p. 140—141.
36 Origin of the Śailendras of Indonesia. J. of the Greater Indid Society. v. 1. n. 2.
37 Oxford History of India, 1920, p. 199.
38 B. E. F. E.-O. III, Pelliot, Le Fou-nan, p. 296.
39 Champa, book III. p. 43, 70, 50; J. of the Greter. India Society. v. 1. n. 1. The Śailendra Empire, p. 19.
40 J. of the Greater Greater India Socity, v. II. n. 1. The Śailendravaṃśa.
41 ibid. v. 1. n. 1. p. 21.

四　三佛齊

先きに引用した唐天祐元年の唐會要の記事卽ち天祐元年六月授福建道佛齊國入朝進奉使都蕃長蒲訶粟遠將軍と云ふ文は、色々の意味に於て興味深いものである。先づ字の異同を見ると、桑原博士は佛齊を三佛齊の三の字の脱漏と見、又蒲訶粟の粟を粟の誤りかと見て居られる(1)、佛齊は從來の佛逝、佛誓と違つては居るが、必ずしも三を脱漏したと見るにも及ばない。蒲訶粟は冊府元龜卷九七六文獻通考卷三三二も同様であるが、宋史卷四八九三佛齊傳では蒲訶粟になつて居る。然し必ずしも宋史に從ふ必要もない。蒲訶栗で Abul-Fazl の如き名をうつしたと見てもよい。宋史南蠻傳を見ると、南海諸國入朝の使者に蒲姓が多いが、文獻の上ではこの蒲訶栗がその最初に見えるものである。都蕃長に就いては、册府元龜卷九七六には單に入朝使蒲訶栗となつて居る。若し會要に從ふとしても、彼は入朝進奉使であり、その爲めに寧遠將軍を授かつたのであるから、入朝進奉が終れば當然本國に歸るべきである。從つて此の都蕃長を蕃坊の蕃長としては怪しきものになる。或は蕃坊に關係なく單に蕃酋の意味か。さて回々敎徒の南洋貿易上の發展は、是れより先き五十年前に Ibn Khordâdzbeh 及び Sulaymān によつて、詳細に傳へられて居る。然しその前に義淨が廣東から乘つた船が波斯舶であつたことも忘れてはならない。桑原博士は南洋貿易船に就いて具體的事實を傳へて居るのは、法顯の佛國記を初めとすると云つて居られるが(2)、自分は吳丹陽太守萬震の南州異物志に外域人名船曰船舡か大者長二十餘丈高去水三二丈望之如閣道載六七百人物出萬斛太平御覽卷七六九外徼人隋舟大小或作四帆前後沓載之有盧頭木葉如牖形長丈餘織以爲帆其四帆不正前向皆使邪移相聚以取風吹風後者激而相射亦並得風力若急則隨宜增減之邪張取風氣而無高危之慮故行不避迅風激波所以能疾太平御覽卷七七一とあるのを指摘する。

西南アジア卽ち波斯或は紅海の方面から來る者は、必ずしも印度で船を乘り換へるとは限らぬことは、義淨の波斯舶の例でもわかる。從つて南支那海の貿易船は、印度殊にセイロン或はペルシャ、ギリシャ等の各種の船があつたと思ふ。南州異物志の記事は、それが何處の船のことかわからぬが、回々敎徒はペルシア、ギリシャ人の發展の跡を追ひ、印度及び極東に進出した。開元十二年に佛誓國が僧祇女を貢獻して居る。是は本より東アフリカの土人であるが、ペルシャ本土でも奴隷として使用された。佛誓國の貢獻した僧祇女も、西南アジアから輸入されたものであらう。かくして九世紀の中頁卽ち宣宗の世には既に廣府に多數の回々敎徒が住むに至つた。然しそれは廣東丈とは考へられない、南洋各地にも同時に僑居したに相違ない。そしてその國の使として支那に來た一人が蒲訶粟であらう。而も支那文獻に現はれて居る所では、彼がその最初の者である。かく回々敎徒の南洋發展は盛んなものであつたとしても、その風習が土著民族にどれほど影響したか、この點には疑問がある。サラセン文化の侵入は、さう簡單に考へられない、それには相當の年月を必要とする。桑原博士が諸蕃志巻上眞臘の條に以右手爲淨左手爲穢取雜肉羹與飯相和用右手掬而食之を頗るイスラム教徒の風習と相似たりと指摘されたが、此の記事は隋書巻八二眞臘傳から轉寫したものであることに、博士は氣付かれなかつた。(3) 又宋史占城の條に亦有山牛不任耕耨但殺以祭鬼將殺令巫祝之曰阿羅和及拔譯云早教他託生とある。

その中の阿羅和及拔に就いて、Ed. Huber 氏が是を Allah akbar であると言つてから、その說が諸書に引用されて居る。(4) 然し自分は此の說に贊成しない。Allah akbar では譯と一致しない。是は梵語 laghu "quick", garbhinî "pregnant" の結合と思ふ。是なら譯と一致する。占婆 Champa の南部で二個の回々教徒の碑が發見されて居る。(5) 一は一〇三九年に死んだ Abū Kāmil の墓、一は回々教徒に對する告示を記し、一〇二五—一〇三五年間のもの。是は南洋に於ける回々教徒の最も古い碑であらうが、宋史によると占城にも多數の回々教徒が居た樣に見える。さて回々教徒の南洋發展は、室利佛逝から三佛齊へと、國名の書き方が變つたことに關係して居る。彼等の記錄では Serboza, Sarboza となつて居る。Maçoudi の Serireh は誤りである。(7) G. Ferrand 氏は全て Sribuza と改めて居るが、是は支那の室利佛逝から考へた結果で、本來は矢張り Serboza, Sarboza と呼んだに相違ない。そしてその呼び方で支那に傳へたために、宋人は三佛齊と書いたのであらう。G. Ferrand氏の改正は却つて事實を誤る恐れがある。以上の如く回々教徒の活動は、南洋史上に一時期を劃するものであるが、室利佛逝と支那との關係も、是を一轉機と見てよい。それは單に國名が印度流から回々教徒流に變化したに止まらず、天寶以後久しい間支那史料に沈默して居た室利佛逝國と支那との關係が、宋初から俄然復活して來たのは、一に彼れ等の活動に依るものであらう。以下宋史卷四八九三佛齊傳を註釋する形式で、色々謬を正したり、又問題を論じて見たい。唯初めにここに使用する材料は、西洋の學者が未だ引用して居ないものが多いことを注意して置く。

イ、建隆元年 960 A.D. 九月其王悉利胡大霞里檀遣使李遮帝來朝貢 宋史三佛齊傳

是は、本紀、玉海卷一五四續資治通鑑長編卷一山堂考索後集卷六四に九月癸卯とある。王名は長編及び嶺外代答卷二山堂考索に悉利大霞里檀とあり、傳の胡字を缺ぐ。文獻通考卷三三二には胡字がある。續資治通鑑長編は李燾が南宋二代目孝宗の世に完成したもの、嶺外代答は著者周去非の序に淳熙戊戌五年とあるか

ら、長編の完成した淳熙元年より數年遲れるのみ。但し長編の建隆、開寶年間の部分は隆興元年に出來上つて居るが、嶺外代答の淳熙五年より溯ること十五年にすぎない。從つて代答の記事は、長編から來て居るとは云へまい。又山堂考索は正しくは群書考索で、寧宗慶元の進士章如愚山堂先生の撰。ここにはその後集財賦門卷六四四夷方貢と、宋會要蠻夷傳（東洋文庫所藏）の歴代朝貢の部の註に引用する所を用ゐた。所が兩者に往々異同がある。さて山堂考索の著者が慶元の進士とすれば、王名悉利胡大霞里檀と悉利大霞里檀と何れか是か、何れが誤りか判定し難い。他に徴すべき史料も無いが、讀方を想像すると、悉利胡大霞里檀 Śrī Kuṇḍa Vardhana 悉利大霞里檀 Śreshṭha Vardhana か、或は大字を意譯と見れば Śrī Mahā Vardhana か。使者の名は列傳以外に見えぬ。尚ほ宋人袁褧著楓窗小牘(8)卷上に藝祖受命元年秋三佛齊來貢時尚不知皇宋受禪也貢物有通犀中有形如龍擎一蓋其龍形騰上而尾少左向宋其文即宋字也眞主受命豈偶然哉藝祖即以此犀爲帶毎郊廟則繫之とある。

ロ、建隆二年 961 A.D. 夏又遣使蒲蔑貢方物是冬其王室利烏耶遣使茶野伽副使嘉末吒朝貢其國號生留王李犀林男迷日來亦遣使同至貢方物

是は本紀に五月丙寅三佛齊國來獻方物とあり、長編巻二にも丙寅とあるが、山堂考索後集巻六四には乙丑(9)とある。玉海巻一五四は五月入貢十一月貢象牙孔雀と記す。十一月入貢のこと、傳の冬と一致する。通考は略宋史と同じ、唯其國號を其國別號と書く。其國號云云の文句は、傳と通考のみにあつて、玉海、長編、考索には見えない。生留は室利佛逝の室利か、李犀林は翌三年の使李麗林と似て居る。一寸解釋し難い文句である。

八、三年992 A.D. 春室利烏耶又遣使李麗林副使李鵶末判官叱叱璧等來貢廻賜以白犛牛尾白磁器銀器錦鞍轡二副

是は本紀によると、三月壬戌、十一月丙子の入貢である。日附は他書も同じであるが、唯宋會要歴代朝貢に一つは三月五日とあり、是は壬戌と一致するが、他の一つは十二月二十三日とあり、他書と一致しない。三正綜覽によると十二月は乙酉朔であるから、同月には丙子の日附はない筈、是は十一月二十二日の誤りである。王名は宋會要に釋利烏耶、長編巻三及山堂考索後集巻六四に釋利耶とある。烏耶は梵語 aja か。尙ほ玉海巻一五四に十一月丙子貢方物對廣政殿賜其使冠帶器幣還賜以錦綵銀器とある。傳の錦線は錦綵の誤り、通考亦綵と書いてあ

ニ、開寶四年971 A.D. 遣使李阿何末以水晶火油來貢

是は本紀に四月丁卯とあり、他書も同じく、宋會要歷代朝貢は四月二日とす。唯山堂考索後集卷六四及宋會要所引に三年四月丁卯とあるは、四年の誤りである。火油は玉海卷一五四に火紬とあるが、紬は油の誤りで、是は猛火油に同じ。

ホ、五年972 A.D. 又來貢

是は本紀に四月庚寅朔三佛齊國王釋利烏耶遣使獻方物とあり、長編卷一三宋會要歷代朝貢も日附及び王名共に同じ。

ヘ、七年974 A.D. 又貢象牙乳香薔薇水萬歲棗褊桃白沙糖水晶指環瑠璃瓶珊瑚樹

是は本紀及長編卷一五山堂考索後集卷六四共に三月乙丑とし、宋會要歷代朝貢は三月十五日とし、王名釋利烏耶を記す。三正綜覽によると乙丑は十六日。釋利は前條の室利に同じ。

ト、八年975 A.D 又遣使蒲陁漢等貢方物賜以冠帶器幣

是は本紀長編卷一六考索後集卷六四及宋會要所引に十二月戊申とある。

チ、太平興國五年980 A.D 其王夏池遣使茶龍眉來(貢)是歲潮州言三佛齊國蕃商李

甫誨乘船船載香藥犀角象牙至海口會風勢不便飄船六十日至潮州其香藥悉送廣州

此の入貢は玉海巻一五四にその來貢したことを記すのみ、他書に全く見えず。通考も唯五年入貢と云ふのみ。

り、八年 983 A.D. 其王遐至遣使蒲押陁羅來貢水晶佛錦布犀牙香藥

是は考索後集巻六四及宋會要所引 長編巻二四に十一月壬申、そして宋會要歴代朝貢には十一月二十一日とある。玉海には貢通天犀大食錦越諸布琉離瓶と記す。その中越諸布に就いて述べると、是は隋書波斯傳に初めて見えるが、諸蕃志は白達 Baghdad 吉玆尼 Ghazni 蘆眉 Rum, Damascus の產物とし、嶺外代答巻三も白達麻離拔 Merbat (on the Hadramaat coast of Arabia) の產物として居る、Chau Ju-Kua p. 266 では probably a fine muslin と解說してあるが、越諸の原音に就いては從來說がない。自分は Skr. Vasana, vasna, vasi, vastra. "clothes, covering." Pers. Arab. bisát, bistar "a bed; carpet" Malay. bâju "a coat, a jacket" を以て是に當てては如何と思ふ。王名遐至は五年の條の夏池に同じく、更に宋史巻四九。天竺の條に太平興國八年僧法遇自天竺取經回至三佛齊遇天竺僧彌摩羅失黎語不多命附表願至中國譯經上優詔召之遇後幕緣製龍亭

蓋袈娑將復天竺表乞給所經諸國勅書遂賜三佛齊國王遐至葛古羅 Kedah 國主司馬佶芒柯蘭 Bengal 國主讃坦羅西天王子謨馱仙書以遣之(10)とある遐至も同じ。同時に同じく宋史闍婆傳淳化三年入貢の條に、又言其國王一號曰更至馬囉夜とある夏池も同じであらう。是はジャバの碑文にあらはれた肩書例へば Sri haji ngalungtu hutunggadeva 898 A.D. Haji mahārāja rake watukurang dya……907 A.D. の如き Hàji である。(11) G. Ferrand 氏は夏池、遐至 = vieu malais Haji "roi"; l'h initial est tombé en malais moderne.(12) と云つて居るが、是は梵語 adhitya, adhi-pati, adhi-rāj 等の prefix adhi の訛りではあるまいか。アラビヤ語 hājī "a pilgrim to Mecca" と關係があるとは考へられぬ。

又、雍熙二年985 A.D. 舶主金花茶以方物來獻

是は山堂考索後集卷六四に二月巳亥遣使來貢とし、宋會要歷代朝貢に雍𤋮熙の誤二年二月二十二日舶主金花亦以方物來貢として居る。

ル、端拱元年988 A.D. 遣使蒲押陀黎貢方物

是は本紀に二年十二月辛酉(八日)三佛齊國遣使來貢とあり、玉海も二年十二年月の誤貢方物とある。然し宋會要歷代朝貢には元年十二月二十九日とし、傳と同文

を載す。元年か二年か分明せぬ。

ヲ、淳化三年992 A.D.冬廣州上言蒲押陁黎前年自京迴聞本國爲闍婆所侵住南海凡一年今春乘舶至占城偶風信不利復還乞降詔諭本國從之

玉海に淳化元年正月貢方物とある。元年の入貢は他書には見えぬが、前條に述べた端拱二年十二月入貢と一致するものと見てよい。然らば端拱元年十二月入貢は否定したい樣に思はれる。蒲押陁黎が端拱と淳化と二度入貢したとは考へられぬ。傳によると淳化三年春以前一年南海廣東に居たので、退京したのは二年春で、元年中は京に居たことになる。淳化三年の記事は、蒲押陁黎が闍婆の三佛齊侵略を傳へた點に重要性がある。此の歲闍婆が入貢して居る。宋會要歷代朝貢に八月十八日闍婆國遣使婆羅欽乘大舶以方物來貢とあり、玉海卷一五四にば八月丁丑遣使航海修貢明州上言十二月至闕下貢象齒珠貝白鸚鵡先是掌舶張肅驛奏其使張飾之狀とある。宋史本紀には八月庚辰闍婆遣使來貢とあり、闍婆傳には淳化三年十二月其王穆羅茶 Mahā Rāja 遣使陀湛使副蒲亞里判官李陁那假澄等來朝貢とあり、宋會要闍婆傳も同じであるが、使者の名が一致せぬのは怪しいが、會要の使者婆羅欽は宋史の王名穆羅茶の誤りか。宋史には尙ほ譯者言云今主舶大商毛旭者建溪人數

往來本國因假其鄉導來朝貢又言其國王一號曰夏至馬囉夜王妃日落肩娑婆利……其國與三佛齊有讎怨互相攻戰とある。毛旭は文獻上に現はれた最初の支那人南洋貿易業者である。夏至馬囉夜は Haji Mahārāja で馬囉夜を Malaya とする Schlegel 氏の說の不可は既に Pelliot 氏の云ふ所。(13) 闍婆の三佛齊侵略は、諸蕃志三佛齊の條にも宋史と同じ文があるが、闍婆傳と三佛齊傳と全く符合すれは、蒲押陁黎の言は僞りでない。唯三佛齊傳及諸蕃志の乞降詔諭本國の本國は、闍婆の誤りではあるまいか。三佛齊が闍婆の侵す所となつて居るのだから、當然闍婆を詔諭して三佛齊を救ふべき筈である。此の闍婆侵略は東瓜哇王 Dharmawangsja の業と云はれて居る。(松岡譯瓜哇史頁五六)

ワ、咸平六年 1003 A.D. 其王思離咮囉無尼佛麻調華遣使李加排副使無陁李南悲來貢且言本國建佛寺以祝聖壽願賜名及鐘上嘉其意詔以承天萬壽爲寺額幷鑄鐘以賜授加排歸德將軍無陁李南悲懷化將軍

是は九月庚寅長編卷五五 三日宋會要で、佛寺建立は長編にも諸蕃志にも見える。長編では最後の懷化將軍が歸化將軍となつて居るが、是は注輦國使が懷化將軍になつた例も考へて懷化將軍の方がよい。唯王名が宋史のみに記されて居るが、

是は貴重な史料で、次の大中祥符元年の王名と共に G. Coedès 氏の解說があるので次ぎにゆづる。この歲の入貢は尙ほ本紀及玉海にも見えて居る。この歲の使者は翌年正月の上元觀燈まで居た。宋史大食傳に又遣使來時與三佛齊蒲端國並在京師會上元觀燈皆賜錢縱其宴飮とある。蒲端は宋會要に傳あり、與占城相接と云へば、諸蕃志の賓瞳龍 Panduranga と思はる。Chau Ju-Kua p. 281 の Pugan 說は信ぜられぬ。

カ、大中祥符元年 1008 A.D. 其王思離麻囉皮遣使李眉地副使蒲婆藍判官麻河勿來貢許赴泰山陪位於朝覲壇遣賜甚厚

是は本紀に是歲三佛齊來賀封禪とあつて、長編卷六九考索後集卷六四及宋會要所引及玉海卷一五四に七月丁丑、宋會要歷代朝貢は七月十九日とし麻河勿來貢までを記す。傳の河は訶の誤り。王の名思離麻囉皮は傳と會要と同じ。G. Coedès は、Chola 注輦國王 Rājarāja 大王の所謂 la grande charte de Leyden, 1005 A.D. に、Kaṭāha (tamil, Kiḍāram) 及 Çrīvijaya 王 Çrī Māravijottuṅgavarman 及其の父 Çrī Cūḷāmaṇivarman によつて、Negapatan に佛寺の建立されたことを記してあるが、(14) これが宋史の思離麻囉皮と思離朱宋史咮囉無尼佛麻調華 deva に當ると云つて居る。Cūlāmaṇivarman は Ferrand 氏

によると同文書の梵文の方は Čuḍā とあり、タミール文の方は Çuḷā となつて居る。(L'Empire, p. 46) この比定は後の學者が皆從ふ所である。南印度の Chola 國は宋史の注輦國で、大中祥符八年九月に王羅茶羅乍 Rājarāja の使沙里三文が來貢した。玉海 巻一五三 には九月二日巳酉國主羅乍遣使奉表來貢、宋會要 歷代朝貢 にも記され、宋史の副使蒲恕を蒲加心としてあるは正しい。宋史は又明道二年 1033 A.D. 十月に尸離囉茶印俺囉注囉 Śrī Rāja Rājendra Choladeva の使蒲押陁羅の入貢、熙寧十年 1077 A.D. 地華加羅の使二十七人の入貢を記して居る。玉海 巻一五三 によると、祥符八年の後、天禧四年 1020 A.D. 二月三日、明道二年 1033 A.D. 十月二十一日、熙寧十年 1077 A.D. 六月四日壬午に入貢して居る。三佛齊と注輦との關係に就き、自分は從來の學説に疑問を持つて居るが、それは熙寧十年の條に述べることにする。

ヨ、天禧元年 1017 A.D. 其王霞遲蘇勿吒蒲迷遣使蒲謀西等奉金字表貢眞珠象牙梵夾經崑崙奴詔許謁會靈觀游太清寺金明池及還賜其國詔書禮物以慰獎之

是は本紀に是歲來貢を記し、長編 巻八九 に四月庚午、宋會要 歷代朝貢 に四月二日とある。山堂考索 後集巻六四及宋會要所引 に天禧三年四月庚午とあるは誤り。何れも傳と同じ

王名を缺す。玉海卷一五四に四月奉金字表貢珠六月以先天節獻香賜其使延壽帶續命縷とある。宋會要歷代朝貢には天禧二年の條の注に山堂考索是年正月三佛齊貢龍涎香一塊三十六斤眞珠一百一十三兩珊瑚一株二百四十兩犀角八株梅花腦版三片梅花腦貳百兩琉璃三十九事金剛鑽三十九箇猫兒眼指環靑瑪瑙指環大眞珠指環共一十三事膃肭臍二十八兩番布二十六丈大食糖四琉璃瓶大食棗十六琉璃瓶薔薇水一百六十八斤賓鐵長劍九張乳香八萬一千六百八十斤象牙八十七株共四千六十五斤蘇合油二百七十八斤木香一百一十七斤丁香三十斤血竭一百五十八斤阿魏一百二十七斤肉荳蔲二千六百七十四斤胡椒一萬七百五十斤檀香一萬九千九百三十五斤箋香三百六十四斤と記して居る。然し山堂考索には此の記事が見えぬから、他の史料であらう。山堂考索卷六四四夷方貢には入貢品を詳記して無い。按ずるに是は天禧元年入貢の時の入貢品である。使者の名は傳以外に見えず。G. Ferrand氏は王名霞遲蘇勿吒蒲迷を Haji Sumatrabhūmi と解し、一九一七年以來その說を維持して居る(15)。霞遲と蒲迷を Haji, bhūmi とするは可、然し蘇勿吒を Sumatra とするには自分は贊成出來ぬ。元明の須文答剌島夷志略速木都(或答)剌元史須門答剌明一統志等は、皆スマトラ島の北端の國て、Groeneveldt 氏が既に今 Pasei 河左岸 Samudra 村が、その國名の遺であると云ひ、藤田博士もそれに賛して居られる。(16) 今のスマトラ島の名は、この須文答刺から來て居ることは疑ひない。丁度ボルネオ島の名が Brunei から來て居ると同じ。G. Ferrand 氏は蘇勿吒をスマトラと解せんと欲するため、是を須文答刺と區別しようとするが、それは曲解であらう。同氏はスマトラ南部卽ち三佛齊地方をスマトラと云つた傍證を擧げて居ない。それは擧げ得ないと思ふ。是は同氏が蘇勿吒をスマトラとすることの無理であることを示して居る。蘇勿吒は Sumatra とも讀めるが、自分は是を Suvarṇa と讀みたい。吒をtとnの轉訛と見る。スマトラ島を Suvarṇadvīpa 卽ち金洲と云つた例は多い。而して dvīpa を Bhūmi に代へることは差支へないから、霞遲蘇勿吒蒲迷を Haji Suvarṇabhumi とするのが自分の說である。さうすると須文答刺 Samudra を問題とする必要もなくなる。

夕、天聖六年 1028 A.D. 八月其王室離疊華遣使蒲押陀羅歇及副使判官亞加盧等來貢方物舊制遠國使入貢賜以間金塗銀帶時特以渾金帶賜之

是は本紀にも見え、長編巻一〇六に八月丁丑とあり、文は傳と同じ。山堂考索は八月丁丑宋會要註所引八月初五後集巻六四とあるが、癸亥朔であるから丁丑は十五日

にあたる。宋會要歷代朝貢のみ十月七日とす。使者亞加盧は考索に亞字を缺ぐ。王名室離曡華は G. Ferrand 氏は Çrideva と讀んだ(17)。前に deva を調華と書いた例もあるからこの讀み方は正しい。

レ、熙寧十年 1077 A.D.(18) 使大首領地華伽囉來以爲保順慕化大將軍賜詔寵之曰吾以聲教覆露方域不限遠邇苟知夫忠義而來者莫不賜之華爵耀以美名以寵異其國爾悅慕皇化浮海貢珠吾用汝嘉併超等秩以昭忠義之勸

是に就いては、通考に寵之までの文あるのみて、他書に見えない。是は不思議に思はれる。所で一方に此の時注輦國の入貢がある。長編卷二八三によると六月壬午であるが、宋史傳に國王地華加羅遣使奇囉囉副使南卑琶打判官麻圖華羅等二十七人獻…使副以眞珠龍腦登陛跪而散之謂之撒殿既降詔遣御藥室勞之以爲懷化將軍保順郎將各賜衣服器幣有差答賜其王錢八萬一千八百緡銀五萬二千兩とある。遣御藥室は長編及び嶺外代答に遣內侍勞問之となつて居り、又王名は他書に見えす。この注輦王地華伽羅は三佛齊の使大首領地華伽羅と同名である。さて注輦國王は此の時 Kulottunga Chola (1070—1119A.D.) の世で、地華伽羅と名が一致せぬ。加ふるに宋史三佛齊の記事と注輦の記事は、合併して一つにすることが

出來る。注輦傳の降詔は卽ち三佛齊傳の賜詔の文であると見得、又大首領地華伽囉は正使副使以上の人であつたことは、大將軍を授けられたことでもわかる。從つて宋史三佛齊傳の熙寧十年の入貢は、注輦國の同年入貢の記事の一部を、誤つて混入したものであると思ふ。換言すれば熙寧十年三佛齊入貢を否定することになる。支那史料を十分比較檢討しない G. Ferrand 氏が此を問題にしなかつたのは無理もない。

次ぎに注輦役屬三佛齊と云ふことに就いて、自分の疑ひを述べたい。G. Coedès 氏は d'Hervey de Saint-Denys 譯文獻通考から、その蒲甘 Pugan in Burma の條、宋崇寧五年蒲甘遣使入貢詔禮秩視注輦尙書省言注輦役屬三佛齊故熙寧中敕書以大背紙緘以匣襆今蒲甘乃大國蕃王不可下視附庸小國欲如大食交阯諸國禮凡制詔並書以白背金花綾紙貯以間金鍍匣銀管籥用錦絹夾襆緘封以往從之を引用した。[19] 是は宋史にもあるが、故を胡とし、蕃王の蕃、及間金渡匣銀管籥の匣銀二字を缺ぐ。その後この記事が多くの人に利用され、[20] 殊に注輦役屬三佛齊が崇寧五年 1106 A.D. の狀態を示すものと考へられたのは、誤解も甚しいと思ふ。何故なれば注輦國は熙寧十年以後入貢して居ない、龐元英の文昌雜錄 卷一 元豐壬戌 五年八月の條に三佛齊注輦國朝貢見延和殿引至柱跪撒金蓮花眞珠龍腦於御坐前謂之撒殿初至闕先具陳請詔方許之とある。是は撒殿に關して、先例を述べた丈で、此の時に三佛齊注輦が入貢したわけではない。三佛齊はこの年十月十七日に入貢することは後に述べる。尙書省の注輦役屬三佛齊の言は、恐らく注輦に對する認識不足で、注輦は煕寧十年以後入貢なきに反し、三佛齊はその彼も入貢を絕たず、且つ三佛齊は南海の大國であると云ふ考へが先入主となつて居たためではあるまいか。是が事實でないことは南印度の史料が證明して居る。前に述べた所謂 Great Charter of Leyden によると室利佛逝の Čuḍāmaṇivarman, Śrī Mara vijayottuṅgavarman 父子の建立した Negapatam の佛寺 Čuḍāmaṇivarmavihāra に、注輦國王 Rājarāja 大王が、その治世二十一年 1005 A.D に、一村を寄附した。是による と十一世紀初めに於ける兩國友好關係が察せられる。所が久しからずして、注輦國の發展が、海を渡つて室利佛逝にまで及んだ。それは注輦王 Rājendra Chola の活動で、その Kaṭāha 征服は旣に王の六年 1017-8 A.D. の Tiruvalangadu plates に現はれ、十三年の Bangalore の Malur 寺の銘、十九年の Tanjore 刻文に詳細に記され、その他にも王の刻文に屢々繰り返へされて居る。又王の末年に當つて、東部瓜哇王 Erlangga (Dharmawangsja 王の婿)が一〇三四年に佛逝國を征し是を敗つて居る。(松岡譯瓜哇史頁六〇—六一) Chola 王 Rajendra Chola の死後長子 Rājādhiraja (1035—1052 or 1053A.D.) 嗣いだが隣國との爭絶えず、Koppam の戰に死に、その後十年を經て Vīra Rājendra 立ち Chālukyas を破り、又 Kaḍāram を征服して、その王を足下に跪かしめたことが、王の七年 1068—69 A.D. の Perumber 刻文に記されて居る。一〇七〇年王死するや、相續爭、內亂によつて、注輦の勢振はず、Rājendra Chola により征服された Kaliṅga もその束縛を脫した。然し Kulotuṅga Chola 1070—1119 A.D. 立つに及び、注輦國は復活し、Kaliṅga を再び征服し、四十九年の長治世の間、その廣い領土に、平和と繁榮を與へた。王の二十年の所謂 small Tamil Leyden Grant に、Kiḍāra 國王の請ひにより、佛寺 Ṡailendra-Čūḍamanivarma-vihāra に與へられた村の税を免除することにしたと記して居る。王によつて注輦國と三佛齊の友好關係が ここに回復されたと察せらる。以上述べた南印度の史料では、十一世紀に注輦が三佛齊に役屬した樣子は見えぬ。却つて Kaṭāha (Kaḍāram, Kiḍāram) 即ち三佛齊が注輦の侵略を受けて居る。從つて Struggle between Ṡailendra and Chola を書いて、以上の如く南印度の史料を集めた R. C. Majumdar 氏も、注輦役屬三佛齊の支那史料を疑ひ、Kulottuṅga 王即位の初めの國情尙ほ不安の時、Kaḍāra 王が是に乘じ、何等かの約束を得て、却つて注輦國にその主權を行つた樣に pretend した。それを三佛齊から聞いた支那人は、注輦役屬三佛齊と誤り信じた。かく解しないと、積極的證據がないので、注輦役屬三佛齊は信ずることが不可能であると結論した。(21)

この事は支那史料卽ち三佛齊の入貢狀態からも間接に伺ひ得る。三佛齊の入貢は建隆元年960二年961三年962開寶四年971五年972七年974八年975太平興國五年980八年983雍熙二年985端拱二年989淳化三年992咸平六年1003大中祥符元年1008天禧元年1017天聖元年1028元豐二年1079元豐五年1082天祐三年1088五年1090紹聖元年1094で、元豐以後は未だ述べて居ないが、色々問題を含んで居る。兎に角以上の數字を見ると、十一世紀の前半に入貢が少く、元豐以後又多くなつて居る。入貢の少いのは三佛齊に何事かあつた事を意味すると思ふ。元豐以前に入貢少きは、注輦國の侵略を受けたことにより、元豐以後入貢多きは、注輦國の Kulottuṅga Chola 1070—1119の平和政策によつて、友好關係が囘復されたからであらう。かゝる見方は、從來試みられなかつたが、支那史料を集めて見ると、この見方が生れてくる。役屬三佛齊問題は、R. C. Majumdar 氏の如く三佛齊の詐言とするか、或は自分の如く支那人の誤解とするか、何れにせよ事實でないと考へてよい。

注輦國王 Rājendra Chola の東方遠征の詳細な記事が、Malur 寺の刻文 1024—5 A.D. Tanjore 刻文 1030—31A.D. にあることは、既に述べたが、是は G. Coedès, G. P. Rouffaer, G. Ferrand 及び R. C. Majumdar 氏等の研究が順次に出てゐる。(21) その文は and (who) (Ragendra Chola) having despatched many ships in the midst of the rolling sea and having caught Sangrāma-vijayottuṅgavarman, the king of Kaḍāram, along with (his) vehicles, (viz) rutting elephants, (which were as impetuous as) the sea in fighting, (took) the large heap of treasures, which (that king) had rightfuly accumulated; the (arch called) Vidyādhara-toraṇa at the "war-gate", of the extensive city of the enemy; the "Jewel-gate", adorned with great fame; Paṇṇai, watered by the river; the ancient Malaiyūr (with) a fort situated on a high hill; Māyirudin-gam, surrounded by the deep sea (as) a moat; Ilangāśogam, undaunted (in) fierce battles; Māppappāḷam, having fine walls as defence; Valaippandūṛu, possessing (both) cultivated land(?) and jungle; Talaittakkolam, praised by great men (versed in) the seiences; Mādamaliṅgam, firm in great and fierce battles; Ilāmurideśam, whose fierce strength was subdned by a vehement (attack); Mānakkavāram whose flowergardens (resembled) the girdle (of the nymph) of the southem region; Kadāram, of fierce strength, which was protected by the neighbouring sea. 是れ等の諸國に就いては、學者によつて意見一致しないが、概略を述べると、Pan-pai はスマトラ島東岸の Pani, Panei とする Gerini 氏說行はれて居る。是は支那には知られぬが、シャバの Nāgarakṛtāgama と云ふ十四世紀の記錄に出て居る。Malaiyūr は Jambi. Mavirudingam の ma は梵語 mahā と同じで、日羅亭諸蕃志三佛齊屬國 柴歷亭宋史闍婆條 沙里亭粤海關志卷二所引宋會要 であらうが、Gerini 氏は Jelutong と云ふ地名に當てたが、Jelutong 各地にあるので困る。自分は是を Malay. selat "strait" 回々敎徒の Salāhit, Salāhit(23) 島ではあるまいか。是は何處を云ふのか分明せぬが、Rouffaer 氏は Toe-masik 即ちシンガポールと考へた。Ilangāsogam は凌牙斯加諸蕃志三佛齊屬國 Māppappāḷam は Mahāvaṃsa と云ふセイロン島史に出て來る Burma の港 Papphala とする Venkaya 氏の說が行はる。Rouffaer 氏はマライ半島の Pahang 蓬豐諸蕃志三佛齊屬國とす。Mevilimbaṅgam は G. Coedès, G. Ferrand 兩氏は不明に附して居るが、自分は是を巴林馮諸蕃志三佛齊屬國 Pa-lembang と考へてもよいと思ふ。Valaippandūru も Coedès, Ferrand 兩氏の解なく、Rouffaer 氏が安南の南部 Pandurang, Phanrang に比定したが、遠きに失する嫌ひがある。Talaittakkolam も分明せぬか、是をすぐに Ptolemy の Takola 等と比較するのは餘り年代が距つて居るので如何と思ふ。自分は杜(或墮)和羅鉢底 Dvārapati ではないかと思ふ、宋人には此の名は傳はつて居ないが、それは眞臘に併呑されたからである。然し Menam 河下流域に尙ほ殘つて居たのではあるまいか。tamil, talai "chief, head" の由てあるが、(24) 梵語 tallaja "excellent, happy" の轉訛ではあるまいか。Mā-Damalingam は Jaiya の刻文に見える Tāmbralinga て Bandon 灣 馬來半島 の南。Ilāmuridesam は回々敎徒の Lāmurī 藍無里 諸蕃志三佛齊國 desam は梵語 desá "country" の tamil 形と思はれる。是はスマトラ北端西部。Mā-Nakkavāram は、回々敎徒の Langabalus 卽ち今 Nicobar 諸島の名と見てよい。最後に Kaḍāram は Kiḍāram とも書き Kāḷagam とも訛る。是は tamil 形で梵語形は Kaṭāha である。是れが回々敎徒の記錄に錫の產地として屢々出て來る Kalah, Kilah で、Ibn Khordādzbeh の記錄に早くも、Elle (Kilah) renferme les fameuses mines d'étain kala'ī と出て居る。(25) 今馬來半島西岸の Kedah がその名を殘して居ることは明かである。義淨の羯茶及吉陀 諸蕃志南毗條及島夷志略嘯噴及垂迦羅條 をスマトラ島北端に置く說がある。(26) 是はマライ半島の Kedah と云ふ名が、明以前に無いと云ふのが論據であるが、南印度の史料から Kaṭāha, Kaḍaram の研究の進んだ今日では、此の論は問題にならぬ。賈耽は廣州通海夷道 唐書地理志 に質 Ṃal. Sēlat "strait" の北岸に羅越を置き、その西に箇羅又その西に哥谷羅を置いて居る。

然し安南通天竺道の末に、其南水眞臘又南至小海其南羅越國又南至大海と記し。水眞臘から海を距てた南方にあると記して居る。所が唐書卷二二二下單單の條には羅越者北距海五千里西南哥谷羅商賈往來所湊集俗與墮羅鉢底同歲乘舶至廣州必以聞とある。藤田博士は距海五千里を爲陸道之南端故云と解されたが(27)、それは無理である。北距海五千里は、水眞臘に對して云つたものであらう。西南哥谷羅の哥谷羅は、賈耽と同じ字であるから馬來半島になければならぬ。是を西南に置くとすれば。羅越はシャム郎ち墮羅鉢底に當る。越字は加維羅越 Kapilavastu の如く、v音をうつすから、羅越は墮羅鉢底の省略とも考へられる。然し是は西南とは云へ、西の方に重きを置けば、賈耽の所云と同様になる。宋史丹眉流の條に東至占臘五十程南至羅越水路十五程とある。丹眉流は、眞臘の條に西南與登流眉爲隣とある。この他丹流眉 文昌雜錄卷一 登流眉 諸蕃志、宋會要眞里富條 Pelliot 氏が、是を Ligor の本名 Muong Nakhon Si Thamrat (=Çrī Dharmarāja) に當てて以來、學者概ね是に從ふ。然し是れでは不十分である。G. Coedès 氏は Jaiya 刻文を引き、その中に un roi Çrī Dharmarāja, Seigneur de Tambraliṅga とあるにより、諸蕃志の單馬令を Tambraliṅga に當てたが、同氏は登流眉或丹流眉に就いては言はない。此の刻文は一二三〇年のもので、丁度諸蕃志序の寶慶元年より五年後に當る。傳統的王名らしい Çri Dharmarāja を、ここまで溯つて始めて、丹(或登)流眉が Dharma (raja) をうつすことに贊成し得、宋史の丹眉流が正しければ、それは Tambra (linga) をうつすのであるが、丹眉流は丹流眉の誤りであらう。然らば單馬令は、G. Coedès 氏の說く如く Tambraliṅga とするには、是を登流眉と同じ國を指すものとせねばならぬ。然るに諸蕃志は是を別々に記して居る。從來の說では Pahang 地方の Kwantan 河口の岬及山に Tembeling の名あるを單馬令に當てて居る(29)。高岳親王が遷化せられた地方が、また羅越であつた。親王の行程は桑原博士の說の如く海路であらう。親王は咸通七年正月に廣東を出發せられた(30)。當時は海上交通の發達して居る時代であるから、廣東から陸路を採られるとは考へ難い。要するに賈耽、高岳親王及唐書の羅越は、宋史に見えて、諸蕃志等には見えないが、元代の島夷志略の羅衛もそれらしい。志略に南眞駱之南實加羅山卽故名也とある。藤田博士は駱は殆臘之僞也と云ひ又羅衛及羅越之異字云實加羅山卽故名也不知所本と云はれ、Rockhill 氏も羅衛は唐の羅越、宋の登流眉かも知れぬ、賓加羅は Singa or Singapura を指すにあらざれば Çakala or Çakara の如き形をあらはすと見えると云つて居る (T'oung Pao XVI p. 109) Singhapura は Sujarah Malayu と云ふ馬來時代記に見えて居り、瓜哇の Majapahit 王朝に亡ぼされて、王室が西に移り Malacca を建設したことになつて居る。從つて Singhapura は Malacca より古いわけである。瓜哇の Singhapura 征服は宰相 Gadjah Mada の偉業と思はれる。Nāgarakrētāgama (1365 A.D.) に Tumasik 卽ち Singhapura は見えて居るが Malacca の名は未だ見えて居らぬ。されば至正九年 1349 A.D. の序のある島夷志略に見える賓加羅山を Singhapura にあてることは不可能とは思はれぬ。さうすると同書の羅衛は Singhapura 地方であつて、末羅衛 Malayu の省略で、賈耽及宋史の羅越も同様に考へるのも一つの見方である。殊に賈耽は質卽ち海峽の北にあると云つて居る。從つて藤田博士も、こは尙ほ研究を要すと雖も兎も角も此國が馬來半島の南極なるは異議なかるべしと云つて居られる。(32) 馬來人の半島發展は何時から始まつたかは分明せぬが、政治的發展は既に Ligor 碑 A 面 775 A.D. の室利佛逝刻文に現はれて居る。碑の年代は代宗大曆十年で、賈耽は次ぎの德宗貞元年間の宰相である。それで賈耽は質卽ち海峽の北に羅越を置いたとてもするか。

尙ほ越の字が用ゐられた點から見て、當時已に Malayur と云ふ r 音の語尾の附いた呼び方があつたかと想像される。所がここに羅越を末羅越の省略と見るを要しない、羅越或は羅衞と似た名が瓜哇及暹羅の史料に出て來る。それは Wurawari である。G. P. Rouffaer 氏は瓜哇の Erlangga 王統の Dharmawangsja 王の時侵入して王を戰死せしめた Woerawari 國、次の Erlangga 王 1010—142 A.D. が攻擊した Woerawari 國を Johor 河の下流と見て居る。V. S. Calenfels 氏は Dharmawangsja 王の時の侵入者を室利佛逝王 Māravijottungawarman 卽ち宋史の三佛齊王思離麻囉皮と見て、九九二年淳化三年の瓜哇の侵入に對する復讐と考へた。(松岡譯瓜哇史頁六六、註一)然らば Woerawari 卽ち三佛齊となるが、Erlangga の史料の Wijaya を佛逝國とすれば、兩者は別物である樣に見える。Rouffaer 氏は Woerawari の都 Luarām, Lwarām の名を解釋し、右代瓜哇語 lwah "rivier, stroomend (zoet) water" と梵語 rām=rāmā "liefelijk" との綜合とし、一方馬來年代記第一章に見える negri ("town") Ganggayu の gangga は Skr.—O.J. gaṅgā で lwah と同儀の語であるから Wurawari, Gangaāyu を Johor 河流城に比定したのであるが、氏の引用する Shellabaer の馬來年代記の文は、Leyden 氏譯の馬來年代記には From Gangga Nagara, Raja Suran advanced to the country of Glang

Kiu, which in former times was a great country, possessing a fort of black stone up the river Johor (p. 10) とあり、その前の頁には Gangga Nagara の要塞は Perak のほとり Dinding 河の岸にあると記してある。Laurām, Lwarām が河の意味としても、何故それが Johor 河でなければならぬか。氏の說明は分明せぬ所があるが、氏は Wurawari は "klaar (van) water" の意味の古代瓜哇語とするので、此の國を河流のある所に求めたと思はれる。此の形は支那史料の淡港に似て居る。島夷志略舊港の條に自淡港入彭家門 Banka Str. とあり、瀛涯勝覽には先至淡港入彭家門裏擊於岸岸上多磚塔用小船入港內則至其國 據馮承鈞校註本頁一 とある。志略の自淡港入彭家門では、淡港は彭家門の外にある樣であるが、こゝは勝覽の文に從ひ、淡港卽ち彭家門の入口と見ると、藤田博士の云はれる如く、淡港は Palembang 河口でよい。河口は三つに分れ、武備志末航海國には東港舊港西港となつて居る。志略の淡港も同じ所とすれば、瓜哇史料の Wurawari はこの淡港ではあり得ない。志略及勝覽の淡港は佛逝國の港である。Rouffaer 氏は又支那の狼牙須(加)を同じ Jehor に比定したが是は問題にならぬ。武備志末の航海圖を見ても南から淡馬錫 Tumasik 苔那溪嶼 苔那は Jehor の古名 Ujong Tānah の Tānah か 彭杭港 Pahang 河口の Pekan 丁加下路 Tienggaru の

Tingeran 吉蘭丹港 Kelantan 河口の Kotabharu 西港 Selinkongbayu 昆下池港 Perhentian 諸島の名と同じ狠西加孫姑那 Singora で狠西加は今の Patani に當る。狠牙西加國の東方の港が今の Patani であつたのであらう。Gerini 氏によると、Palatine Law of Siam とも云ふべき Kot Monthieraban, 1360 A.D. によると、南方の屬國として Ujong Tānah, Malāka, Malāyu, Worawārī を擧げて居る。是は島夷志略と瓜哇の Nāgarakrĕtāgama との中間に當る。この Worawārī を Gerini 氏は Malacca の南の河 Muār に比定したが (Researches, p. 532, 495) それでは Malāka と重複する。Nāgarakrĕtāgama の馬來半島の部には Muwar はあるが、Wurawari の名は見えぬ。自分の考へでは島夷志略の羅衛が Wurawari と似て居ると思ふ。羅衛は唐宋の羅越と思はれるので、瓜哇の Erlangga 王の時代の Wurawari も同じと見ることが出來る。然らば是は Nāgarakrĕtāgama の Tumasik 淡馬錫島夷志略に當る。同史料には Johor, Ujong Tānah の名はない。從つて Wurawari は Jehor より寧ろ Tumasik に比定したいが、Rouffaer 氏の Wurawari の語義の解釋が若し正當とすれば Jehor 河流域に當てる方がよい。或は Tumasik と Jehor 河口と近い所であるから、兩方を一つに考へてよいかも知れぬ。氏は Wurawari を Jehor 河とし、同じく Erlangga 王の史料に見える Hasin と云ふ地名、上はこの國と交戰中危急に瀕したと云ふこの Hasin を義淨所記南海諸洲の一つである莫河信洲と共に、是を Tumasik に比定した。同氏の説明では Hasin "Zilt"-stad, tevens "Zee"-stad で、海の町と云へば、Tumasik が相應するかも知れぬ。莫河信は從來 Mahāsin と考へたが、氏の説では Ma-Hasin と考へなければならぬことになる。然し Ha^{c}in が鹽の町海の町としても是が如何しても Tumasik でなければならぬと云ふ材料が見當らぬ。Hasin に就いては莫河信以外支那史料にその名が見えず、自分には未だ意見が出せない。

次ぎに賈耽所記の箇羅は、唐書 卷二二二下 盤盤の條に其東南有哥羅一曰箇羅亦曰哥羅富沙羅王姓矢利波羅名米失鉢羅云云とあるのと同じで、何れも回々敎徒の Kalah に當たることは概ね一致して居る。是は通典 卷一八六 にも記してあり、Schlegel 氏は富沙羅 mal. bĕsar, "large", 王名を Çrīparamecvara と讀んだ。(33) 此の記事は貞觀中入貢の盤々に附隨して居るから、唐初のものかも知れぬ。藤田博士が迦(葛)古羅の略と云はる(34)宋史及諸蕃志闍婆の條、宋史大食及注輦の條に見える古邏も、箇羅と同じく見ては如何か。唯諸蕃志に三佛齊の屬國として古邏或は吉陀を數へないのは怪しいが、恐らく是は凌牙斯加の領內であつたためではあるまいか。十一、二世紀間に書かれた Kathā Sarit Sāgara に Kaṭāha 王 (Guṇasāgara の名があるが、是を確める傍證がない。次ぎに賈耽が箇羅の西に置いた哥谷羅に就いて述べると、陳藏器の本草拾遺開元年間著に白豆蔻出伽古羅國呼爲多骨とある。[36]同文が酉陽雜爼卷十八にもある。是が前に羅越の條に引用した唐書單單の條の哥谷羅と同じく、又宋史天竺の條に、僧法遇が天竺に行かんとして、途中の諸國王に勅書を賜はらんことを願つた時の葛古羅國もそれと察せられる。回々敎徒の記錄では地名に Kāḳula がある。是はアラビア語で同時に波斯語で白豆蔻 Cardamom の意味の Kāḳula と同じ。地名の Kāḳulā は Ya'ḳūbī (vers 875 ou 880) が Kāḳula の aloès を Khmèr 及 Čampa のそれと並べ記して居る。又 Livres des Merveilles de l'Inde p. 67-70 には回曆三〇九年 921-922 A.D. 唐末 に Kāḳula に行つた者の話がある。其の者は Kāḳola から小舟で逃亡し、Andamān, Bedfārkalah を經て Kalah に到るを得たと云ふ。回曆三〇九は原文には三九〇 (1000 A.D.) とある。Van der Lith 氏は三〇九と改めたが、G. Ferrand 氏はその必要なしと云つて居る。(Relations. p. 565) 同書には、他にもう一ケ所 Kaḳola が出て來る。その後十二世紀中頃から Edrīsī, Kazwīnī, Ibn Saïd, Ibn Batuta 等に現はれて來るが、記事が Kalah ほど分明でない。從つて位置も解らぬ、Ibn Batuta の旅行記も不分明な點があり、説が分れて居る。G. Ferrand 氏によると、(37) Sumutra から二十一夜で Mul Djāwa に來り、Mul Djāwa から途中 Kakula に寄つて三十七日後に Tawalisi 國の Kaylūkari に着いたとある。然し山本達郎氏所記の如く Mul Djawa の Kakula 港と見る説もある。(38) 是は Mul Djawa を Yule 氏が Zanzibar のアラビア語から Mul Djawa を「大陸の Djawa」と解したことと關係する。然し此の説に從ひ、又山本氏の如く Kakula を馬來半島西岸 Malacca から Kedah に及ぶ方面と考へると、スマトラ島北端の Sumutra からそこまでに廿一日と云ふ航海日數は多すぎる。自分の考へでは、Yule 氏の Mul Djawa の大陸説が間違ひのもとであらう。Mul Djawa に就いては、Wassāf が一二九二年の蒙古の征服を記して居る以上、(39) 是を今の爪哇に當てるのが穩かである。Mul Djawa は Ma (skr. mahā) Djawa の訛りで、王名 Sri Rama は Sri Raja の誤りかと思ふ。かくすれば、Ibn Batuta は Sumutra を Djawa として居るから、是を小爪哇と見れば、Marco Polo の Java Major, Java Minor とも一致する。然しそれでも、Ibn Batuta の Mul Djawa は實際はスマトラ南部 Djambi, Palembang 邊りではないか、又 Kakula も Djawa 即ち Sumutra から Mul Djawa に至る間に寄港したのではないかと考へられる。山本氏が

Tawalisi 國の Kaylūkarī を Phanrang とし、その傍の Po Klong Garai 王の遺跡の名に關係させたのは贊成する。然し Tawalisi を Taval と云ふ貴人の稱號と skr. bikhushu と結合して解釋されたのは如何かと思ふ。大越史記全書の茶和布底の茶和も Taval とするよりはむしろ Deva をうつし、彼が後に Devarāja と稱したのではあるまいか。そして Devarāja が訛つて Tawalisi となつたのであらう。Devarāja は占城の刻文にも見える。Parameśvarman I. の Pō Klaun Garai rock inscript. 1050 A.D. に王の妹の子 Devarāja があり、(Majumdar, Champa, p. 147) Jaya Indravarman III. の Myson Pillar inscrpt. 1140 A.D. には、1028 Śaka に生れ、1051 Ś. に Devarāja となり、1055 Ś. に Yuvarāja となり、1061 Ś. に王位に卽いたとあり、(ibid. p. 176) 同年の Myson pedestral inscript. にも Śrī Devarāja prince Sundaradeva とある。(ibid. p. 177) 餘談に走つた様であるが、要之 Ibn Batuta の Kakula も明かに馬來半島に求むべきである。所で此の伽古羅の名は白荳蔻に關係して出て來たこと前述の通りである。白荳蔻卽ち小荳蔻 cardamom は梵語elā, elā-tari. elika, upa-kunci, upa-kuncikā で、今の語ては éla-chi, yálakki, pala etc. である。然るに陳藏器は呼爲多骨と云ひ、又肉豆蔻 nutmeg の條に胡名迦拘勒とある。是は陣藏器の誤解て Arab. Pers. Ķāķula, Skr. kakkola, Pali akhoh は皆 cardamom を意味す。(40) G. Ferrand 氏によると cardamom のことは既に Ibn Khordādzbeh から見えて居る。 肉荳蔲の梵名は jati-phala, jātī-phala である。 Kambuja では kakor. gagar=bastard cardamom の由。(41)、馬來及爪哇語では kapulaga, puwar.(42) Encyclopaedia Britanica (13 th edition) vol. V. によると、 cardamom は Elettaria Cardamom, Amomum Cardamom に分れる。 前者は南印度及錫蘭の產。 後者は bastard cardamom of Siam—A. xanthioides; Bengal Cardamom—A. subulatum, a native of Nepal; Java cardamon—A. maximum; Korarima cardamom of Somaliland に分る。 此の暹羅の bastard cardamom は Watt 氏の prickly cardamom of Tavoy に當る。(43) Crawfurd 氏は產地として、 Malabar, Ceylon, Kamboja として居るが、 三省堂百科辭典小豆蔲の條に南部印度殊にセーロン、マライ半島を擧ぐ。 藤田博士は柬埔寨暹羅爪哇を擧ぐ。(44) 然し柬埔寨に就いては疑問を抱く。 諸蕃志 卷下 に白荳蔲出眞臘闍婆等番惟眞臘最多とあるが、この眞臘は今の暹羅を含んで居た。 諸蕃志登流眉の條に白荳蔲をその產物に數ふ。 又三佛齊闍婆の產物に荳蔲がある。 是を三佛齊入貢品目に見るに肉荳蔲である。 白荳蔲は三佛齊の入貢品目に見えぬ。 天禧三年紹興二十六年淳熙五年の條 義淨は南海寄歸傳 卷三 に三種豆蔲皆在杜和羅と云ひ、 義淨の譯した金光明最勝王經大辯才天女品に香藥三十二味を擧げ、その中に罘豆蔻(蘇泣迷羅)安見香(窶具羅)を記す。(45) 前者は肉豆蔻(蘇底迷羅 jati-phala)の誤り、後者の窶具羅は gúlgulu “bdellium” である。義淨の杜和羅は暹羅であるから、三種の豆蔻の內容は分明せぬが、三種の白豆蔻と見てよい。肉豆蔻は Crawfurd 氏によると北緯三度以南を產地とする。

以上を綜合すれば、馬來半島中部以北が、白荳蔻の產地として唐宋時代に知られたことがわかる。賈耽が哥箇羅を箇羅の西に置いたのは、正しいと思はれる。さうすると哥箇羅の候補地としては、登流眉卽ち今の Ligor か、杜和羅卽ち今の暹羅を考へ得。登流眉は賈耽の記述と合ふ様に思はれる。登流眉卽ち Ligor には室利佛逝の碑七七五年卽大曆十年があり、Chola 王 Rājendra Choladeva の刻文北宋眞宗仁宗の世に Ma-Damāliṅgam 卽ち Tāmbraliṅga が出て居ることは、既に述べた。杜和羅は玄奘義淨に記され、唐に入貢して居る。又 Rājendra Choladeva 王刻文の Talaittakolam も自分の考へでは是れである。それて自分の想像では、takkola. kakkola の起原が分明せぬが、杜和羅は多骨 takkola と關係はないてあらうか。迦拘羅 kakkola は馬來半島に哥谷羅、葛古羅 Kakula か實際にあつて、その國名から超つたとするのが、先づ普通の見方と思はれるが、然し果してさう斷定してよいか疑問もある。

賈耽は箇羅 Kalah の西實は北に置いた。Kākula を逃亡した回敎徒は Andaman に行つて居る。Ibn Batuta の Kākula はスマトラ島北端から海峡を通つて東航する際の寄港地としては餘り北方に置くわけに行かぬが、彼は Kalah を記して居ないから、或は Kalah の誤りではないかとも思はれる。それで自分は馬來半島中部以北に對して、哥谷羅 Kākula の名が適用されたことは信じてよい様に思ふ。

ソ、　元豐中 1078—1085 A.D. 使至者再率以白金眞珠婆律薫陸香備方物廣州受表入言俟報乃護至闕下天子念其道里遙遠毎優賜遣歸二年 1079 A.D. 賜錢六萬四千緡銀一萬五百兩官其使羣陀畢羅爲寧遠將軍官陀旁亞里爲保順郎將畢羅乞買金帶白金器物及僧紫衣師牒皆如所請給之三年五年の誤廣州南蠻綱首以其主管國事國王之女唐字書寄龍腦及布與提擧市舶孫迥迥不敢受言於朝詔令估直輸之官悉市帛以報

この元豐の入貢に就いては、宋史に混亂がある。卽ち初めに元豐中使至者再と云ひながら、二年三年及び次ぎに述べる五年六年と續けて書いて居るのが、その誤謬の一。後の五年六年は當然元祐年間の入貢であるべきで、五年の前に元祐の二字が落ちて居る。然も元豐三年は五年の誤り、元祐五年は三年の誤り

であること、後に述ぶる所で明かで、是れその誤謬の二である。

先づ元豐二年の入貢に就いて見るに、是は本紀に無し、玉海（卷一五四）に七月巳（己の誤）巳とのみあるは問題にならぬが、宋會要（歷代朝貢）に七月三日三佛齊詹卑國使來貢方物とあり、長編（卷二九九）に七月己巳三佛齊詹卑國使來貢とあり、長編の注に詹卑國當考二十七日並八月二十二日賜三佛齊亦不及詹卑元豐五年十月十七日合參照とある。又長編七月癸巳即ち二十七日の條に賜三佛齊國進奉(使)錢六萬四千緡銀一萬五百兩以進奉使羣陁畢爲寧遠將軍判官陁旁亞里爲保順郎將（初三日可考）とあり、又八月丁巳即ち二十二日の條に賜三佛齊國羣陁畢羅等銀水鑵交倚骨朶二對銀洗羅一面及賜僧紫衣二師號度牒各一初羣陁畢羅等乞私自買置詔依注輦國例特賜之とある。この三佛齊詹卑國を如何に解するか。是は次ぎに述べる元豐五年にも三佛齊詹卑國とある。宋史に單に三佛齊と記し、嶺外代答に七月遣詹卑國使來貢とあるのみを見ては、一寸問題が起らぬ。それが從來の學者の態度であつた。傳の三年（五年の誤）の記事の詳細は、粤海關志卷二所引宋會要及長編（卷三三〇）にある。字句に多少の出入がある。今會要の文を主として記すと、元豐五年十月十七日（長編甲子）廣東轉運副使兼提擧市舶司孫迥言南番綱首持三佛齊詹卑國主及主管長編管勾國事國主之女唐字書寄臣熟龍腦二百二十七兩布十三疋長編段臣昨奉委長編本差委推行市舶法臣以海舶法敵商旅輕於冒禁每召賈胡長編番賈示以條約曉之以來遠之意長編曉以來之之意今幸刑戮不加而來者相繼前件書物等長編等ナシ臣不敢受長編受領乞估直入官委本庫買綵帛物等長編等物候冬舶回報謝之所貴通異域之情來海外之貨從之長編計元豐二年七月三日詹卑國來貢桑原博士は「唐會要に占卑、室利佛逝があり、嶺外代答に三佛齊國王が占卑國使を遣はし來貢した。又宋會要粤海關志卷二の元豐五年の條に三佛齊詹卑國主とある。是によれば詹卑は三佛齊の勢力下に立ちし別國と認めざるべからず。以上の理由により、予は唐代より北宋末にかけての三佛齊は Djambi にあらすと認めるが故に、姑く普通の說に從ひ三佛齊 Palenbang に賛成すべし」と云はれ(46)、小葉田淳學士も是に賛成せられ「是等によれば占卑、詹卑即 Jambi は三佛齊の勢力の下に立ちし別國と解するが普通である」と云はる(47)。然し自分は疑問とする。藤田博士は嶺外代答の遣詹卑國使來貢を解して、「此の國が三佛齊の屬國であるからだとも云へば云へるが宋史三佛齊傳に其王號詹卑とある。この詹卑は Crawfurd 氏によると、Jav. Jambi, Mal. pinang, "areca-palm" 即ち檳榔である。室利佛逝は梵名、詹卑は土名である。三佛齊王が Jambi raja と云つたので、新に詹卑の名を聞いて、是を王號と誤つたのではなからうか」と云はる。(48) 緒言にも述べた如く、博士が「室利佛逝三佛齊舊港は何處か」を書かれた時は、未だ前記宋會要の記事を知られなかつた。その後「宋代の市舶司及市舶條例」を書かれた時には、引用されたが、別に三佛齊詹卑國に就いての意見は記されて居ない。藤田博士は當時の三佛齊を詹卑に置かうとされるので、宋史の其王號詹卑を利用されたが、嶺外代答の遣詹卑國使來貢に對する直接の反駁論は無い。宋史の其王號詹卑と云ふ文句は、自分の考へでは、三佛齊と詹卑を同じものと考へた證據であると思ふ。宋會要及長編の三佛齊詹卑國に就いては、支那人の間に二通りの解釋が起つた。一は嶺外代答の如く、三佛齊詹卑を別國とする考へ、一は宋史の如く、兩者を一つと見る考へ。三佛齊詹卑國の書き方と似た形は、宋會要の大食傳にある大食勿巡國大食俞廬和地國大食麻囉拔國大食層檀國である。藤田博士によると勿巡は Oman 地方の Sofar の波斯名 Mezoen で、俞盧和地は Bahrein の港 Al-Katif で、麻囉拔は Hadramant の港 Merbat で、層檀は Sultan の音譯で Seljuk Turk の都 Rei, Ray である。(「宋代の層檀國に就いて」東西交渉史の研究南海篇頁二五七—二八〇)是れ等は云ふまでもなく大食の中の諸地方を指して居る。然し三佛齊詹卑國は大食某國と同様には見るわけに行かぬ。大食某國の入貢は結局某國の入貢であるが、三佛齊詹卑國の入貢も、單に詹卑國の入貢と見てよいかと云ふに、事實は詹卑の入貢であるが、宋は是を三佛齊の入貢として扱つて居る。長編の筆者は、前に記した如く、元豐二年七月己巳の三佛齊詹卑國入貢の註に、賜三佛齊亦不及詹卑と云つて居る。その事は五年に就いても言ひ得る。是は長編も三佛齊詹卑に就いて、疑問を抱いた證據であり、三佛齊詹卑國を二國の朝貢と解し得ないことを註に述べたのである。若し嶺外代答の如く、遣詹卑國使來貢とすれば、當然三佛齊と詹卑兩國の入貢と解しなければならぬ。然るに宋朝の是に對する賜與は三佛齊に對してのみで、詹卑に及んで居ないのは、此の來貢は一國の入貢であつたからであらう。然らば何故に詹卑は三佛齊として入貢したか。自分はこゝに三佛齊の歷史上、重大な事實が含まれて居る樣に思ふ。諸蕃志に渤林邦 Palembang を三佛齊の屬國に數へて居ることは、早くから學者の注意を引いた。卽ち是は當時三佛齊の中心が、Perlembang から、その西の Jambi に移つて居ることを示すものと考へられた。藤田博士は早くも大正二年に、此の三佛齊の中心の移動を考察され、移動の時期を、義淨の末羅瑜今改室利佛逝まで溯られた。然し義淨の文句は、單に末羅瑜を室利佛逝が併合したと見る說が普通で、自分も併合說に贊成することは、本論文第二章室利佛逝考の中に述べた。桑原博士は宋會要の三佛齊詹卑國を以て北宋末までの三佛齊は Palembang であるとする論據の一にされたが、それは嶺外代答の文句に禍ひされた說であることは既に指摘した。自分は、桑原博士と正反對に、元豐二年五年の頃には、三佛齊の中心は詹卑であつたと考へる。その論據は專ら宋會要及長編の三佛齊詹卑國の記事にある。三佛齊の中心の移動は、一面から見ると、Palembang を中心とする室利佛逝が沒落して、Jambi を中心とする Malāyu が勃興したことになる。然し Malāyu と云ふ名は宋以後元史を除いては、支那史料では餘り用ゐない。島夷志略に舊港卽ち Palembang の他に三佛齊があり Jambi を指し、明の洪武帝が三佛齊國王の印綬を與へ、又古葉田學士が紹介された琉球現存の古文書の中に、宣德正統年間寶林邦 Palembang の頭目から琉球國王に宛てた文書があり、それには三佛齊國寶林邦とある。(49) 是に反して瓜哇の史料では Kṛtanagara の遠征 1275 A.D. でも、又その後の Majapahit の遠征でも皆 Malāyu を以て呼び三佛齊と云はぬ。又南印度の史料でも注輦國の Rājendra Chola の刻文以後室利佛逝の名見えず、Vira Rajendradeva の刻文 1068—69 A.D.

及 Small Tamil Leyden Grant 1089—90 A.D. には Kaḍarām, Kiḍāra とある。是は Śrī Vijaya の名を省略したのかも知れぬが、分明せぬ。是等を綜合して考へると Jambi の Malāyu 國が實際に於て Śrī Vijaya と稱したか疑問になる。小 Leyden Grant によると Kiḍāra 王が Śailendra-Cūlamanivarma-vihāra 寺の寺領村の免税を願つたとあるが是によつて Kiḍāra 王は Śailendra 家であつた樣に考へてよいか、又この Kiḍāra 王は Malāyu の王かそれとも Kiḍāra のみの王であつたか分明せぬ。從つて Jambi の Malāyu 國が Śailendra 家であつたかどうかは是れ丈ではわからぬ。然し Coedès 氏が Malāya 國の刻文とする Jaiya の像像銘 1183 A.D. には Śailendravaṃśa の名は見えぬ。要之 Jambi の Malāyu 國が Śrī Vijaya と稱し、Śailendra 家であると云ふ證據が見當らぬ。換言すれば Palembang から Jambi への權力の移轉は、Palembang 王室が Jambi に遷都したと考へるより、Palembang 王室が沒落し、新に從來その屬國であつた Jambi 國が勃興した、從つて Śrī Vijaya 國は衰へて、Malāyu 國が是に代はつて與り、Palembang は却つてその屬國となつたと考へては如何かと思ふ。然し支那史料では三佛齊の入貢は依然として繼續して行く。是は宋人が詹卑卽ち Malāyu の入貢を三佛齊の入貢として取扱つたとも見えるかも知れぬが、むしろ詹卑が自ら三佛齊の繼承者を以て任じ、三佛齊の名を冠し、後には單に三佛齊として入貢したと見る方が、事實に當つて居るのではあるまいか。一九二六年に N. J. Krom 氏が室利佛逝の沒落を論じ、翌年 G. Coedès 氏が同樣の題目で Krom 氏の說を改めて居る。(50) 明史の三佛齊傳に時瓜哇已破三佛齊據其國改其名曰舊港三佛齊遂亡とある。是は疑問の文句で、舊港の名は藤田博士の指摘された如く島夷志略に既にあり、ここに三佛齊遂亡と云ふは、洪武帝が三佛齊王に封じた王家が沒落した丈のことを云つたのであるが、それが宋以來の三佛齊が此の時始めて亡びた樣なので誤解を招いた。されば Krom 氏が Groeneveldt 氏等が考へた如き洪武九―十年を以て三佛齊の沒落とする說を排したのは當然であるが、同氏が Jaiya の碑 1230 A.D. の Tāmbraliṅga 王 Candrabhānu 王を室利佛逝王として、議論して居るのは G. Coedès 氏の反駁する如く、當を得ない。從つてその結論も問題にならぬ。是に反し G. Coedès 氏は Jaiya で發見された佛像の刻文の年代を 1188 A.D. と推定し、同刻文の Mahārāja Çrīmat Trailokyarājamaulibhūṣaṇawarmadeva 王の稱號が、一二八六年から一三七八年の刻文によつて知られる Malāyu 王のそれと同じであるから、(參照 Çrī Mahārāja Çrīmat Tribhuvanarāja Mauliwarmadeva, Çrīmat Çrī Udayādityavarma rājendramaulimaṇivarmadeva. Ferrand, L'Empie Sumatranais de Çrivijaya, p. 125—127) 此の佛像の刻文を Malāyu 上のものとし、それによつて Malāyu 國の勢力が Ligor まで發展して居ることを考へ、Malāyu の勃興をその以前とし、一方宋史で淳熙五年 1178 A.D. 入貢が三佛齊の最後の入貢であるから、三佛齊の沒落をその間 1178—1183 A.D. に置く結論に達した。Jaiya の佛像銘に就いては、G. Ferrand 氏も同意見である。(51) 然し三佛齊の沒落、Malāyu の半島發展を 1178—1183 A.D. 間としては、餘りに短かすぎると思ふ。抑々淳熙五年三佛齊の入貢を、Palembang を中心とする三佛齊の最後の入貢と見るのが怪しい。諸蕃志の序は寶慶元年 1225 A.D. で、その時 Palembang が三佛齊の屬國であると記す所を見ると、Jambi 國も亦三佛齊であることは明かである。諸蕃志所記の三佛齊の大國家は、昔の Palembang 三佛齊ではなくて、新たな Jambi 三佛齊である。かう考へると、三佛齊の入貢に就いても、何時から前は Palembang 三佛齊の入貢で、何時から以後は Jambi 三佛齊の入貢であるかを考へねばならぬ。Coedes 氏は淳熙五年入貢を Palembang 三佛齊の入貢と考へたので、その沒落と Jaiya の佛像銘の年代とが餘りに接近しすぎることになつたのである。ここに於て前に述べた元豐年間の三佛齊詹卑國の文句が活きて來る。自分は要するに元豐年間には、三佛齊の中心が、Palembang から Jambi に移つて居ると考へる。その移動の時期は分明せぬが、Rājendra Chola 王の Kaḍāram 征服の刻文に出て來る l'ancien Malaiyūr が Jambi とすれば、Jambi の勃興はそれより後でなければならぬ。恐らく Palembang 三佛齊の沒落は、Rājendra Chola 及び Vīra Rājendra 王の七年 1068–1069 A.D. の Perumber 刻文(52)に Ayant conquis Kaḍāram, il daigna rendre ce pays à son roi qui avait vénéré ses pieds とある注輦國の侵略の爲めであらう。支那史料から見ても、天聖六年 1028 A.D. 以後久しく朝貢絶え、元豐二年 1079 A.D. に至つて三佛齊詹卑國として入貢を始めたことが參考される。

尙ほ宋會要 歷代朝貢 に元豐七年九月八日三佛齊國貢方物とあり、本紀及長編 卷二四八 に九月乙巳とある。然らば元豐の入貢は二年五年七年の三回であつて、傳の元豐中使至者再は誤りである。

ツ、五年 元祐三年 1088 A.D. の誤 遣使皮襪副使胡仙判官地華加羅來入見以金蓮花貯眞珠龍腦撒殿官皮襪爲懷遠將軍胡仙加羅爲郎將加羅還至雍邱病死賻以絹五十疋六年又以其使薩打華滿爲將軍副使羅悉沙文判官悉理沙文爲郎將

ここに單に五年とあり、その前文を承くれば元豐五年と讀めるが、前に述べ

た如く三年が元豐五年の誤りであり、この五年は、元祐二字を脫して居るので、元祐五年の樣であるが、實は元祐三年でなければならぬことは、次ぎに記す山堂考索の記事を參照すればわかる。山堂考索 後集卷六四 に元祐三年十二月甲申貢人請以金蓮花一十五兩眞珠五兩龍腦一十兩依例撒殿從之四年正月庚辰進奉副使胡仙爲歸德郎將進奉判官他 地の誤 華加羅爲保順部將とある。傳と使者の名が同じ。本紀によると、元祐三年五年六年三回入貢した樣に見えるが、實は三年と五年の二回である。三年の入貢は閏十二月 嶺外代答卷二 玉海卷一五四 五日 宋會要歷代朝貢 丁未 長編卷四一九で、代答に五月復來貢とあるは、五年の誤り。五年の入貢は十二月 玉海 乙未 長編卷四五 と山堂考索 後集卷六四 五日 宋會要の 歷代朝貢 てある。その時の使者が翌六年に將軍郎將を授かつたのが傳の文である。長編 卷四五六 六年三月丁亥の條に御使中丞趙君錫言高麗國三佛齊國進貢使副以下擅入棘盆觀看奉詔館伴押伴官等並特放罪臣竊惟蠻夷入貢有司當守著令今館伴官等迺敢輒於觀燈之夕公然廢越法制國辱誤朝宜在不赦詔館伴押伴官並罰金六斤とあるも同じく前年十二月の高麗三佛齊の進貢使に就いてである。

ネ、紹聖中 1094—1097 A.D. 再入貢

本紀に元年十月丙申の入貢と、二年の入貢を記して居る。宋會要には元年十

月二十八日の入貢と、四月〔二年の誤〕三月二十三日の入貢があり、山堂考索〔後集卷六〕四には二年三月丁巳の入貢のみある。長編は自元祐八年七月至紹聖四年三月原本闕となつて居る。是も元年と二年と共に同一の使と思はれるので、再入貢の再は誤りである。

十、紹興二十六年 1156 A.D. 其王悉利麻霞囉陀遣使入貢帝曰遠人向化嘉其誠耳非利乎方物也其王復以珠獻宰臣秦檜時檜已死詔償其直而收之

本紀に二月庚寅と十二月壬戌の入貢を記す。玉海〔卷一五四〕は十二月壬戌遣使來貢とし、宋劉時擧の續宋編年資治通鑑〔卷六〕も三月と五月との間に佛齊國入貢と記すのみ。然し詳しい記事が、李心傳の建炎以來繫年要錄〔卷一七一―一七六〕にある。次に其の文を引くと、二月庚寅執政奏廣東申三佛齊國入貢依例到闕二十三人上曰遠人嚮化國家美事到闕人數可增作四十人蓋嘉其誠欵而非利乎方物也〔卷一七一〕、七月甲辰詔三佛齊國遣使入貢可差睿思殿祇候黄太求充押伴官〔卷一七三〕八月甲申尚書省勘會右朝請郎提擧廣南市舶邵及之係曹泳所薦今來輙敢沮抑蕃國入貢與帥臣不和詔放罷時三佛齊國請入貢廣東帥臣折彦質爲請而及之多沮抑之故罷〔卷一七四〕、十二月壬戌三佛齊國進奉使蒲晋等入見獻乳香八萬斤胡椒萬斤象牙四十觔劍〔原缺〕名

香寶器甚衆又以明珠琉璃金酒器上宰相而秦檜已死詔以其物輸御前激賞庫而以蜀錦答之、癸亥以三佛齊國首領悉利麻霞囉啗爲保順慕化大將軍三佛齊國王賜襲衣金帶鞍馬器幣二百以蒲晉爲歸德郎將副使蒲遐爲懷德郎將判官蒲押咤囉爲安化司候蒲晉等彌月乃行（卷一七五）、二十七年正月庚寅三佛齊國進奉使蒲晉等辭行（卷一七六）。

宋會要（歷代朝貢）にはこの時の三佛齊の貢物が詳しく記してある。卽ち二十六年十二月二十五日三佛齊國進奉使司馬傑厨盧、打根加越仲蒲晉副使馬傑囉嗏華離蒲遐邏判官司馬傑旁胡凌蒲押陁囉到闕朝見表貢龍涎一塊三十六斤眞珠一百一十三兩珊瑚一株二百四十兩犀角八株梅花腦板三片又梅花腦二百兩琉璃三十九事金剛錐三十九箇貓兒眼睛指環青瑪瑙指環大眞珠指環共十三箇膃肭臍二十八兩番布二十六條大食糖四琉璃瓶大食棗十六琉璃瓶薔薇水一百六十八斤賓鐵長劍九張賓鐵短劍六張乳香八萬一千六百八十斤象牙八十七株共四千六十五斤蘇合油二百七十八斤木香一百一十七斤丁香三十斤血竭一百五十八斤阿魏一百二十七斤肉豆蔲二千六百七十四斤胡椒一萬七百五十斤檀香一萬九千九百三十五斤箋香三百六十四斤。

以上が紹興二十六年入貢に關係する史料であるが、こゝに紹興十六年に三佛齊王が廣南市舶官に書を寄せた事實がある。繫年要錄（卷一五五）に九月壬辰初三佛齊國王以書遺廣南市舶官言近年商販乳香頗有虧損上曰市舶之法頗足國用宜循舊法以招徠遠人時市舶官右朝散大夫袁復一己移提擧福建常平公事詔特降一官とあり、宋會要 粤海關志卷二所引 にも略同文がある。 九月二十五日宰執進呈廣南市舶司繳進三佛齊國王寄市舶官書且言近年商販乳香頗有虧損上曰市舶之利頗助國用宜循舊法以招徠遠人阜通貨賄於是降右朝散大夫提擧福建路常平茶事袁復一官以前任廣南市舶虧損番商物價故有是命。 紹興二十六年の三佛齊王悉利麻霞囉陁は、G. Ferrand氏が Skr. Çrīmahārāja >malais Sěri Mahārāja と讀んだが(53)、それは當然である。唯是は王の稱號で、王名は他に參考史料もなければわからぬ。

ラ、 淳熙五年 1178 A.D. 復遣使貢方物詔免赴闕館於泉州

是は本紀にもその入貢を記すが、宋會要 歴代朝貢 に其の貢物を詳細に記してある。 即ち淳熙五年正月六日三佛齊國進表貢眞珠八十一兩七錢梅花腦板四片共一十四斤龍涎二十三珊瑚一匣四十兩琉璃一百八十九事觀音瓶十靑琉璃瓶四靑口瓶六闊口瓶大小五環瓶二隻口瓶二淨瓶四叉瓶四十二淺盤八方盤三圓盤三十八長盤一叉盤二滲金淨瓶二滲金勸盃連蓋一副滲金盛水瓶一屈卮三小屈卮二香爐一大小罐二十二大小盂三十三大小楪四大小蜀葵楪二小圓楪一番糖四琉璃瓶共一十五斤

八兩番棗三琉璃瓶共八斤梔子花皿琉璃瓶共一百八十兩象牙六十株共二千一百九斤九兩六錢胡椒一千五百五十斤夾箋黃熟香八十五斤薔薇水三千九斤肉荳蔻八十斤阿魏二百三十斤沒藥二百八十斤安息香二百一十斤玳瑁一百五斤木香八十五斤檀香一千五百七十斤貓兒睛一十一隻番劍一十五柄。

以上南宋百五十年を通じて、紹興二十六年 1156 A.D. と淳熙五年 1178 A.D. の二回の入貢は、餘りに少い。それについては、三佛齊の國力不振は考へられない。淳熙五年の序を持つ嶺外代答及び寶慶元年 1225 A.D. の序を持つ諸蕃志によれば、三佛齊は交通の要衝を占め、土產の他に大食諸蕃所產物こゝに萃り、その政治的勢力はスマトラ全島、西部瓜哇及び馬來半島中部以南に及んだ大國であつた。從つて南宋に入貢することの少き理由は他に求めねばならぬ。自分の考へでは、一は南宋の不振、その爲めに折角入貢しても、宋朝の是に酬ゆる所少かつたのではあるまいか、又南宋は國事多端の爲め、南蕃の入貢などに就いては記錄不十分ではなかつたらうか。二には入貢せずとも市舶法によつて公然貿易が許されて居り、許された貿易港に於て自由に活動し得た。三には支那船の發達、支那人は許可さへあれば自由に南洋に貿易することを許されて居たから、支那貿易商及び在留の蕃商が大船を仕立てて、南海に遣ることが出來るので、支那船の出洋が盛んになつたことは、Marco Polo の旅行記 Book III, Chap. 1. Of the merchant ships of Manzi that sail upon the Indian Seas 及び Ibn Batuta が印度より支那に往來する海舶は殆んど支那船に限ると云つたこと等から、たとへそれが世祖の奬勵に本づく所あるとは云へ、南宋以來の趨勢を推察せねばならぬ。尙ほ是に就いては桑原博士の蒲壽庚の事蹟新版頁八六―九四を參照されたい。而して南洋貿易の支那船は、諸蕃志によると、貨即ち貿易交換の物資を持つて居る。貨は主に支那の產物であるが、中に支那以外の物產も含んで居る。是は支那船が南洋に於て、支那物貨と南洋物貨の交換を行ふ他に、南洋の地方的貿易に參加することになることを示して居る。支那船が南洋を盛に往來することになると、南洋各地に華僑が起つて來なければならぬ。是は自然の且つ必要な趨勢である。然し南宋時代は未だそこまでに至つて居なかつたらしい。さて一方に入貢と云ふことに就いて考へるに、是は一面では勿論國際的友好關係を示すものであるが、他の一面に於ては貿易の變形である。殊に物資を大量に輸送し得る便を持つ海上からの入貢に於て、特に後者の性質を帶び易い。明の如き鎖國時代の入貢が、貿易の性質を持つことは當然として、鎖國にあらざる時代に於ても、入貢が貿易の性質を持つは何故か。それは支那政府が一手に大量に買ひ入れてくれるからではあるまいか。前に記した如く、三佛齊の入貢品は多量なものである。是を入貢の形式を取れば、支那政府が大體引き受けて呉れる。これほど簡單な取引はない。然しそれには支那政府が大資本家でなければならない、所が南宋はその資格が無かつたらうと思ふ。それで自然入貢が少くなつたのではあるまいか。その中に支那の國家が統一され、國力が回復されると、市舶の利を求める以外に、政治的意味で、强制的に入貢を促すことになる。それが元明初期の南洋活動である。

三佛齊は諸蕃志の時代が、黄金時代でその後一二三〇年の Jaiya の碑によると、Tāmbraliṅga が獨立し、その Çrī Dharmarāja Candrabhānu 王は、錫蘭の歴史 Mahāvaṃsa LXXXIII, LXXXVIII. に二度錫蘭に侵入した Jāvaka 王である。Mahāvaṃsa の第卅八章以後は Cullavaṃsa と云ふから、こゝは Cullavaṃsa LXXXIII, LXXXVIII と云つてもよい。Jāvaka は G. Ferrand 氏が回々敎徒の Zābādj (anciennement Zābag) に比定し、Candrabhānu 王を室利佛逝王としたので、Krom 氏はそれに從ひ此の兩度の錫蘭遠征の失敗を三佛齊沒落の原因と見たが、G. Coedès 氏は是に反對し、Jāvaka は phonétiquement には Zābag と一致するが、l'équivalent géographique ではない。Candrabhānu は Tambraliṅga の王にすぎない、而して其の兩度の遠征の年代に就いて諸說があつたが、氏は是を 1236, 1256 A.D. と考定した(54)。所が Pāṇḍya 王の Jaṭāvarman Vīra-Pāṇḍya の刻文 1264 A.D. に Who was pleased to take the Chōḷa country, Ceylon, and the crown and the crowned head of the Çāvaka (=Jāvaka) とあり、翌年の刻文には、王の征服國の中に Kaḍāram を數へて居る(55)。事情が分明せぬが、この Çāvaka 王は Candrabhānu らしい。Vīra-Pāṇḍya 王の Kaḍāram 征服は、實際そこに遠征したのか、それとも Jāvaka 王を殺したこととの爲めにさう云つたのか、是も分明せぬ。一つの碑に Jāvaka とあり、一つの碑には Kaḍāram とあるので、Jāvaka 王卽 Kaḍāram 王と認められるが、是は一方から見ると Candrabhānu を室利佛逝の王と見る論據にもなるが、G. Coedès 氏は是は Jāvaka 卽 Tambraliṅga が Kaḍāram 卽 Kedah の港を領有したことを示すので、錫蘭遠征にはこの港の領有は必要なことであると云つて居る(56)。自分は Coedès 氏の說に贊成する。Candrabhānu 王の出現は、同王が三佛齊の屬國の王とは考へられぬの　三　齊が馬來半島中部を失つたことを意味する。この Ligor 地方は Candrabhānu の失敗後久しからずして暹羅に征服された。Sukhoday 王 Rāma Gambeng の碑 1292 A.D. によると、Ligor 王 Śri Dharmarāja が征服されたとある。

加之三佛齊は東方瓜哇からも侵略を受けることになつた。Krom 氏が指摘した如く瓜哇の Kṛtanagara が Malāyu を侵略した。この Malāyu に就いては Coedès 氏は廣くスマトラ島を指すのでなく、Jambi 王國であると云つて居るが、Jambi 王國の勢力が廣く及んで居れば、結局同じこととて、唯 Jambi が中心であることを主張したにすぎない。此の瓜哇の使人が 1275 A.D. で丁度宋元鼎革の際に當る。その後間もなく瓜哇に Majapahit 王國が勃興し、その三代目の女王 Djajawisjnoewardhani (1329—1350 A D) の世に、1331 A.D. に國内に内亂あり、その鎮定の功によつて Gadjah Mada が宰相になつたが、彼は國威發揚を計り、瓜哇各地及周邊諸島征服の計畫を立て、その成功を誓つた。それによると西方は Sunda, Palembang, Pahang, Tumasik の征服を志した。唯東方 Bali 以東の征服は明かであるが、西方の征服は詳かでない。然し 1365 A.D. に詩人 Prapañča が次ぎの王 Sjri Radjasanagara (=Hajam Woeroek) に捧げた詩である Nāgarakrĕtāgama には、Les principales îles, qui sont sous la souveraineté du pays de Malayu sont les suivantes: Djambi, Palembaṅ, Tĕba et Dharmmāçraya, Kandis, Kahwas,Manaṅkabwa, Siyak, Rĕkān, Kāmpar et Pane, Kāmpe, Harwa, Mandahiliṅ, Tumihaṅ, Parlāk et Barat, Lwas et Samudra et Lamuri, Batan, Lāmpuṅ et Barus. Telles sont les principales îles du pays de Malayu tout entier, tous ces pays dépendent [de Madjapahit]—(G. Ferrand, Relations, II, 652.) とあり、スマトラ島全部が瓜哇の屬國となつて居る。此の事は又明史でもわかる。卽ち明史巻三二四三佛齊の條に、洪武十年麻那者巫里が入貢した時に、洪武帝は使者を遣して、彼を三佛齊王に封じた所、瓜哇が怒り朝使を殺したとあり、瓜哇の條には洪武十三年瓜哇が入貢した時、瓜哇が三佛齊王の印綬を齎らす明の使者を殺した爲めに、瓜哇の使者を留めること月餘とある。島夷志略は、その序文が至正九年1349 A.D.であるから、その以前の事實を記したものと察せられるが、それ以上詳しい年代はわからぬ。一方瓜哇の宰相 Gadjah Mada は 1364 A.D. 卽ち Nāgarakrĕtāgama の作られた前年まで生きて居たので、島夷志略の記事は瓜哇のスマトラ征服以前であるか或は以後であるか分明せぬ。若し前者であれば同書の舊港と云ふ名は宋末 Kṛtanagara のスマトラ侵略によつて起つたと考へられ、若し後者とすれば Majapahit のスマトラ征服によつて起つたと考へらる。Majapahit のスマトラ征服は前に述べた如く、その年代が分明せぬが、Sunda の併合が 1357 A.D. であるので、スマトラの征服はその後とも考へられ、従つて島夷志略の記事は Majapahit のスマトラ征服以前かも知れぬ。何れにせよ舊港の名は瓜哇の侵入に本づいて居ることは明かである。所が茅瑞徵の象胥錄には更名舊港以別於新村とあり、東西洋考も是と同じいが、新村は瓜哇の Gressie で、この説の不可なることは藤田博士の云はれた通りである。(57)

尙ほ R. C. Majumdar 氏の Les Rois Śailendra de Suvarṇadvīpa の特異な三佛齊及 Zābag 說(58)について述べたい。同氏は G. Ferrand 氏が Ligor 碑によつて Śrīvijaya 王が Mahārāja と云つたことを否定する。Ferrand 氏のこの說は Coedès 氏の舊說に本づくものであるが Majumdar 氏はその碑の A B 兩面の別物であることを指摘した。是には Coedès 氏も贊成して居る。(59) 卽ち A 面は室利佛逝の刻文、B 面は Śailendra 家の Mahārāja の刻文、兩者刻文者及び年代を異にする。次ぎに Majumdar 氏は Ferrand 氏の Ile du Mahārāja = Zābag = Śrīvijaya を否定し、Ibn Sʿaïd が緯度を Zābag 12° 30′ Śribuza 3° 40′ として居るのを擧げて居るが、自分は此の點に Majumdar 氏の誤謬の根本があると考へる。卽ち同氏は十三世紀の回敎徒の記錄を以て、その以前に溯らせて居るのは怪しい。自分は回敎徒の Zābag は年代によつて相違するものがあると思ふ。Zābag は勿論印度人の Javaka の轉訛であるが、十三世紀の前半に馬來半島 Ligor 地方に Candrabhānu と云ふ有力な王が居り、彼が錫蘭に侵入したのは前に述べたが、それが矢張り Javaka と呼ばれたので、氏の時代の Zābag が Sribuza の北にあつても一向差支へない筈である。然し是によつてその以前の Zābag も馬來半島てなければならぬことは云ひ得ない。室利佛逝王が九世紀の中頃卽ち現存回敎徒の記錄の初まる頃から Mahārāja の肩書を持つたことは、Nālandā plate の示す所であるから、Zābag 卽ち Ile du Mahārāja が室利佛逝 Sribuza を中心としたその大勢力範圍に對する名であることは明かである。Zābag の內に Srībuza, Kalah があり、同一王に屬したことは南印度の史料の Kaṭāha, Kaḍaram 及 Śrīvijaya 王國と一致することは既に述べた。而して室利佛逝の中心が Palembang であることは Coedès 氏の說く所で明かで、Majumdar 氏の疑問は問題にならぬ。Majumdar 氏は室利佛逝と三佛齊とは支那史料で現はれる年代が明に區別してあり、Ferrand 氏の說を引き室利が三となることの不可能を云つて居る。Ferrand 氏は地理的には室利佛逝卽三佛齊であるが、發音上では無理の樣だと云つて居る。(60)

然し是は Ferrand 氏が三古音 Sam に拘泥するからである。三は如何にも梵語 Sam をうつすが、日本音 San であり、語尾 n の一綴音 one syllable を以て、語尾 r の一綴音をうつすことは、例がある。安息 Arsaces は勿論、半笯嗟 西域記 Parṇotsa 般若は prajñā で般羅若とも書くが、前者必すしも後者の省略とは思はれぬ。又梵語の r 音は南方では無くなつたり或は他の音に變はる。例へば Pranāte—Panāde, Tṛsnā—Tanha, Tamra—Tamba. 回教徒がスマトラの Barus を早くから Fančur と訛つて居るのも、南印度人が既に Barus を Bansur 訛つて居たのに本づくのかも知れぬが證據は無い。語尾 r は n 音の他 t k 等もあり、比較的輕視される。殊に r の次ぎに母音がない場合にさうである。それで本章の初めにも說いた如く、三佛齊は回教徒が Srivijaya を Serbuza と訛つたのを三佛齊と書いたのであらう。Ferrand 氏は又佛逝(或逝齊)を以て Vijaya をうつすことに疑問を抱いた。毗逝なら宜しいことは勿論であるが、佛は怪しいと云ふのは尤もで、梵語に通じて居る筈の義淨が佛逝と書いたのは何故か。自分は義淨が始めて佛逝に行つた時の舶が波斯舶であつたことから、波斯人が既に vijaya を bza と云ふ風に訛つて居たのではないかと想像する。然しその證據はない。Majumdar 氏は又諸蕃志の三佛辨はPalembangでないことを說いて居るが、是は旣に學者が色々論じて居る所で、普通是をJambiに當てるのであるが、同氏は是をLigorに持つて行く。同氏は又Nālandā銅版のYavabhūmi, Suvarṇadvīpaを共に馬來半島を指し得るとしYavabhūmi=Suvarṇadvīpaとした。RāmāyanaのYavadvīpaは漠然として居るとしても、Čanggal碑のYavadvīpaはJava以外を指すことは出來ないとCoedès氏は云ひ、支那史料の闍婆がJavaであることは明白な事實である。後世のMarco Polo等の如く、スマトヲをJavaと云ふのは濫用にすぎない。又Suvarṇadvīpaも本より漠然として用ゐられることもあるとしても、大體BurmaかSumatraを指して居ることは爭へない。Majumdar氏はPtolemyのKrysê Khersonêosと、Kathāsaritsāgaraに商人SamudraśūraがSuvarṇadvīpaのKalaśapuraに行つたことを引いて居るが、前者は問題になるまい、後者のKaraśapuraはMajumdar氏はPelliot氏の說[61]の支那史料の哥羅舍分の比定に從ひ盤々卽ちBandor or Ligorの北にあるとして居るが、唐書瞻博の條では哥羅舍分は墮和羅の西と云ひ、墮和羅の條では加羅舍分は墮和羅の北にあると云つて居る。舊唐書は前者に同じく、冊府元龜は後者に同じ。又Pelliot氏の云ふ如く隋書卷三大業四年入貢の迦羅舍國も同じであらう。藤田博士はAyuthia

の西南遠からず今 Rajburi を以て是に當てられた。(62) 博士の說の當否は別問題として も哥羅含分が馬來半島でないことは云ひ得る。Nālandā 銅版の Yavabhūmi, Suvarnadvīpa は、銅版の年代が九世紀後半である點から見ても、又その書き方、性質等から見ても、漠然と用ゐられた名ではなく、ハッキリとその指す所は決つて居る筈である。それを同じ Ligor に置くのは Majumdar 氏が Zābag = Empire of Sailendras = 三佛齊の中心を Ligor に置き、そこを中心として發展した大國家と考へ樣とする無理から起つたものである。Majumdar 氏は又昨年正月 Decline and Fall of the Sailendra Empire を發表した。(63) 本論文も三佛齊を馬來半島に置く爲めに、諸蕃志三佛齊の條に Jambi 卽 Malaya が無く Palembang をその屬國と數へて居るのは、單に Malaya が最早や三佛齊に服屬して居なかつたことを示すに止まると云つて居る。諸蕃志の此の記事は早くから藤田博士の注意を引き又 Coedès 氏が三佛齊の中心が Palembang から Jambi に移つて居たと考へる根據となつたものであるが、是丈では考へ樣によつては不十分かも知れぬ。然し自分は宋會要及續資治通鑑長編所記の三佛齊詹卑國に對する解釋を以て此の說を强化し得ると考へる。Majumdar 氏は又諸蕃志に三佛齊が細蘭 Ceylon を屬國にして居ることに就いて、

Candrabhānu 王の二回 1236, 1256 A.D. の錫蘭遠征の中第一回は諸蕃志の完成する前であるから、それによつて諸蕃志の記事は證據立てらると云つて居る。同氏は諸蕃志の序が 1225 A.D. であることを知りながら尚ほ Chau Ju-kua p. 137 の 1242—1258 A.D. を諸蕃志編纂年代とする説を採つて居る。Chau Ju-kua の譯者は未だ諸蕃志の序文を知らなかつた。然し Pelliot 氏が同書の批評に序文の年代を示して居る。(64) 唯 Pelliot 氏は Hirth 氏等の誤解の因を一掃して居ない。Hirth 氏等は諸蕃志の白達 Baghdad の條に王乃佛麻霞勿直下子孫相襲傳位至今二十九代經六七百年とある二十九代を誤解した。この代を generation 世次と見て同じ世次に屬する例へば兄弟等を一代と見たので麻霞勿の先祖 Kusai から 'Abbās 朝三十七代目の Musta'sin (1242—1258 A.D.) まで數へたが、是が誤解で、諸蕃志の廿九代は 'Abbās 朝二十九代 Mustarshid (1118 1135 A.D.) で徽宗重和元年から高宗紹興年まで Khalif であつた。宋史卷四九〇大食の條に建炎三年 1129 A.D. 紹興元年 1131 A.D. の大食入貢がある。宋會要の大食の條にも見え、前者には三月七日後者には十一月二十六日の日附があり、又同書には宋史に見えない乾道四年 1168 A.D. の入貢を記して居る。然し至今二十九代は建炎三年或は紹興元年の入貢の時に得た智識と考へてよい。從つて諸蕃志の編纂時期に就いて Hirth 氏等の説は少しも理由がないから、その説を用ゐる Majumdar 氏の説も問題にならぬ。細蘭を三佛齊の屬國と記した點に就いては、已に Hirth 氏等の云へる如く、藍無里の條に到南毗管下細蘭國とあり、又細蘭の記事の末尾に歳進貢三佛齊とある。南毗は Hirth 氏等は Nairs of Malabar と解した。Nair は Malayāl. nāyar, name of the ruling caste in Malabar と Hobson-Jobson にあるが、同書には又 Nambeadarim は Malayāl. nambiyadiri, nambiyattiri, a general, a prince とある。自分は南毗は Nāyar よりも Nambeyadiri の方がよい様に思ふ。南印度と錫蘭の關係は色々あるが、Tennet 氏によると、一〇二三年天聖元年の注輦 Chola 國の侵入の結果、Pollanarrua に viceroy が居て約三十年間錫蘭を占領した。後に Prakrama Bahu 出でて獨立し、一一五三年紹興二十三年に王位につき、二年後全島を平定し Sole King of Lanka の戴冠式を行つた。然し王の死後また振はなくなり、Kalinga 侵入軍の指揮者 Magha か一二一一年嘉定四年に錫蘭王となり暴政を行つた。寶慶元年 1225 A.D の序がある諸蕃志の記事は、前の注輦の占領時代について云つて居るのか、或は後の Kalinga の占領を云つて居るのか分明せぬ。何れにせよ三佛齊と錫蘭との關係も分明せぬ。錫蘭が南印度に對する政策上三佛齊と結んだと見るか、若しくは進貢云云は藍無里のことてあるのを誤つて細蘭としたかよくわからぬ。Majumdar 氏は又 Jaiya の佛像銘 1182 A.D. の Trailokyarājam-aulibhūṣanavarmadeva は、Coedès 氏が十三世紀 1286 A.D. 以後の Malāyu の刻文と似て居るので、是を Malāyu のものとしたのを、餘り年代が距りすぎるとて反對し、是を Cūlāmani Varmadeva 宋史三佛齊土思離味朱の誤囉無尼佛麻調華咸平六年 1003 A.D. 入貢の子孫かと考へた。然し是も Jaiya 佛像銘を溯ること百八十年で、Coedès 氏以上に年代の距りがある。Śailendra 家の Śrivijaya 國王の Varmadeva の稱號は、その繼承者てある Malāyu 國王がそれを受け次ぐことに不思議はないであらう。こにも又 Majumdar 氏が宋の後半の三佛齊を Jambi の Malāyu 國に當てないで、馬來半島に置かうとすることから起る誤解が見出される。

註1 蒲壽庚の事蹟新版頁五四。
2 同右、頁八六。
3 同右、頁一三八—一三九。桑田、赤土考第三、註九參照東洋學報卷九號三。
4 B.E.F.E.-O. III, 1904, p. 65; George Maspero, Le Royaume de Champa, 1928, p. 13.
5 Le Royaume de Champa, p. 13.
6 Renaud, Relation des voyages, 1845 t. I, p. 93; L. Marcel Devic, Livres des merveilles de l'Inde, 1883

—1886, p. 247.

7 Prairie d'or, t. 1. p. 242, 243.

8 說郛第十四册。

9 宋會要歷代朝貢の註にも引用してある。

10 宋會要天竺の條も同文。

11 Tijdschrift, D. LXVII, p. 178.

12 L'Empire Sumatranais de Çrīvijaya, p. 18; B.E.F.E.-O. IV. p. 314.

13 B.E.F.E.-O. IV. p. 314

14 B.E.F.E.-O. XVIII, Le Royaume de Crivijaya, p. 7.

15 L. Empire Sumatranais de Çrīvijaya, p. 19.

16 島夷志略校註頁七三、Groeneveldt, Notes, 215.

17 L'Empire Sumatranais de Çrīvijaya, p. 20.

18 G. Ferrand 氏は一〇六七年に誤りて居る、ibid, p. 20.

19 B.E.F.E.-O. XVIII, Le Royaume de Çrīvijaya, p. 8.

20 ibid; J. of the Greater India Society, v. 1, n. 2, p. 87.

21 J. of the Greater India Society, v. 1, n. 2. p. 89.

22 B.E.F.E.-O. XVIII, Le Royaume de Crivijaya, p. 5—23; Bijdragen, 77, 1921, p. 77—86; J. Asiatique, 1922, L'Empire Sumatranais de Çrīvijaya. p. 45; J. of the Greater India Society, v. 1, n. 2, p. 78—80.

23 G. Ferrand, Relation de voyages.

24 J. of the Greater India Society, v. 1, n. 2, p. 79.
25 G. Ferrand, Relation de voyages, p. 27
26 Chau Ju-Kwa, p. 91. 島夷志略校註頁四二、東西交渉史研究、南海篇頁六七及一〇九。
27 島夷志略校註頁三十二。
28 東西交渉史の研究南海篇頁二九、Chau Ju-Kua, p. 57
29 Chau Ju-Kua, p. 67, 282
30 蒲壽庚の研究新版頁九六、出發の日は藤尼氏は十月七日と記して居るのに桑原博士は二十七日とされて居る。
31 Malay Annals, trans. by John Leyden, 1821.
32 東西交渉史研究南海篇頁一九。
33 B.E.F.E.-O. IV, p. 350.
34 東西交通史の研究南海篇頁一〇五―一〇七、
35 The Ocean of Stories, IX, p. 50.
36 本草綱目卷十四、
37 G. Ferrand, Relations de Voyages, p. 427.
38 東洋學報卷二二號四、山本達郎「Ibn Batuta の Tawalisi 國に就いて」。
39 Relation de Voyages, p. 359. Yule, Cathay and the Way thither, 1916, v. IV, p. 156.
40 東西交渉史の研究南海篇頁一〇四。島夷志略校註頁三一は t を j に誤る。
41 Gerini, Researches on Ptolemy's Geography, p. 754.
42 Crawfurd, Dictionary of the Indian Islands, p. 83.

43 George Watt, Commerical Products of India, 1908, p. 513
44 島夷志略校注頁三十。
45 國譯大藏經經部卷十一頁一三七。
46 蒲壽庚の研究頁一二八—一二九。
47 史林卷二〇號三頁六一〇。
48 東西交涉史の研究南海篇頁五八—五九。
49 史林卷二〇號三「[illegible]港及其日琉兩國との交涉について」二。
50 Bijdragen, Deel 83, G. Coedès, A propos de la chute du royaume de Çrīvijaya; Mededeelingen der Koninklijk Akademie van Wetenschapepen, Afdeeling Letterkunde, d. 62, s. B, n. 5.
51 L'Empire Sumatranais de Çrīvijaya, p. 126.
52 B.E.F.E.-O. XXXIII, fasc. 1, p. 124.
53 L'Empire Sumatranais, p. 22.
54 Bijdragen, D. 83, p. 465.
55 G. Ferrand, L'Empire Sumatranais de Çrīvijaya, p. 48—49.
56 Bijdragen, D. 83, p. 467—468
57 東西交涉史の研究南海篇頁四八、五二。
58 B.E.F.E.-O. XXXIII, fasc. 1.
59 J. of the Greater India Society, v. 1, n. 2, p. 64.
60 Le K'ouen-louen, p. 61—63. L'Empire Sumatranais, p. 113—114,

61 B.E.F.E.-O IV. p. 360.
62 東西交渉史の研究南海篇頁一一。
63 J. of the Greater India Society, v. II, n. 1.
64 T'oung Pao, serie II, v. XIII, p. 449.
65 Ceylon, vol. I. p. 102 112

追記

以上の原稿を書き終へてから次ぎの記事を脱漏したのに氣が付いた。南宋と三佛齊の關係に就いて(頁一二六)三佛齊が銅瓦を求めた事がある。宋史卷四〇〇汪大猷傳に毘舍邪の記事に續いて三佛齊請鑄銅瓦三萬詔泉廣二州督造付之大猷奏法銅不下海中國方禁銷銅奈何爲其所役卒不與とある。同じ樣な記事が宋樓鑰の攻媿集卷八八の汪大猷行狀記及泉州府志卷一〇にも見える。攻媿集によると乾道七年四月起知泉州とあり淳熙元年除知隆興府兼江南西路安撫使とあり毘舍邪三佛齊の記事は七年の條に記してあり、八年の記事なく、九年除敷文閣直學士とあるから、三佛齊が銅瓦を求めたのは乾道七年のことと考へてよいであらう。汪大猷の反對は攻媿集には公上疏極論其不可旣犯中國之禁又爲外夷所役とある。

次ぎに第一章註一〇に宋會要稿の出版に就いて述べたが、その前半は出版され入手したが後半は未だ發行されない。從つて本論文所引は東洋文庫所藏の寫本のみしか利用出來なかつた。又頁五六に W. F. stutterheim 氏の A javanese period in sumatran History が手に入らなかつたことを記したが、その後六月末に漸く求め得た。同書は僅かに二十四頁の小冊子であるが、同氏は氏の論を確めるために十ヶ條の論據を擧げて居る。從つて此の餘白を利用してそれを紹介するわけに行かぬ。他日の機會を待つことにした。

日明通交史上の所謂永樂宣德兩要約の疑問と其眞相

小葉田淳

序論

一　後藤秀穂氏の說……1
二　柏原昌三氏の說……6
三　後藤柏原兩氏の說批判……16

本論

一　永樂宣德兩要約に關する史料批判……38
二　日明通交の實際と船隻人員貢年の制限……47
三　日明通交と船隻人員貢年制限の眞相……58
四　誤謬の因由……75

序論

一　後藤秀穂氏の說

倭寇の硏究家として聞えた故後藤秀穂氏は大正六年五月開催の東京帝國大學史學會大會國史部會に於て、「日明交通史上に於ける明史の三大誤謬」なる題下にて、明史に記載せる日明交通上の永樂・宣德の貢年次・船隻・人員に關する制限的の要約は從來何人も之を疑ふものは無かつたが、是は全く事實無根の架空的の存在であるとの意見を述べられた。其詳細は同じ論題にて史學雜誌の同年六月號に掲載されてゐる。左に其槪要を述べよう。

明史に

先レ是永樂初、詔二日本一、十年一貢、人止二二百一、船止二二艘一、不レ得レ携二軍器一、違者以レ寇論、乃賜以二二舟一、爲二入貢用一、後悉不レ如レ制、宣德初、定二要約一、人毋レ過二三百一、舟毋レ過二三艘一 景泰四年の條

とある。獨り明史のみならず明末の諸書には何れも同樣或は類似の記載がある。

而して後藤氏が先づ右の事實は信するに足らぬ誤と斷定した論據は、記述の便宜上左の二に大體分け得るかと思ふ。

其一は右の記載自體に誤謬若くは憑信すべからざるものがあるといふ事である。卽ち(イ)明代の唯一の根本史料たる皇明實錄に少しもかゝる記事なく(ロ)明史の記事は殆んど何の關係も必要もなき景泰の條に之を插入し、一見して無理に插入せる痕跡あり、(ハ)海舟二隻を日本へ寄與せるは實錄に據れば永樂四年明使來朝の際で、之は單なる贈物であつて明史に「以爲入貢用」とあるは無據の獨斷であり、又「宣德初、定要約」とあるが、同八年が宣德に於ける日本の始通で、宣德は十年で終り初とは事實に迂遠である等が主なる論點である。

其二は右の制限が日明交通の當然然あるべき事情にも亦其實際にも、全く適合せず又行はれなかつたといふ點である。大明會典に記す朝貢制度に關する諸國規程に依ると、三年一貢が最疎のものであつて、若し右の如き制限ありとすれば明朝の對日本方針が其始より鎖國的敬遠的方針であつた。然るに此制限制定あつたと傳へらるゝ永樂·宣德兩時代に就て觀るに、成祖卽位するや使を日本に遣り登極を報じて詔諭し、永樂元年又趙居任等を遣り、宣德七年には四方蕃國皆來朝するに獨り日本久しく貢せざるを以て琉球を介して日本に轉諭せしめてゐる。殊に國交通じて邊患忽ち劇を加ふる事は事實の的確に指示する所で、義滿の死に依つて國交の絕ゆるや彼は屢々使を我邦に派して舊交の溫故を勉めて居り、かゝる場合であるから永樂宣德に於て敬遠主義を執る必要は少しもない。

又之を實際に就て見るに永樂元年以來同六年五月義滿の死に至るまで、連年遣明使は渡航し、六年十二月には使者を日本に派して嗣子義持を招き、義持が斷乎として之に應じなかつたので、九年・十五年・十七年に特使を發して之を招いて居る。宣德年間には、同八年特に五艘の船を艤し特使を派して我が使節を送り、十年には遣明船六隻が到つてゐる。此間一度も其違法に就て詰問せる形跡なく、かゝる事實に徵しても永樂宣德に斯る規程が無かつた事は殆ど疑を容れぬのである。以上後藤氏の兩要約と日明交通の然あるべき事情、其實際との乖離はすべて景泰以前に就て論せる事を此處に注意すべきである。後段、其誤想の判斷を成化以來の事實に就て氏の論ぜると對照すべきである。

第二段に後藤氏は其誤想の由來を說かれてゐる。氏は實錄嘉靖十九年二月丙辰の條に「以後貢期、定以二十年一、夷使不レ過二百名一、貢船不レ過二三隻一、違者阻回」とあるを摘出し、此際始めてかゝる新法度が立てられたのであつて、永樂・宣德の制限は此後世の法度が前代のものとして謬り傳へられたのであると考られる。

而も氏に依れば、右の新法度以前にも誤ある前提的の記録がある。乃ち實錄嘉靖六年九月丙戌の條に「浙江巡按御史楊彝言、舊例、日本入貢、以二十年一爲レ期、徒衆不レ得レ過二百人一、貢船不レ得レ過二三隻一、亦不レ許三以二兵杖一自隨一」とある。更に又嘉靖二年秋寧波府の學士薛俊に依りて編せられた「日本考略」に、

伏覩二皇明祖訓一曁二大明會典一、太祖高皇帝、絶不二共通一、太宗文皇帝御極初、詔許二十年一貢一、船隻・水手・貢物俱有二定額一

とあり、依つて弘治會典を按ずるに

○日本國

洪武七年、遣二僧人一來朝貢、以レ無二表文一却レ貢、十四年國王遣レ使來、復却二其貢一、僧人倶發二陝西・四川各寺一居住、二十五年復來朝貢、後定爲二十年一來貢一、

とある。然るに會典の右の記述の内容には誤脱が多い。後定爲二十年一貢一といふ如きも年所を缺き史料として何等權威なきもので、正確なる據り所が無かつた

といふ事を告白してゐる。而して日本考略は大明會典を觀るにといひ乍ら、㈠會典に後定とあるを太宗永樂の初と斷定し、㈡會典に十年一貢の外記載無きに船・人に定額ありと附加した。かくの如く元々無根の事實であるから記述が一致しないといふのである。

　更に後藤氏は第三段に其誤想の判斷として、何故に斯くの如き無根の事が成立したかといふ理由を想像される。氏は遣明船の渡航を永樂は交寇の混合時代、宣德は僅か一回の通交に止まり、それより正統・景泰・天順の三代三十年は交寇混亂時代に陷り、此間の事情甚しく不明に屬すれば、以上は姑く別として、成化・弘治を經て正德の初に到る四十年間に於ける日本使節の到るものを擧ぐるとて、

明朝年號	西暦	期間	般數
成化四	一四六八		三
同十三	一四七七	九年	三
同二十	一四八四	七年	三
弘治九	一四九六	十二年	六
同十八	一五〇五	九年	一

として、間隔年數に於て宛も十年に近き數を得る故、明にありて何か貢期の規程あるもの丶如く勘違ひして、扨てこそ十年一貢の説の起りしにはあらざるかと考へられてゐる。船隻も前表に於て前三回共に二の數が出て居り、之全く柏原氏の論文「日明勘合貿易に於ける細川大内氏の抗爭」中にいへる如く、細川大内兩氏が互ひに牽制して自ら船隻數を多くする能はざらしめた事情に據るのであるが、是又舟二の規程があつたといひ出した所以であらうといふ。而して後藤氏は細川氏の使者宋素卿が一船を以て正德四年渡航した時、實錄に「禮官又云、日本貢舟例三、今止一云々」とあるを引き、此に例とあるが、偶然が例となり、例が規程となつたものと思ふと述べ、かくして嘉靖末に永樂・宣德要約が史實として結成されたとし、最後に吾學編・籌海圖編以下の明末諸書記載の異同を論じてゐらるゝ。

二　柏原昌三氏の説

如上の後藤氏の論に對し、先に「日明勘合貿易に於ける細川大内二氏の抗爭」なる論文を發表し（1）、其内に永樂・宣德兩要約にも言及されし故柏原昌三氏は同誌九・

十月兩號に亙りて「永享條約に就いて後藤肅堂君の説を評す」の論文を草し、後藤氏の兩要約抹殺論に報ひ併せて氏の兩要約に關する考を述べられた。

柏原氏は最初に後藤氏の所論に概評を加へ、（イ）二條約（柏原氏は條約の語を使用されてゐる。）に關する明書の記載の信據するに足らずとする理由の一たる永樂・宣德間日明交通の當然然るべき事情及び實際と乖離するといふに對しては、明國が我が渡航貿易船を三隻と限りしは乘組人員か多く彼に在りて每に事端を生ずるが爲めなりとし、斯る制限は我が貿易商人の堪ふる處にあらざれば應永（永樂）條約の訂結後寶德三年の渡航に至るまでは每に條約を無視して航期・船數・乘員・刀數共に制限を超えたといひ、又他の理由たる明書の記載自體が不確實にて疑問なりといふに對しては、明書の記事は他の幾多の史書より得たるものにて、又明書及び其他の史書に永樂・宣德二條約訂結の年代が一致せざるも、單に年度に數年の相違ある事のみを以て史實全部を抹殺する理由と爲すはやゝ杜撰荒唐なりと述べられる。次に後藤氏の第二段の所論誤想の由來に就ての考に對して、柏原氏は次の如く批判してゐる。後藤氏は嘉靖十八年條約（後藤氏は之を嘉靖十九年の訂結とす）後に於て編纂せられたる幾多の文書史籍に見ゆる永樂・宣德條約の記載は一括して悉く之を嘉靖十八年條約の誤傳とせらるゝも、右條約以前の永樂・宣德條約の記事即ち後藤氏の引用批判せる皇明實錄嘉靖六年九月の條・薛俊の日本考略・明會典の記載等は如何。是何人も嘉靖十八年條約前後の史料と同一系統に屬するものと認むべきものにて、後藤氏は中間に嘉靖十八年條約に根據すといふ起原說を立てたる爲め、右條約以前のものは別箇系統のものと爲さゞるを得ずして曖昧なる判斷に陷つたのである。

更に後藤氏の第三段の誤想の判斷の考に對しては、寬正六年後の勘合貿易船が殆每に十年に一航し、一航三船を渡航せしめしは、一に永享條約宣德條約の勵行を明國より迫られし結果であり、後藤氏の推考は全然誤想である。

次いで柏原氏は自身の應永・永享二條約の存在論を詳細に證論せられ、併せて後藤氏の所論の各節を批判されてゐる。柏原氏の所論は三十數頁に及び、相當多岐に亙つて前後相混へてゐるが、大體其要旨は以下紹述する如き五に分け得らるゝと思ふ。

其一は應永より大永に至る日明交通の大要と應永・永享條約の訂結の經過との關係である。應永條約の十年一貢・舟二隻・乘員二百人の制限は明の鎖港主義の結果にて、我が國人の旺盛なる海外發展の希望を滿足せしめず、一時我國は應永條約を、破棄し（後段柏原氏の論を參照するに足は、義持の絶交を指したものである。）永享五年條約を改訂し舟三隻・乘員三百人に增加したる後も、條約を無視して規定の數を超え遂に寶德三年の遣明船は明にて豫ねて恐れし事端を生じ、明にては以後の渡航船は必ず永享條約を守り三艘を過ぐべからざる事を以つて我が正使に達した。此處にて柏原氏は蔭凉軒日錄文明十九年六月廿七の條以下の記事を擧げ（該記事に就きて、後に詳論する）之明白に永享條約の存在と舟三隻・人三百人に過ぐべからずとの規定を示すものと論じ、又明應二年貿易に於て細川・大內兩氏等の抗爭激しきを加ふるや四隻を渡航せしめざるべからざるに至り、永享條約（即ち三艘渡航）に牴觸するを以て諸議ありしを述べ、永正七年貿易にも兩氏抗爭の結果、大內船三艘の外細川氏の第四號船は大內船に先んじて寧波港に入つたが、其攜へたる將軍義澄の遣明表に「今有進貢之事、例遣三船外、別發四號船、（中略）乃幹厥蠱、其心欲吾都邑建孔子廟、致民興學、庶俾是荒服移爲闕里」（異國出契）といひ、永享條約に反するを辯疏し、次の大永三年貿易に於て大內氏が三船渡航を獨占するや細川氏は又も第四號船を航せしめむとした時、大內氏は從來の渡航船が屢々明國より永享條約違反の抗議を受けし事を言ふて、細川船に勘合を授與する事の不可を幕府に上申し、「異朝嫌外國、事頻頗繁多、故近來相約、朝貢船不レ可レ過二三艘一云々」異國出契といへるを列擧されてゐる。而して後藤氏の引ける皇明實錄正德四年十二月の條に「禮部奏、日本國進貢方物例三船、今止二一般一云々」とあるは、永正七年大内船の渡航に先んじ渡航せる細川船にて、明にては大内船の正使桂悟に永享條約の格守を迫つたる事壬申入明記に見ゆとし後段詳述すべし、後藤氏が「此に例とあるのが、偶然が例となり、例が規程となつたものゝやうに思ふ」と言はれしは例の意義の誤釋で例は法規の意味なる事を辨じられる。

其二は主として皇明實錄に依り二條約の存在を證し、併せて嘉靖十八年條約說の考證である。柏原氏は皇明實錄に應永・永享二條約締結の記事を闕漏すと雖そは史筆の闕漏であつて後藤氏のいはるゝ如く此事を以て二條約の存在を疑ふ理由とはならずとし、而も二條約の存在は皇明實錄中に明かに認め得ると主張される。かくて氏は皇明實錄の二條約記事として

正德四年二月の條（既揭

嘉靖六年九月の條浙江御史揚彝言云々、既揭

同　二十六年十一月の條

日本國王源義晴、遣使周良等、求貢、故事倭夷十年一貢・船不過三・人不過百、良等以四船六百人、先期而至、欲泊待明春貢期、守臣阻之、以風爲解、至是、琉聞、上倭夷不守貢期、又挾帶人船越數、三司巡海等官、不遵例、阻回

嘉靖二十七年六月の條

禮部言、倭夷入貢、舊例以十年爲期、來者無得踰百人、舟無得過三艘、乃良等先期求貢、舟人皆數陪於前、蟠結濱海、情實叵測、但其表詞恭順、且、去貢期不遠、若槩加拒絕、則航海重譯之勞可憫、若猥務含客、則宗設・宋素鄉之事可鑒、宜令執循十八年例、起送五十人赴京、餘者留嘉賓館、

嘉靖二十八年六月の條

日本國王源義晴、差正使周良等、來朝、貢方物、賜宴、賚有差、以白金・錦幣、報賜其王及妃、初日本入貢、率以十年爲期、載在會典、嘉靖二年宋素鄉・宋設爭貢、相仇殺、因閉而不與通、十八年復來求貢、納之、因與約、以後入貢舟無過三艘、夷使無過百人、超送五十人至京師、（柏原氏の引用文誤脱あるを補正す）

而して柏原氏は右實錄の故事として記せる十年一貢・船三・人百が即ち應永・永享の條約といひ、舊例と記せる同じ制限が永享條約を指すものといひ、（此件稍々曖昧なるものあり）

又十八年例といへるが天文八年改訂の新條約を指すものといはる。

次に後藤氏が實錄十九年二月の條に「以後、貢期定以二十年一、夷使不レ過二百名一、貢船不レ過二三隻一、違者阻回」とあるを引き嘉靖十九年の新訂條約を主張されたれど、實錄に他の個處に（前掲嘉靖二十七・二十八年の記載を指されしならん）十八年條約の記載を以て考ふれば、十九年說は如何なる史書にも免れ難き誤謬として、十八年條約說を採られてゐる。

其三は明の對外交涉政策の本質に關する見解及び永樂・宣德間の遣明船の實際と二條約との關係に就ての考で、是卽ち柏原氏も其末尾に「以上は後藤君が朝貢制度を說明して以つて日明交通の上に毫も制限の有るべき理由なしと論斷せられたる一章に對する余の批評なり」（九五九頁）といはれし如く、私が後藤氏の二條約の存在を信據すべからざる理由の其二として便宜紹介したる所論に對するものである。

柏原氏は明の對外政策の一として日本に對する態度も鎖港主義若しくは鎖國主義なりとして、寧波一港を開きしも、勘合制度を設け、條約を結びしも皆其結果であり、「航期・船隻・乘員に無制限ならば自由貿易船と何の撰ぶ處か有る」と論せられる。氏は又後藤氏が永樂元年以來同六年義滿の死に至るまで連年使船渡航し、永樂要約の實際に相違するといはれしに反對し、「二年十一月以後此の五回の渡航が、悉く應永條約に依る勘合貿易船ならば、假令勘合貿易條約は毎に我が國の遵守せざりし處なりとは言へ、猶且つ君の所論を援くるもの有るべし」(九五四頁)と雖、永樂元年九月寧波に着し、二年十一月入京せる二回の遣使以外は足利氏の遣使に非ず、恐らく所謂倭寇の入貢せるものならんと考へられ、從つて應永條約に依る渡航は永樂二年十一月入京の唯一回なれば、後藤氏の實例に對照する論據既に誤れりといはれる。又義持の絶交は應永條約の不利を悦ばざる結果とし、永享條約に至りやゝ利權が擴大せりといふのである。

此處に柏原氏は明國の對外政策の第二段の考察として鎖國主義の一部は朝貢進見の名を假る貿易に限り餘儀なく之を許し、而も其煩費に堪えず、之に制限を加へざるを得ず、永樂元年三市舶の開設の如きも其制限の一にて、正統年間李忠文が西洋諸外國進貢使の來るは明國の財政を疲弊せしむるものなりとて五年一貢若くは三年一貢の必要を說きし如きもそれである。明國已に鎖國制度を立てたれば、諸外國の商船に餘儀なく進貢使の名を以て渡航を許すと雖も、國使としての待遇は政府の財政上堪えざる處、かくて漸次諸外國一般に歲・舟・人・貨の制限を及ぼし加へるに至つたのである。

其四は、寧波市舶の嘉靖二年閉關絶貢に關する論で本論に直接關係尠ければ之を略す。

其五は應永・永享條約が應永十一年・永享五年に締結されたと信ずべき理由を開陳される。

柏原氏は先づ十年一貢・船三隻・人三百人の規定に就いては古く寶德三年の貿易船が享德二年（○景泰四年）明國に在る際抗議を受けたりとし、蔭涼軒日錄文明十九年六月二十七日の條に

以前九艘渡之時、自大唐相定、於以後者、遣唐船不可過三艘

とある記載等を引き、此の以後者といふ語は此の後を警戒する意にて、必ずしも此の時（九艘渡航即ち寶德三年遣明船）創めて條約を定めたるものにあらず、されば此條約は永享四年・同六年渡航の船の何れかゞ締結せるものといはざるを得ぬといはれる。而して又應永條約は永樂年間に渡航せる二回の使船、即ち應永十年（永樂元年）三月兵庫を出帆せる正使圭密が明國に於て締結し、翌十一年四月兵庫に着岸來朝せる明使趙居任の齎らせるものか、若くは應永十一年七月趙居任の歸國すると共に遣

されたる明室が彼の國に於て締結したるものを十二年四月來朝せる明使某の齎し來りたるもの歟、或は十三年五月兵庫に着岸せる明使兪士吉の齎したる處か、二者その一なるべからずといふ。而して氏が應永條約は十年に締結せると推定さるゝ所以は、國王の冠服・龜紐金印日本國王印・永樂勘合符を齎らせるは趙居任の來朝の際にて、勘合制設置と條約の目的は同じく渡航・舟數の制限にあるが故なりと論ぜられる。明史に此の時海舟二隻を賜りたるは日本進貢船數を制詔したる形式的標象であるといふ。又永享條約を永享五年の締結と推定せる理由は義持の絶交後琉球の斡旋に依りて永享四年の渡航が開始され、而して嘉靖二年の絶交後も琉球の媒介複交による天文八年の渡航船が天文條約嘉靖十八年條約を締結したれば、同樣の推定に依り永享五年明にて成れるものと考へられるといふのである。又宣德八年○永享五年頒附の勘合制文は景泰のそれと異なり附搭物件・客商物貨・乘座海船幾隻等の開寫すべきを述べており、茲に始めて制限的貿易の開かれたるを見られるとるいふのである。

以上が後藤・柏原兩氏所論の大要である。

三　後藤柏原兩氏の說批判

此兩論文に對する私の意見は後段私の兩條約に就ての見解を披陳する個處に於て自ら爲される譯であるが、此處に批判の大要を述べやうと思ふ。

後藤氏が明史並に吾學編・籌海圖編以下明末の一群の史籍の永樂・宣德兩要約に關する記載が誤謬若くは過信すべからざるものありとせられたるは、大體に於いて覆ふべからざる事實である。籌海圖編以下、之等の諸書の右要約の記事が、(1)彼此比考すれば錯誤混迷し、尠くとも右の記載のみに就き論ずれば其儘には到底信據し難きは明白である。

次に後藤氏は右の兩要約が日明交通上當然然るべき事情にも亦其實際にも乖離するものであるとせられたが、之は永樂・宣德間に關する限りは結論としては略ぼ妥當である。其間朝貢制度を論じ、渡航船の實際を論ずるに當つて、其解釋に穩當ならずと信ぜられ、又誤が無いでもない。明の對外政策並に日明關係の推移・遣明船の事實に就ては後段私の見解を述ぶる段にも觸れ、詳しくは別の機會に述べたから此處に繰返さぬ。(2)

後藤氏の第二段誤想の由來・第三段誤想の判斷に就ての考は、遺憾乍ら殆ど全般的に氏の誤解なる事を確言せざるを得ない。氏は嘉靖十九年の新制限が永樂・宣德の要約なる根無しの草の傳へられた本體であるといはるゝが、嘉靖六年の當時に舊例として十年一貢・船三・人百之全く後藤氏が嘉靖十九年新法度といひ柏原氏か十八年改訂條約といへると同旨である。兩氏とも所謂宣德要約の十年一貢・船三・人三百と内容を異にせるに氣付かれざるは不可解といふ外はない。の規程があり、又日本考略が會典に依り之に根據なき記事を附加せるものとしても弘治年間十年一來貢の規定の既に存在せる事實は認めざるを得ない。此點に對し柏原氏の非難は其論旨に於ては正當であると思はれる。第三段の誤想の判斷は殆んど誤りたる事實の認識の上に立論された判斷といふも敢えて誣言ではあるまい。永樂は交寇の混合時代、宣德は僅か一回の通交に止まり、それより三代三十年は交寇混亂の時代にて此間の事情は不明といはるゝも、其間幕府の遣明船の事實は日支兩國側の史料を對勘して永樂間の渡航隻數の明細を除き他の件は明白である。後段參照而して成化・弘治を經て正德の初に到る四十年間の日本使船の表示中にも誤謬がある。而も猶間隔年數に於て宛も十年に近き數を得られ、是本國に於ける都合上偶然の出來事なれど、彼にありては貢期あるものゝ如く勘違ひしたにあらざるかと想像し、船隻も前三回は共に三の數が出て居る故に、事實は柏原氏の論文にいへる如く細川・大内兩氏の相互の牽制が自ら隻數を減せる結果となつたるものであるが、舟三の規程がありし如くいはれたのであらうと考へられたるは全く採るに足らぬ。然し氏が舟三の渡航となりしは、柏原氏のいはるゝ如き事情によるものとし制限ありし爲めにあらずと論せられたるに對し、柏原氏が成化以降十年一貢・船三の規定の遵守されしは、「一に永享條約の勵行を明國より迫られし結果なりし也」と酬ひられしは稍や皮肉の感が無いでもない。成化以後船三・人三百の制限の存せしは蔭凉軒日錄の明示する所であつて些の疑もない。但後藤氏が其後に二六三頁嘉靖末年永樂・宣德要約としての史實が結成され、吾學編以下諸書の記載が適宜考勘を加へられた跡あるを指摘されたる處は、大體に於て傾聽さるべきものであると思ふ。

次に柏原氏の應永・永享兩條約存在論に就き、其五の要目に對し批判する順序となるが、其四は本論に直接關係せざる嘉靖二年閉關絶貢の問題なれば之を除き、又其一は要旨は悉く他の三項の内に併せ批判し得るものなれば之を略す。

柏原氏は論證の其二として先つ皇明實錄に應永・永享二條約締結の記事を闕漏すと雖、そは史筆の闕漏であつて、而も二條約の存在は實錄中に明かに認め得るといはれる。私は之を猶適確にいふならは皇明實錄に應永・永享二條約締結の記事なきのみならず、十年一貢・船二・人二百の制限の存在は嘉靖以前の史籍には全然見當らず、之を永樂應永要約（一）となす記事勿論然りてあり、又十年一貢船二・人二百の制限は成化以後適用されたる事實は疑なきも、之を宣德永享要約として記されたるも同じく嘉靖以前の史籍には見えぬ處である。然らば柏原氏が應永・永享二條約の存在を示すものとして實錄中より引かれたる例は如何。

正德四年十一月の條に「禮部奏、日本國進貢方物、例三船云々」とあるは、當時遣明船が三隻に制限されたる事は他の史料に依つても確證されて疑ひない。然しその結果として永享五年の條約となすべきやは、別の論證を俟たねばならぬ。嘉靖六年九月の浙江御史楊彝の言には十年一貢・人百・船三・長使を隨作するを許さゞるは舊例なりといふ。人百の制限は所謂永享條約の內容と明かに相違するではないか。柏原氏は此條後續の記事引用を省略されたるも、之に依れば正德六年以後宋素卿及び桂悟等の渡航せる際各百五十人及五六百人を率ゐ互に眞僞を詰し爭端滋く起りし故に、「今後遣使入貢、務遵定例、如違定行阻回、」とある。鄭若曾の日本圖編卷四に

嘉靖奏准、凡貢非期、及人過百、船過三、多挾兵器、皆阻回

とあるは疑もなく實錄の記事と同一事を指す。然るに鄭若曾は右の制限を嘉靖六年の奏准とし改訂のものゝ如く記すは、其當時舊例たりしを誤つたものである。私は後にも述ぶる如く、此改訂制限の行はれしは恐らく桂悟渡航の際正德七・八年にありと考へる。

柏原氏が次に引かれた嘉靖二十六年十一月の記載にも「故事、倭夷十年一貢、船不過三、人不過百」と明記し、同二十七年六月の條にも「倭夷入貢、舊例以十年爲期、來者無得踰百人、舟無得過三艘」とあるではないか。柏原氏は右の舊例・故事を以て應永・永享條約を言ふと解せられたるは、全く所謂永享條約の內容との相違を看過されたものである。氏は又右の嘉靖二十七年六月の條に舊例とあるは永享條約を指し、「宜令紈(朱紈)循十八年例、起送五十人赴京、餘者留嘉賓館、量加賞犒、令回國」とある十八年例とは、天文八年改訂の新條約なりといはれるは誤解である。此條記載の事實の經過は後段にも述べるが、嘉靖廿七年三月策彥周良を正使とする大內船四艘は寧波に入り、六月浙江巡撫朱紈の日本國貢使周良等六百餘人浙江に入りし報は北京に着した。朱紈は右の報告に於て周良等のため貢期數月の差・船隻一の超過等を辨護する所あり、禮部は周良等の期に先んじ舟人の數は倍すれども丕詞恭順貢期を去る事遠からず、遠航の勞憐むべしとて、嘉靖十八年の湖心碩鼎入貢の際の先例に循ひ、五十人を起京せしめ、餘は寧波嘉賓館に留めて賞犒せしむる事としたのである。「起送五十人、赴京、餘者留嘉賓館」とあるは十八年の改訂新條約等と解すべきものでない。是より先明應五年入明した堯夫壽蓂の一行が、濟寧に於て殺傷事件を惹起して今後起京人員を五十人とし、餘は浙江館（即ち嘉賓館）に在留せしめる事としたのは、皇明實錄弘治九年八月庚辰の條に明記してゐる。永正八年渡航した了庵桂悟一行は六百人に達したが、明にては弘治九年の定めにより五十人だけを起京せしめんとしたので、桂悟は二百九十二人の上京を請ふて讓らず、刀劍官收買の增價求請と共に强硬なる折衝を繰返へした經緯は壬申入明記に詳細である。次回の船は寧波の亂を惹起し、一時入貢中絕した後を承けて遣明船に對する嚴戒を加へた嘉靖十八年渡航の三船が起京五十人の制限を强ひられた事はいふまでもない。柏原氏が嘉靖十八年改訂の新條約として引かれる實錄の記載は、同二十八年六月の條に「嘉靖二年、宋素卿宗設爭貢、相仇殺、因閉不與通、十八年復來求貢、納之、因與約以後入貢舟無過三艘、夷使無過百人、起送五十人、至京師」とあるに依るのであるが、右制限の内容は既述の如く全く嘉靖以前にあり、弘治九年の新制及び正德年間改訂と考へられ、右は嘉靖二年以來入貢中絶後最初の渡航船に對し前制限遵守を確實に約さしめたるに過ぎぬ。後藤氏は實錄十九年二月の條に「以後、貢期定以十年、夷使不過百名、貢船不過三隻、違者阻回」とあるを引き十九年新訂の要約あるを主張されたが、右の條の實錄の全文は

日本王源義晴、差正副使碩鼎等來朝、貢馬獻方物、宴賞如例○中略初日本自嘉靖二年、因宋素卿宗設等事、絕其朝貢、至是復請通貢、因乞給賜嘉靖新勘合及歸素卿等并原留貨物、言、官論其不可、上命禮部、會兵刑二部・都察院、僉議、以聞、琛言、夷情譎詐難信、勘合令將舊、給繳完始易以新、素卿等罪惡深重、貨物已經入官、俱不宜許、以復(後カ)貢期定以十年、夷使不過百名、貢舡不過三隻、違者阻回、督遣使者歸國、仍飭沿海備倭衙門、嚴爲之備、詔從之

とある。之十年一貢・人百・船三の遵守を嘉靖十九年二月正使碩鼎等入京し、賜給賜宴・幕府への頒賜物給與の事あり、同もなく辭京せんとする際に達したるを示すものである。前掲嘉靖二十八年六月の記載は之を碩鼎入貢の歲たる十八年に

懸けたるものに過ぎぬ。即ち要は碩鼎の渡航に當り、舊例の制限の確守を命じたる點である。後藤氏が右を以て全く新に十九年に新法度の制ありたりといひ、柏原氏が十八年改訂の即ち所謂永享條約に對して新條約を締結せりと論ぜらるゝは倶に誤謬であるが、若し舊例嚴守の布達の年次を敢えて問題とするならば、それは勿論十九年の事である。

柏原氏は第三段の論として明の海外通交政策は鎖港主義鎖國主義であるとし、此點に於て日本に對し寧波一港の市舶司開設も、進貢船の制度も勘合符編置も皆其結果であり、船隻・人員・貢期の制限も其爲であるといはれる。明國の海外通交政策が果して鎖港鎖國主義の概念を以て總べて律さるべきものなるやは問題である。私は此問題に就きては別の機會に詳述したから再び繰返さぬが、外國船の通商に對しては宋元時代が柏原氏のいはるゝ如く大體自由貿易船の時代とすれば、明代は原則的には朝貢船の渡航を許し貿易は朝貢船の附搭貨にのみ許されたものであり、後には廣東等にて稍や異例が生じたが、三所の市舶司の如きも市舶管掌の意味は前代と異なり朝貢船貿易を對象とするもので、浙江市舶司の如き嚴重に之に終始した。勿論明代に於いて何故にかゝる對外政策をとつたかといふと、柏原氏のいはる如き鎖國主義を促すべき諸事情が伏在した事も或は考慮すべきであり、其理由は一にして足らぬが、後藤氏のいはるゝ事大中華の精神が根本を成すは疑を容れぬ。氏は進貢船を以て鎖國主義は徹底的に維持され難き故餘儀なく之を許したといはるゝも、果してかくの如く解すべきものであらうか。氏は勘合制度が航期・船隻・乘員等を制限するにあつて「航期・船隻・乘員に無制限ならば、自由貿易船と何の撰ぶ處かある」と切言せらるゝが、是又妥當の解釋といはれぬ。勘合制度はいふまでもなく其船の所屬を明白にし、使人・乘員・進貢貨・附搭貨・隻數等を明證し、他の姦僞者のそれと識別するを以て目的とするは勘合の制書に明記する所であり、特に日本に對しては海寇を防禦するためには恰好の制度であつたのである。勘合制度自體が航期・船隻・乘員を制限するものでは斷じて無く、かゝる制限は別途に制置さるゝ例せば所謂應永・永享の條約の如きものでなければならぬ。明の勘合制度は柏原氏のいはるゝ自由貿易船時代たる元にあつて、外國より來る商船に對して、總て市舶司から公驗を給したもので、それ等の商舶が元に赴かうとする場合には豫め本國の地頭に就て、公驗の空紙內に姓名・物貨・各件・觔重等を明細に塡附し、元に抵れば先づ市舶司の數照點檢を受け、然る後に貿易を許されたる市舶法に倣つた事は氏の述べられた所でないか。

然し問題は具體的なるものが更に重要である。柏原氏は後藤氏の擧げられた永樂元年以後同六年に至る六回の遣明船中、前の二回のみが義滿の派遣したるもので、後四回の使者は我が國の史料に毫も見る處なしとて、倭寇の入貢せるものであらうといはるゝが、之全然氏の誤謬である。此六回は疑ふまでもなく幕府の遣使で、柏原氏のいはるゝ勘合貿易船なる事、內外の史料に徵し明々白々である。從つて「二年十一月以後此の五回の渡航が、悉く應永條約に依る勘合貿易船ならば、○中略猶且つ君(後藤氏)の所論を援くるもの有るべし」といはれたる如く、應永條約の存在を疑問とすべき事は柏原氏自身も承認さるゝ筈である。

柏原氏は義持の絕交を應永條約の不利なる結果、改訂條約を締結して我が利權を擴大せんと計りし爲めなりとし、其後明より屢々使を遣はし詔諭せしは義持をして應永條約を繼承せしめん爲めなりとせらるゝ如き全然史實を無視せる想像に過ぎぬ。遣明船の渡航に就ては最も精確と考ふる事實を後に表示したが、此間の詳細なる經過は別に考述したから省略する。

柏原氏は次に明國の財政と歲船制限の關係を論せられる。氏は始めて外國貿易に制限を加へしものとして洪武七年三月太祖が中書禮部に詔して、高麗は文物禮樂有つて他蕃と異るが故に命じて三年一聘の禮に依らしめ、若し每世一見を欲せは其意に從はしめ、使臣亦惟三・五人として、奉貢物も必しも過厚ならすして誠敬を存すべきを諭せしめた事を擧けられる。次に「外國貿易に制限を加ふる事は乃ち永樂元年に及ひて浙江・福建・廣東の三港を開き市舶司を置きて勘合船を待つに至る也」九五・六頁とて、皇明實錄永樂元年八月・同三年八月の三市舶司の開設、三驛館の設立の記載を擧け、次いで正統年間の李忠文が英宗に上れる便民事疏を引き、連年四方蠻夷朝貢の使か道路に相望み、宜しく海外諸國に明詔を下して、近きは三年遠きは五年に一貢せしむる事とせは、官民の利便であらうとあるを紹介して、かくの如き國使としての待遇は明政府の堪へざる所にて漸次諸外國一般に歲・舟・人・貨の制限を及ぼし加ふるに至つたと論せられる。此財政事情が進貢船を制限するに至るとの觀點は正當である。唯、氏は一般的に而も一律に洪武・永樂・正統間の明い財政的立場より消極的通交を論せられてゐる。氏は永樂元年の三市舶司開設されたるも、同三年の以海外諸番朝貢之使益多」各市舶司に命じて驛館を設置せしめたるも、洪武以來の通商制限の繼續的施設であるとし、或は寧ろ之等は制限を一層徹底せしめたるものとし以て勘合船を待つに至つたとの論調すら示される。然し以て制限要約の存在を推知せんとする其海外通交政策の考究は、洪武より永樂・正統に亙る推移發展の具體的經過に向けらるべきである。太祖は洪武七八年頃より海外通交政策を甚だ消極的ならしめたが、成祖即位するや大に積極的たらしめ、鄭和をして數次に亙り南海諸國を詔諭したるも、洪武八年閉鎖されし市舶司を復活せるも皆其顯現である。宣德・正統以後又消極的となり、其原因は一にして足らぬが、朝貢船の賜物・賜宴廩給・口糧等の經費、附搭貨貿易の給費等財政的理由が主なる因を成してゐる。此經過は後段に本論中に要述する筈である。

柏原氏はかくの如く鎖國主義及び鎖國主義の結果たる進貢船制度に伴ふ接待費の加增が齎らせる財政的苦痛と、船隻・人員・貢次の制限との關係を論ぜられたが、一方に論文冒頭には「抑明國が我が渡航貿易船を三隻と限りしは、乘組人員の夥きを恐れて也、乘員の多きを恐れしは、彼國に在りて俗に事端を生ずるを恐れし也、十年一貢・船三隻・人三百を限る永享條約は唯此の目的に他あらず。」八九一頁といひ、制限の理由は唯乘員多く事端を生ずるを恐れし結果と斷定されてゐる。

之を要するに日明交通事情より推して應永・永享條約存在を論證するには、日明交通の實際的經過と明國の海外通交政策の具體的經過並に事情とを闡明しなければならぬ。柏原氏の所論は前者に對しては殆んど史實の誤解が多く、後者に對しては船隻・人員・貢次を制限すべき諸種の事情主なるものは既述三事項と思はれるを擧げられたが、或は解釋・觀察妥當ならずと思はれ、又は不充分と稽へられ又之等諸事情の關係を如何に理解し得るや歸趨に迷ふ憾なしとせないであらう。

柏原氏は其五に於て應永・永享條約は應永十一年永享五年に締結されたと信ずべき理由を述べられる。氏は先づ十年一貢・船三隻・人三百人の規定の行はれたるは蔭涼軒日錄を引用し寶德三年の渡航以前にあるといはるゝが、之果して妥當なる解釋であらうか。蔭涼軒日錄文明十九年五月二十七日の條に

汲古(伊勢貞宗)云、以前九艘渡之時寶德三年渡航船をいふ自二大唐一相定、於二以後一者遣唐船、不レ可レ過二三艘一、然者四號船事者、不レ可レ叶事乎、愚(蔭涼軒集證)云、不レ知二舊規一、以前有二其定一者、不レ可レ有二四號船一也

同長享三年八月十七日の條に

早旦(遣明副使)副使心月西堂・(同正使)正使仲璋和尚代光稱藏主持連署來、蓋渡唐船三艘之外、又一艘可被相副之由、有風聞、不可然、連署衆仲璋・心月、居座三人光松西堂・周鷹首座・陳外郎祖由、五員有判形、愚面心月云、以前雖連署之事白之、具聽之、縦《タトヒ》披露之《ストモ》、則自大内方望之、汲古取次達台聽、然者連署披露事、於愚太斟酌、汲古白沙汰之上者、相公(義稙)不可有御變替云々、心月云、三十年以前九艘渡唐、人數千二百人、其時日本人多々故、於大唐喧嘩出來、以故、以後者不可過三艘、今破其法、四艘渡之者、於大唐不可有許容、然者與大唐可爲義絶云々

とあり、長享三年八月二十九日の條に

又渡唐船四艘無先規之由、諸役者白之、雖然已相定之條、不及披露由返答、諸役者云、然者遣高麗書中、四艘可渡之文言有之可然乎云々、愚云、以此旨可達上聞云々

とある。(5) 私は右の記載は寳德三年遣明船渡航に際して、明より以後船三隻・人三百を過ぐべからすとの制限を受けたるものと、率直平明に解釋するを當然妥當であると信ずる。かゝる制限を課するに至つた經過は後に詳述する。然るに柏

原氏は右は必しも寶徳三年貿易船の際、創めて此の條約を定めたるものと解すべからず、右文中に以後者とある語は單に此の後を警戒する意味であり、從つて此の條約は寶徳以前に締結せるものであると主張される。氏は以後者の同義の例として、正徳七年八月正使桂梧以下連署を以て明官司に對し船隻・人員・刀劍等の制限格守如何を質したる

一、以後、進貢三船、人衆自正副使至水夫三百人、可爲定例否

一、附搭太刀三千把、可爲永例否

の文を引かれたるは牽强の嫌なしとせぬ。永正六年五月宋素卿の細川船一隻・人員百五十八人は先づ寧波に到り、同八年九月に桂梧の大内船三隻・人員六百人が寧波に到着した。細川船の携へし咨文に「今有進貢之事、例遣三船外、別發四號船（中略）乃幹厥蠱、其心欲吾都邑建孔子廟、教民興學、庶俾足荒服移爲闕里」とあり、船三隻の制限に反するを辨疏し、明にても「禮部奏、日本國進貢方物例三舡、今止一舡云々」とて其異例なるを認めてゐる。桂悟の寧波に到着するや、先に弘治九年の定めにより赴京人員五十人に制限されたるを撤せん事を請び、二百九十二人同日杭州に赴かんとし（杭州は寧波より赴京の沿途に在り、即ち二百九十二人を上京せしめんとしたのである。）「然今起身、唯止五十人、

故悉相聚議、皆有忿戾、悟等取禍之端、願垂憐容」と迄、述べてゐる。然るに右の希望は明の容るゝ所とならず、且附搭の刀劍八千本も先年の制限に依り(6)、三千本だけを收め、且つ代價は單價三百文を給するに過ぎぬので、翌正德七年五月蘇州に於て書を呈して官收買價及び數量の增加を强硬に訴へてゐる。事故あつて上京するを得ず南京にて賜衣賜宴の事あつたらしく、南京にあつても進京五十人にて其餘は赴京の望を遂げず、刀劍の收買は斯くの如くであり、使臣人等への賜衣又前例と異なる等の條々を再三禮部に疏を呈し、正德八年六月の呈書には、刀劍の收買要請の如く行はれずば、恐らく絕貢となり「他日海寇聞風復集、其罪誰當」とさへ極言してゐる。かゝる際に恐らく蘇杭の間にて今後進貢船三・人員三百・刀劍三千の制限格守如何を質したので、桂悟は正德八年六月の呈書にて、刀劍收買の事聽かれ、六月の風期も今已に過ぎたるを以て、明年順風を待つて歸國するを許さるれば、即ち此間の廩給口糧は明の負擔となる「後度進貢・人員・物色幷乞定例、以爲永遵」といつてゐる。かくの如き「以後」の意味を以て、蔭涼軒日錄の記載をも律せんとするは如何であらう。

柏原氏は應永條約は義滿の派遣せる永樂年間二回の遣明船の孰れかゞ締結し、

遣使と共に來朝せる三回の明使の孰れかゞ齎らせるものでなければならぬといはる。假に應永條約なるものがあり義滿時代に締結されたるものとして、右條約が應永十一年明にて成り、翌年十一月明使趙居任の齎らせるものといふ氏の論證を一瞥しよう。義滿時代の遣明船が二回に止まらざるは既述した如くで、明使も必ず毎々遣使と共に來朝したので義滿時代に前後四回である。

明使	兵庫着年月	兵庫發年月
趙居任・張洪應	應永十一年五月	同十一年七月
不明	同十二年四月	同十二年八月
潘賜・王進・兪士吉	同十三年四・五月	同十三年八月
不明	同十四年六月	同十五年二月

右の誤もさる事ながら、氏は又三回の明使來朝內、國王冠服・龜紐金印・勘合を齎らせるは趙居任の來朝の際で、勘合の目的が同じく渡航舟數の制限にあつたから此際であらうといひ、又明史に依り此際海舟二隻を賜りたるは日本進貢船數を制詔せる形式的標象といはれる。然し勘合の目的とする所は既述の如く明白で、勘合・冠服・金印を齎らせる故、かゝる制限法を必ず頒つといふ理由は少し

もない。又明史の海舟二隻贈與の記事あるは皇明實錄に依れば潘賜・尒士吉來朝の際の事實を移したもので、明史に永樂初めと年代を暈し所謂要約の際に懸けるは理由ある事である。海舟二隻賜與は進貢船數の形式的標象等といふべきものでない。琉球等は當時屢々船舶の破損を以て明に海舟を請ふており、又之を給與されてゐて、勿論それが貢船の定數に准じて給するのでなく、貢船のための單なる頒賜である。明史の該記事に對する後藤氏の解釋は肯綮に當るといへよう。柏原氏は又永享條約を永享四年・同六年渡航船の孰れかたらざるべからずといはるゝも、假に此前提を認めるとして、前者卽ち永享五年明にて締結せりといふ根據は又全然無力である。氏は永享四年の渡航が琉球の斡旋に依り開始されたるを以て、天文八年渡航船が同じく琉球の媒介に依り嘉靖二年以來の絕貢後始めて至り、新に天文の改定條約を結びしと同樣に、永享條約を締結せるものと推定さるゝのであるが、氏の所謂天文條約は嘉靖以前の舊例に過ぎず新訂改制のものでなく、又永享四年の渡航船は義敎の自主的に行つたものであり、決して琉球の媒介を俟たなかつた。此事は近年發見せられたる歷代寶案に依り明白に知らるゝ所で、明帝の詔諭を齎らした內官柴山は漸く宣德八年永享五年六月琉球に達し、而も翌年六月詔諭を持したまゝで歸國した有様であり、又永享四年の船は前年より計畫されてゐた處である。又宣德八年永享五年頒付の勘合制度が景泰のそれと異なり、附搭物件以下の開寫すべき事を述ぶる事をいはるゝが、勘合の目的は常に之等の開寫を明確に實施するにあつて、其摘要を示せるに過ぎず、景泰の制文は之を省略したに過ぎぬ。琉球では勘合半印を捺して、右制文に示せると同じ要項を記せる符文・執照文を海外渡航の船舶に給する事が明代の初期より近世まで繼續された。勘合の目的とする所を明示せるが故に、此時始めて制限的貿易の開かれたといふ結論は毫も導かれぬのである。

之を要するに所謂應永・永享條約の存在に就ては、籌海圖篇・吾學篇・寧波府志・錢薇倭奴始末・憲章類篇・圖書篇・名山藏・閩書・皇明世法錄等の嘉靖末より萬曆に至る一群の史書之實に彼此相承けの同一所傳に基くの記事を全く信據する外に、柏原氏の所論は其立證に餘り寄與するものとはいはれぬ。私は多岐に亙つて博搜熱論された氏の努力には敬服するが、斯く認定するを得ざるを遺憾とする。

其他に故三浦博士が大正六年八月神戸市にて日本歴史地理學會主催講演に、後藤氏の主張を批判して、簡單に條約面通りに遵守されて居らぬとて條約其者の存在を否定するは早計てあるまいかとし、永享四年に義教が僧道淵を遣つた際にも邊裔典に如二約束一」とあり、日本考略補遺にも「如ㇾ數來貢」とあると述べられ、其後史林に發表された「日明貿易の發展につき」の論文中に永樂・宣德要約の施制期間を以て日明貿易の發展の時期を劃されたに對し、(9) 後藤氏は「所謂る永樂・宣德條約なるもの、正體を論ず」の論文を中央史壇中に發表されてある。後藤氏論文の要旨は氏の前論と變りはないか、永樂・宣德要約に關する記載内容に船雙制限の有無によりて（嚴密にいふと、吾學編に永樂要約を記して「若貢非ㇾ期、人船踰ㇾ數云々」とあれは船隻二の明示の有無てある。）嘉靖以後の諸書を分類して籌海圖編と吾學編の二系統に分けられた。

（甲）籌海圖編 嘉靖四十一 寧波府志 同卅九 浙江通志 同四十 殊域周咨錄 萬曆十六 名山藏 萬曆末 圖書 同末

（乙）吾學論 嘉靖四三 錢岱 倭奴始末 同年頃 憲章錄 萬曆元年 憲章類編 萬曆六年 圖書編 同五年 續文獻通考 同十四 國朝典彙 同卅四 東西洋考 同四五 皇明從信錄 同四八 武備志 天啓元年

猶此等の諸書の記事の比較論は私も本論中に言及してゐる。邊裔典の引用等に就いては勿論右の記事批判の内に含まるものである。故三浦博士が後堺市史を執筆せらるるに當り、永樂・宣德要約を吾學編・籌海圖編二書に據り論述されたるは、此二書が明季類書の原典であり代表書てある事を認められた故であらうと推察する。

斯くの如くして後藤氏の投せられた疑問も一般學界には餘り問題視されなかつたと見え、永樂・宣德要約に關しては依然として從前の通說が行はれてゐる如く見える。後藤氏の新說に誤解又は妥當ならざる見解も多く、之或は識者の顧慮を贏得しなかつた理由かも知れぬ。私の考は既述後藤・柏原兩氏の論文批判中にも自ら示されてゐる如く、十年一貢・人三百・船三隻の制限は寶德三年の遣明船後頒たれたものと斷定し、刀劍附搭三千の制限も此際に要求されたものであらうと思ふ。若しそれ永樂要約に至つては全く後世の想像物であると信ずる。

附記

本論文は明國の對外交通貿易政策・日明交涉の推移・遣明船の本質等の全般的研究と相比照して始めて其旨意を徹底し得るものと思はれる。私は近く神戶市より發行せらるべき市史中兵庫を中心として日明交涉を論ぜる著書に、此等の諸問題に就き相當委曲を盡した見解を披陳した積りである。右著書を參照下さるよう希望する。

註

1　史學雜誌　第廿五編第九號より第廿六編第三號に至る。

2　前揭書・第一節　日明交涉の開始と明の海外通交政策、第二節　日明使船の往來と兵庫の條參照。

3 柏原氏は制限法を條約と稱し、我が遣明正使が明に渡航して折衝合議の上條約を締結し、次で明の來朝使が之を齎らし頒てるものと說かれる。之勿論氏の想像されたものに過ぎぬか、明の海外通交政策の立場、遣明船が明にあつては朝貢船たる所以を明白に理解されるならば、決して右の制限は相互合議の上成立せる條約となすべき性質のものでない事は自明である。

4 史學雜誌 第二十五編第三號 日元貿易の研究

5 明應二年遣明船渡航に至るまでの經緯は、故三浦博士の執筆にかゝる堺市史第二卷第三編第八章に委曲を悉してゐる。

6 刀劍其他に關する貿易に就ては、前揭書第五節日明貿易の動向に私の見解を述べてゐる。

7 同じく第二節日明使船の往來と兵庫第二項 足利義教の通交復興の條に詳述した。

8 兵庫港と題し日本史の研究に收められてゐる。一〇七五頁。

9 史林 十二卷十二號、日本史の研究第二輯 九三三頁。

10 史央史壇 第十三卷第九號 倭寇に就て（四）

11 日本考略補遺に「宣德元年遣レ人來貢、人船刀劍不レ依ニ我約束一、上論ニ使臣一、自後貢毋レ過ニ三舟一、使人毋レ過ニ三百一、刀劍毋レ過ニ三十一、否不レ受、七年遣レ人來貢、如ニ約束一受之、八年源道義卒、命ニ大監雷春少卿潘賜等一弔祭」とあるは吾學編に全く同じ。右は徹頭徹尾錯誤に終止してゐる。（一）宣德元年の遣明船無し、（二）七年の遣明船なく永享四年の船は翌宣德八年春迅に渡航してゐる、（三）義滿の死は永樂六年五月である、（四）雷春・潘賜の來朝は永樂四年應永十三年の事である、（五）義滿の弔使は中官周全渝で來朝は永樂七年の事である、（六）若し宣德要約なるものか、宣德八年の遣明船の締結したといふ通說に從ひ、假に七年入貢といふ右文が此船を指すものとすれば、之は永樂要約の制限を受くるもので如ニ約束一受レ之とは永樂要約を遵守したといふ事になる。此場合永享四年船は五隻であつたから如ニ約束一ではない。或は全然錯誤の連續である右文に從ひ、宣德要約の舟三隻の制限によるとするも同樣である。

12 堺市史 第一卷第三編第四章第三節明の要約

本論

一　永樂宣德要約に關する史料批判

永樂・宣德要約の事は明史藁・明史の他に、嘉靖末より明末淸初に著された支那史書に多く記す所である。然し之等群書の兩要約を含む日本關係記事に就いては大體に於て、鄭若曾撰の籌海圖編（嘉靖四三）及び鄭曉撰の吾學編（同四十三）が先驅を爲す事は識者の認むる所であつて、若曾が籌海圖編に先だち撰した日本圖纂（嘉靖四〇）亦然る事いふまでもない。

日本圖纂・籌海圖編に永樂要約に就き

永樂二年入貢、（○中略）日本首先納欵、（○中略）勅褒奬、給勘合百道、定以十年一貢、舡止二隻、人止二百、違例以寇論、制限進貢方物（○品名略）

又吾學編に

永樂二年使還、遣通政趙居任、賜王冠・文綺・金銀・古器・書畫、又給勘合百道、令十年一貢、毎貢正副使等毋過二百人、若貢非期、人船踰數、夾帶刀鎗、並以

寇論

とある。宣德要約に就ては前者に

宣德元年入貢、入貢人舡艘數、刀劍過多、特諭來使、今後貢舡不過三隻、使人毋過三百、刀劍毋過三千、不許違禁

とあり、後者に

宣德元年遣人來貢、人船刀劍、不奉我約、上諭使臣、自後貢毋過三船、使人毋過三百、刀劍毋過三十(千カ)、否不受

とある。

船三隻・人三百の制限即ち所謂宣德要約の規定に相當する制限が、寶德遣明船以後施行された事は、我が國側史料及び支那側史料に依つて確知されるのであるが、支那側にてかくの如き制限剏始の時期を明示したものは弘治會典を以て初見とすべきであらう。即ち「日本國 〇中略(洪武)三十五年復來朝貢、後定爲十年一來貢」とあるもので、此記事中には誤の存する事後藤氏の指摘された如くであるが、之は洪武三十五年即ち建文三年以後に十年一貢と爲したといふのみで、何時の事か明示しない。然るに嘉靖二年寧波府の學士薛俊編の日本考略に「太宗

文皇帝御極初、詔許二十年一貢一、船隻・水手・貢物倶有二定額一とある。而して薛俊が之に「伏覩二皇明祖訓一、暨二大明會典一」と明記するを以て、後藤氏のいはるゝ如く、(一)會典に「後定」とあるを太宗永樂の初と斷定し、(二)會典に十年一貢の外何も記さゞるに、船・人等に定額ありと推斷附記したといはれても辯解の辭がない。私は一見しないが後藤氏に依ると、庚寅嘉靖九年重刊の日本考略補遺に二百とあるとある。然らば籌海圖編・吾學編の永樂要約記事の先驅を爲すものであらう。此以前に十年一貢・船二・人二百の永樂要約に關する史料は一もない。十年一貢・船三・人三百及び刀劍三千を越えずとする制限を、宣德要約として明記する史料も亦鄭若曾・鄭曉等の著以前には見當らぬ。

日本圖纂(籌海圖編)吾學編等の史料的價値は、自ら兩要約記載に對する信據の程度を決するものであつて、其後の諸書は後段必要に應じて順次批判を加ふる事とし、先づ此兩書に就き一瞥しやう。特に鄭若曾の書は嘉靖三十四年來朝して豐後に到つた寧波府生員蔣州の報告等を基とし、日本研究として一時期を劃せるもので、清新有用の記事に富むは周知の事であるが、又前代の誤れる記錄を訂正批判する事無く收錄し、或は之を任意に拾捨結合して其間誤謬を犯せる事も尠くない。特に當面の問題たる兩要約の前後年代の史實の記事は特に甚しい。吾學編に至つてはより以上である。籌海圖編に日本より入貢の記事として永樂以後天順迄のものは、永樂二・宣德元・同七・同十・正統七・天順二の六回がある。

(一) 永樂二年入貢

上命太監鄭和、〇中略 詔諭海外諸番、日本首先納款、擒獻犯邊倭賊二十餘人、即命治以彼國之法、蒸殺之、以下永樂要約の記事けかゝる

(イ) 永樂二年の入貢は、成祖の代第二回の遣明船で永樂二年秋小迅に渡航し十月明都に入れる明室梵亮一行である。

(ロ) 「日本首先納款」とあるは、明かに永樂元年成祖が登極を告げんとして左通政趙居任等を日本に往遣せしめんとするに先だち、永樂元年九月に既に寧波に到着せる堅中圭密の一行でなければならぬ。

(ハ) 「擒獻犯邊倭賊二十餘人」とあるは、恐らく永樂三年十一月に明都に入つた源通賢の一行の際にかゝるものであらう。永樂元年入貢の圭密が海寇獻進の事は皇明實錄・幕府國書・明の國書中にも見えぬ。永樂二年圭密等の到るや成祖使臣を隨伴せしめて翌三年五月來朝せしめ、時に對馬・壹岐等の海寇居民を劫掠するを

以て之を捕治せん事を諭せしめ、義滿は同年八月兵庫より歸國すると共に源通賢をして往遣せしめ海寇二十八を進めたのである。依つて成祖は鴻臚寺少卿潘賜・內官王進等を遣はし通賢と行を同じくして翌年五月頃來朝せしめ、特に海寇の渠魁を獲て獻せるを嘉賞せる旨を傳へてゐる。明史・明史藁に「明年永樂二年十一月來貢〇中略時對馬・壹岐諸島賊掠濱海居民、因諭其王捕之、王發兵盡殲其衆、縶其魁二十人、以三年十一月、獻於朝」とあるは流石に確かである。(1)

以上三の異なれる事實を等しく永樂二年入貢に懸けてゐる。而して「勅褒獎給勘合云々」とて次に永樂要約の記述は之を承けるのである。

吾學編に於ては洪武二十八年倭寇の記事に次ぎ、「後太監鄭和等、率舟三萬、下西洋、日本遣人來貢、并擒獻犯邊賊二十餘人云々」とあり、次に「永樂二年使還、遣通政趙居任云々」とて永樂要約の記事に移る。

(二)　宣德元年入貢　既掲宣德要約の記載がある。　宣德元年の入貢船は全然無い。要約の記事內容の誤謬矛盾は後段に述べる。吾學編亦宣德元年入貢と要約との記載がある。

(三)　宣德七年入貢

來使不知禮法、其擾干民禁之

(イ) 宣德七年入貢の船はない。永享四年の遣明船は多分九州にて越年し翌五年の春の大迅にて渡航したらしく、北京に到つたのは同年即ち宣德八年五月である。

(ロ) 使臣の禮法を知らず、民を擾し之を禁止したといふは、恐らく寶德度遣明船の際即ち同書に正統七年入貢とある際てある。永享四年の船は宣宗が四夷朝貢絶えざる際、日本のみ朝貢せずとて宣德七年柴山を琉球に遣り詔諭せしめんとしたのであるが、之を俟たず義教は進んで船を遣はしたので、宣宗大に喜び賜宴・頒賜を厚くし、正使道淵に勅して僧錄司右覺義の職を授けて本國に歸り天龍寺に住持せしむと迄述べ、五隻の使船を派し道淵と行を共にして來朝せしめたのである。通事として渡航した明人善德堂をして、歸朝後滿濟准后に告げて「於唐朝、賞翫儀、言語道斷新儀」といはしめた程で、「來使不知禮法云々」と記すとは餘程事情を異にしてゐる。之に反し寶德度の遣明船の際は彼地に臨淸事件を惹起し、又正使以下給價增額等を求めて讓らざる强硬なる態度に、明にては其無禮不軌を責め、嚴重に幕府に通ずる所あつたのである。(2)

(四) 宣德十年入貢

幷奉ㇾ表謝ㇾ恩、以二八年遣ㇾ使吊一ㇾ喪也

宣德十年六隻の遣明船が渡航せる事は事實である。然るに同八年吊喪の爲め遣使したるを以て、本表謝恩を兼ねて入貢したとは如何に解すべきか。宣德八年六月中官雷春・鴻臚寺少卿潘賜等を遣り、道淵等と共に往使せしめる事とし、翌年五月來朝した。潘賜が吊喪即ち前將軍の吊慰のために來朝したものでない事は、其齎らせる明の國書・別副の記載內容や明使の來朝・接待等に關する豐富なる國內側史料に徵し明白である。籌海圖編の右の記事は吾學編の記載を參照し始めて其意が通ずる如く思はれる。卽ち「(宣德)八年源道義卒、命二太監雷春・少卿潘賜等一弔祭、十年嗣王遣ㇾ遣貢謝とある。道義（義滿）の死去せるは永樂六年五月であつて、誤も甚しきものといはねばならぬか、何故かゝる錯誤を犯したかを一考したい。雷春の齎らせる宣德八年六月十一日附明の國書に「述二爾父王道義一、事二我皇祖太宗父皇帝一、恭謹之誠、貫二于金石一、是以皇祖天恩游加、亦超二越夷等一、載在二國史一、永永光華、爾父既沒、使命不ㇾ通、蓋亦有ㇾ年、王今嗣二主國事一、獨主二國事一、獨能持二忠孝之志一、脩二繼述之功一、所謂卓然聰明特達者也」とある。之素より義滿の恭謹を讃へ、義持時代絕交して使を通せず、義敎に至つて進んで來貢せるを嘉

賞したもので、義満の吊文ではない。義満の祭文は永樂七年中官周全渝が齎らし、義持は翌八年（應永十六年）圭密をして明使と同道せしめ之を謝せしめてゐる。然し吾學編の記載の誤の來由を強ひて想像するならば、右の國書の誤解より導かれたものであらうか。

(五) 正統七年入貢

時貢舡九隻、使人千餘、分發境淸・天寧各寺、安歇、朝廷雖責其越例、以遠人慕化、亦寛容之、八年六月使回

(イ) 正統七年渡航の船はない。船九隻・使人千餘の遣明船は寶德度のもので、九號船を除き享德二年(景泰四年)春大汎にて渡航し、各船は四月から五月にかけて寧波に着した。一行の寧波を出帆歸國の途に就たるは翌景泰五年六月の事である。

(ロ) 「責其越例云」とある例とは或は先記の宣德要約を指すのであらうが、かゝる事は允澎入唐記にも亦正使允澎と禮部との給價折衝等を比較的詳細に記す皇明實錄にも見えぬ。吾學編には單に正統七年の入貢を記す。

(六) 天順三年入貢

至京師燕賞豐渥、稠載而歸

天順二年渡航の船は無い。

以上に依つても兩要約の前後に於ける史實記載が鄭若曾・鄭曉の著ともに全然信據すべからざる事は明かである。私は進んで要約の內容を吟味して其錯誤を明かにすべき順次に到着したのであるが、此點を闡明する事は自然兩要約が何故にかくの如きものとして嘉靖末の書に收錄さるゝに到つたかといふ來由に關係するが故に、後段誤謬の來由の項に述べようと思ふ。然し何れにしても、之等の書に基づき二要約の存在を直ちに認むる事の避くべきは明白といはねばならぬ。

註

1　詳しくは別著、第二節日明使船の往來と兵庫參照
籌海圖編等を襲踏する記載多き明季の書、例せば殊域周咨錄に「永樂二年、對馬・壹岐諸島夷劫二掠邊境一、上命二行人潘賜一捧レ勅、往諭二國王源道義捕レ之、國王卑辭納レ款、謝二約束不一一、謹出レ兵殲二其衆一、以二渠魁二十人於闕下一」とある。潘賜は永樂三年義滿の海寇渠魁二十人の獻進を嘉賞する明書を齎らし永樂四年來朝したのである。同書に右文を承けて「倭使歸、勅獎二國王一甚隆、給以二勘合百道一云々」と永樂要約の頒布を記してゐる。以て籌海圖編と比勘し得るではないか。

2　詳しくは、別著、第二節第三項足利義教の通交復興參照。

二　日明交通の實際と船隻・人員・貢年の制限

船隻人員貢年の制限が日明交通の實際の上に如何に現はれてゐるか。私は最も正確と推考せる遣明船渡航の實際を左に表示しよう。

	出發年月	出航年月	渡航年月	入明都年月	渡航人員	上京人員	船隻數
1	應永十、三（兵庫） A.D. 1403		秋 小 迅 永樂元、九（寧波）	永樂元、十（金陵） A.D. 1403		三〇〇余	
2	同 十一、七（同） A.D. 1404		應永十一秋小迅	同 二、十（同） A.D. 1404			三八
3	同 十二、八（同） A.D. 1405		同 十二秋小迅	同 三、十一（同） A.D. 1405			
4'	同 十三、八（同） A.D. 1406		×同 十四春大迅	同 五、五（同） A.D. 1407		七三	
5	同 十五、二（同）		同 十五春大迅	同 六、五（同）		一〇〇余	

-	A.D. 1408			A.D. 1406			
6	不明		×同　十五秋小迅	同　六、十二（同）A.D. 1408			
7	不明		×同　十七春大迅	同　八、四（同）A.D. 1410			
8	永享四、八（同）A.D. 1432		×永享五　春大迅	宣德八、五（北京）A.D. 1433		二二〇	五
9	同　六、九（同）A.D. 1434		×永享六　春大迅	同　十　A.D. 1435			六
10	寶德三、九（同）A.D. 1451	享德元、八（博多）A.D. 1452 同　二、三（五島）	享德二　春大迅 景泰四、四—五（寧波）	景泰四、八（北京）A.D. 1453	一、二〇〇	三五〇余	九
11	寛正六、七頃（同）A.D. 1465		×應仁元、秋小迅（二、三號船）— ×同　二、春大迅（一號船）—	成化四、四（同）A.D. 1468 成化四、十一（同）			三
12	文明八、三（堺）A.D. 1476	（南海路）	文明九、春大迅	同　十三、九（同）A.D. 1477	三〇〇		三

13	文明十五、十二頃（同） A.D. 1483	（同）	同　十六春大迅	同　廿、十一（同） A.D. 1484		×三〇〇	三
14	明應二、三（同） A.D. 1493		明應四、春人迅 弘治八、五頃（寧波）	弘治九、閏三（同） A.D. 1496		×三〇〇	三
15	不明 永正三、二（住吉） A.D. 1506	―永正八（西國）―	×永正六春大迅 正德四、五（寧波）／永正八秋小迅 正德六、九（寧波）		一五〇／六〇〇	五〇（南京）	一／三
16	不明 永正十七、春（堺） A.D. 1520	南海路、大永三、閏三（山川）	×大永三、春大迅 嘉靖二、四（寧波）／同　同（同）				三／一
17	不明	天文八、四（五島） A.D. 1539	天文八、春大迅	嘉靖十八、閏七（同） A.D. 1539	四一五	五〇	三
18	天文十六、二（山口） A.D. 1547	同　十六、五（五島）	同　十六春大迅（舟山列島） 嘉靖廿七、三（寧波）	同　廿八、四（同） A.D. 1549	六三七	五〇	四

一、出發年月は遣明船、又は遣明正使の（地名）出發にかゝる。
二、渡航の年月（寧波）は寧波着のそれを示す。
三、入明都年月は〇印以外は既に着京し居れる年月にて入京は事實は其以前にある。
四、×は推定てある。

通說に依れば永樂要約（應永條約）は應永十一年、宣德要約（永享條約）は永享六年の遣明船よりそれ〳〵適用さるべきものであつたといふ。

右の內第七次永樂六年十二月明都に着せる船は義滿の訃を告げる爲の臨時的のものであり、永享四年八月兵庫發翌宣德八年五月既に入京せるものは義持時代斷交後の復活の第一船であつて、以上合計船四十三隻の派遣が所謂永樂要約時代であることになる。

又通說では永享六年遣明船以後は所謂宣德要約時代であるが、其下限の期は如何。天文八年大內氏の遣明船が嘉靖條約を締結せりといふ說に依れば、當然天文八年の船迄が宣德要約時代となる。然し所謂嘉靖條約なるものは嘉靖六年以前の舊制である事は既述した如くであるとすれば、尠くとも天文八年船が新改制の要約時代に屬する事はいふまでもない。

所謂永樂要約は船隻二・人員二百・十年一貢といふのであるが、船隻・人員・貢年とも實際と懸隔甚しきは一目瞭然である。永享六年より寶德三年に至る所謂宣德要約時代の三回の船が又船三・人三百・十年一貢の制限との關係も亦同樣である。

船隻三の制限に就ては蔭凉軒日錄收載の心月西堂の談にも「三十年以前九艘渡

唐、人數千二百人、其時日本人多々故、於二大唐一喧嘩出來、以レ故以後者、不レ可レ過二三艘一、人數不レ可レ過二三百人一、自二大唐一此分相定、其後三度渡唐、皆三艘云々」とある如く、寶德遣明船以後、船隻三・人員三百に制限せられ、其後三回の遣明船は皆三隻であつた。明應の遣明船決定には細川・大内氏等の爭で紛糾したが、それでも結局三隻であつた。之に續く二回は兩氏の爭が益々昂じて、結局細川氏が別個に一隻づゝを渡航せしめたのである。されば永正六年に大内船に先んで渡航せる細川船は、第四號船渡航の異例につき既述の如き義澄の移咨文を齎らし辯疏してゐる。終の大内船二回の渡航は、船三・人百・十年一貢の制限時代であつたが、最終の船が四隻であつたに就ては明政府よりも非常な詰問を受け、正使は一隻は海寇を防衛し入貢を安全ならしめるため軍船を副へたに過ぎざる事を陳辯した。

渡航人員の實際に就き考へると寶德度の大艘別一百人一艘別平均百三十三人餘・寬正度第一號船幕府船百五十人・永正六年の細川船一隻百五十人・同八年大内船三隻六百人一艘別二百人・天文十六年大内船四隻六百三十七人一艘別平均百五十九人等であつて、大體一艘別平均百五十人程度であつた。又永享四年遣明船の十三家寄合船・寶德度の多武峯長谷寺船にて渡航せる楠葉西忍の談に依るも同様である。此乘員中船方四十乃至六十人は船の大小等に依り差がある殆んど異動なき數であつて、之に正使・居座・士官・從僧・通事等があり、從僕があつて、但し從僕中の過半は從商人である之等定限ある人員を加へると船別百五十名内外の人數は或る程度以下に極限し得るものでない。而して右の乘員數の半以上は客衆又は客商等の名義を有する從商人及び正使以下の從僕の名にて渡航せる從商人であるが、之又遣明船經營のためには必須のものであり、之を制限する事は結局遣明船派遣をそれだけ困難ならしめる事である(2)。日本圖纂に嘉靖六年奏准として貢船三隻・人數百・十年一貢の制限を掲げ、次に嘉靖二十九年の制限として「日本貢船毎船水夫七十名、三船水夫二百一十名、正副使各一員・居座六員・士官五員・從僧七員・從商無レ過二六十人一」とあり合計二百九十名に制限してゐる。かくの如く船三隻にて人員を三百名内外に制限せんとすれば、結局主として從商人を制限する事になるのであつて、事實上貿易削減を來す結果となるが、遣明船經營にとつては到底堪得べき事でない。

蔭凉軒日錄に依るに寶德度遣明船以後船隻三と共に人員三百に制限された事は疑ない。其後寛正度の渡船に於て二千石の大船和泉丸の乘員を百五十人とした事は多少制限に對して斟酌したのかも知れぬが、三隻人員が三百人を超過したる事は推察に難くない。文明八年の船は正しく三百人であつたと思はれる。此遣明船が歸朝の途朝鮮大靜縣界に漂到し濟州牧使鄭享が之を送り歸した事を記して、成宗實錄九年七月乙酉の條に「全羅道觀察使馳啓、日本國使妙茂等三百人、乘船三艘、朝於大明、回來、遇風漂泊大靜縣界云々」とある。

渡船人員中明より一定數を限つて起京せしめる事は、明の朝貢制度にも見え、楠葉西忍の實驗談にも語られてゐる。寶德度人員千二百人中起京人員は三百五十餘人であつた。壬申入明記に依ると、了庵桂悟一行の起京人員が弘治九年の制に依り五十人と限られたので、屢々增加を請ふたが許されなかつたのであるが、右の呈書の中に先例を引いて文明八年・同十五年の遣明船の際起京人員共に三百餘人とある。此桂悟の先例引用は稍や牽强の嫌があると思はれるので直ちに妄從する譯に行かぬ。(3) 然し人員三百の制限は文明以後は全く實行されてゐない。明應二年の遣明船の壽蓂一行が多分上京の途かと思ふが、濟寧にて殺傷事件を惹起し、弘治九年明にては以後起京人員を五十人として餘は寧波に留める事にした。桂悟渡航の際は三隻六百人に達し、之に先んじ宋素卿の細川船一隻百五十人が渡航しており、折衝紛紜の際とて、正德七年明に對し以後も船三・人員三百を遵守すべきやといふ旨を質してゐる。桂悟は翌年六月頃刀劍收買の數及び給價に對する希望が達せられ、明年順風期迄滯在する事が許さるれば、「後度進貢人員物色、幷乞定例、以爲永遵」と述べてゐる。嘉靖六年の楊彝の言に既に舊例とある船三・人百・十年一貢の制限が恐らく此際の頒附ではあるまいか。然し人員百の制限は渡航人員としては到底不可能なる數である。明でも此事は勿論了解してゐたのであつて、其後日本貢船に對する警戒が嚴となり、制限の嚴守を喧しく論じた際にも、人員四百乃至六百といふ超過に對しては比較的寛容を示したやうである。而して人員百の制限は事實は廩給口糧等の賞犒數の制限であつたのである。

十年一貢を明示した最初の史料は弘治會典に見ゆる「洪武二十五年復來朝貢、後定十年一貢」とあるものである。明にて十年一貢の制限遵守を嚴重に論じたのは嘉靖二年寧波の亂以後である。我が國側史料にも遣明船計畫に際して十年一貢が顧慮された事見えず、又實際の遣明船の計畫出發等が十年一貢となつてゐる譯でない。然し應仁以後の遣明船が北京に到着せる年月を考へると、成化四年より嘉靖二十八年に至る八十二年間八回の遣明船があり大體平均十年一貢となる。十年一貢の制限が弘治以前に行はれたとすれば、船隻人員と同じく寶德以後の遣明船に於て實際の上に表はれてゐるものといへる。

柏原氏は前論「日明勘合貿易に於ける細川・大内二氏の抗爭」に於て寛正以後の遣明船に於て三隻を渡航せしめたるは細川・大内の二氏の抗爭に依り互に相牽制せし結果と論ぜられ、之を國内の偶然的事情に歸せられたが、後の「永享條約に就いて後藤肅堂君の說を評す」に於ては「十年に一航し一航三船を渡航せしめしは一に永享條約の勵行を明國より迫られし結果なりし也」とて、船隻・貢年制限遵行の結果とされた。寛正以後の遣明船が船隻貢年等の制限適用時代なる事を實證し得れば此項の論旨の一半は果される。

所謂永樂・宣德の要約が通說の如く制約されたるものとして、寶德以前の遣明船の實際が餘りに之と懸隔ある事も明瞭である。要約が實施せられなかつた事は、其事實によつて要約の存在しなかつたといふ理由とならぬといふ論は、他に要約の存在を明確に示す根本史料の存するか、若しくは要約を無視する事の許さるる事情の存在が明瞭且妥當に立證された場合に限り承認される。二要約の存在を明示する嘉靖末の書に於て、其前後の史實の記録が徹底的に誤れるものとすれば、獨り要約の記事のみを信據すべき理由はない。而して所謂宣德要約の制限が寛正以後の遣明船に實施されたる事が確認さるゝとすれば、寶德以前にはかくも無視されたる事情の相違が論證さるべきである。

柏原氏は永樂・宣德年間に於て、船隻人員の制限を要請すべき事情として、明國の海外通交政策を久に明の財政的狀態を力說された。其論の眞實に當るや否やは暫く措きいはんとする所は正當であり、制限の存在如何を立證するために は當然かくあらねばならぬ。然らば永樂・宣德の要約は、かゝる事情より成されたる必然的結果である。私は寛正以後の制限實施に於て、明白に明の海外政策及び財政的事情の大なる動因を爲す事を指摘し得る。されば永樂・宣德要約がかかる事情に導かれた必然的結果とすれば、かくの如き其無視及び不履行は必然に明の政策に反し、財政事情に逆流し、苦痛を與へるものである。然るに之に對する明の非難の事實は勿論、此存在を示す史料は明側にも一切見當らぬ。永享六年來朝の明使雷春が幕府要路に對し要望せる事は、海寇の取締・倭寇のため捕虜となされし明人の刷還の事以外に出でなかつた如き、二要約存在の疑惑を深めるものといはなければならぬ。之を要するに制限を要請すべき明の國策・財政等の條件を強調してその存在を確證せんとすれば、それだけ多く要約と實際との乖離を解釋する事は困難となる。されば柏原氏が後藤氏の永樂・宣德年間の日明交通の然るべき事情久は其實際より見て永樂・宣德要約は全然架空のものであるとの論に對し、其概評に於て「明國が我が渡航貿易船を三隻と限りしは乘組人員の夥きを恐れて也、乘員の多きを恐れしは彼國に在りて每に事端を生ずるを恐れし也、十年一貢・船三隻・人三百を限る永享條約は唯此の目的に他ならず」とて、制限は一に人數多く事端を生ずるかためにて、かゝる事端すら生ぜざれば船隻・人員多きも差支無しと論ぜられたのである。即ち之にあつて制限は一に紛爭を顧慮するためであり、政策的・財政的の制限に對する條件は全く否,却されてゐる。

斯くして私は次に明の海外政策・財政的事情並に日明交通の動向等の立場より、永樂・宣德要約の、存否の眞相を論ずべき順序となつた。

註

1 寬正（應仁年間渡航）以後の遣明船の經過に就ては堺市史第一・二卷に最も詳しい。宣德以前の遣明船に就ては、別著に詳述した如くであり、寛正以後のものは堺市史を參照し多少の見解を加へて表示した。

2 詳しくは、別著第三節遣明船の經營及組織　第三項乘組員の構成參照。

3 臺北帝大　史學科年報第二輯　足利時代明錢輸入と國內銅錢流通事情　二六〇—六一頁。

三　日明通交と船隻人員貢年限度の眞相

明の太祖は洪武二年以來四隣諸國に使を遣はし即位建國を報じて詔諭する所あり、初めに太倉・黄波に設けた市舶司を廢し洪武三年に市舶司を寧波・泉州・廣東に置き、日本・琉球及び占城・暹羅等西洋諸國入貢船のため備へしめた。同七年正月の戸部の奏に「海外諸國入貢、許附載方物與中土貿易、因設市舶司、置提擧官、以領之」とある如く、市舶司は入貢船に附載する方物の貿易を許し之を管掌したのである。(1) 明代には前代と異なり外國商船の自由なる通交貿易を許さず、入貢船に附載する貨物をのみ交易を許すが原則であつた。同七年三月には中書禮部に詔して、古制に「番邦遠國則毎世一朝、其所貢方物、不過表誠敬而已」とあるに准じ、高麗は中國に近く頗る文物禮樂有つて他番と異なるを以て、三年一聘の禮に依り又毎世一見を欲せば其意に從はしめ、其他遠國、占城・安南・西洋瑣里・爪哇等は入貢既に頻繁なるを以て勞費甚しく、古典に遵はしめ、必しも瀆煩を要せざる旨の文を移して國に知らしめた。(2) 同年三市舶司を廢し、九年五月には中書省臣に詔して、諸夷山海を隔て朝貢節無く遠人を勞するは綏輯する所以にあらすとし、去歳安南來貢して之に諭するに古禮を以てし、或は三年或は一世一見を以てしたるに、今復來貢するは謂無しとて、番夷外國は常制として三年一貢を守り、煩數なく、來朝使臣も亦三・五人とし、奉貢の物も過厚なるを要せす、誠敬を存するを以て可とするを諭せしめた。(3) 太祖の海外通交政策がかく消極的となつたに就ては、貢使に對する賜物・廩給・口糧の勞費等を節減せんとした財政事情が關係する事は明かである。當時我が征西府を中心とする西海との間に使船の往來があつたが、假名の徒尠からず、又後年の足利氏の遣明船の如く入貢船の形態を整備したものでなく太祖の滿足する所でなかつた。是も洪武中頃以後は絕えて、同二十七年には海外諸國多く姦詐なりとて往來を絕ち、唯琉球・眞臘・暹羅が入貢するを許すのみであつた。(4)

然るに成祖の卽位するや鄭和をして屢々大擧西征せしめて南海諸國の詔諭に務め、寧波・泉州・廣東に洪武の初制に依り市舶提擧司を設置した。(5) 永樂二年九月には海外諸番朝貢の使益々多きを以て、福建・浙江・廣東市舶提擧司に命じて、各來遠・安遠・懷遠の驛を設けて貢使を館せしめた。(6) かく成祖の卽位とともに明の海外通交政策は頗る積極的となつたのであるが、我が國に對しても左通政趙居任等を來朝せしめて登極を告げしめんとした際、永樂元年十一月義滿の遣使圭密一行が早くも寧波に到つたので大に喜び、其後義滿は其死に至るまで彼の所謂「恭謹」を盡して連年使船を派し、海寇を屢々進めて海寇靖平を致すべきの意を表示したのである。かくて明にても必ず報聘使を遣して幕府遣明船と共に來朝せしめ、義滿の死に際しては弔使を送り、其後義持は應永十八年永樂九年來朝の明使王進等を入洛せしめず、應永二十五永樂十六年・二十六年兩回の明使呂淵の詔諭を齎らし來朝せる際も之を退けてゐる。永樂初年に於ける成祖の積極的海外通交策と、義滿時代の日明通交の實際とは、所謂永樂要約の存否を考ふる基礎的條件でなければならぬ。然るに成祖の晩年には外夷招集の費に困迫したので、翰林院侍讀李時勉等は外夷朝貢には近きものは三年一貢遠きものは五年一貢とする事を奏申した事があつた。(7)

宣宗時代以後財政事情に關聯して、諸國入貢の諸費を節する事が益々論議され、諸種の制限が漸次實施された。宣德十年〔永享七年〕禮部尚書胡濙は、方今一切の冗費を節して軍民を安んせんとするに際して、四裔の使臣多く沿途の供給に疲弊する事を奏し、以て琉球國使人正副使從人二十人を赴京せしめ餘は福州に殘留せしむる事とした。正統四年〔永享十一年〕八月には巡按福建監察御史成規は奏して、琉球國使臣のため福州停住館の殺費貲られず、通事林惠等携伴せる梢人等二百餘人に達し、日給の廩米以下本年半歲にて已に錢七十九萬六千九百有餘に及び、而も間々紛擾を惹起するが故に、禮部にて廩米を日給する以外一切の費を悉く罷め、又通事等が紛紜を禁戢せすば之を治罪せん事を請ふた。依つて英宗は文を移して戒諭せしめ改めすば治罪せしむる事とした(8)。

正統八年廣東參政張琰爪哇の朝貢頻にて供億の費甚しきを申奏した。蓋し爪哇は永樂以來「比年一貢、或間歲一貢、或一歲數貢」と稱せられたのである。依つて英宗は爪哇使の歸還に際し勅を附與し、海外諸邦並に三年一貢なるを以て王亦宜しく軍民を體恤し此制に遵ふべしと告げた(9)。成化十九年には夷人の進貢し、又北京より回還して當該布政司に到らば、二十日內を限り例に照し茶飯管待して起程せしめ、期を過ぎ及び中途故無く停止する事一日以上ならば廩給を支す

るを仕めしめた。(10)

かような對外政策の消極化せる結果琉球國入貢船に加へられた制限の經過を觀るに、先づ成化十年（文明六年）琉球國使臣の通事察璋等が福州にて殺傷事件を惹起せるを機とし同年入貢せる正議大夫程鵬の囘國に際し、勅して今後毎船一百人多くも一百五十人を過ぎざらしめ、毎年一貢を改めて二年一貢ならしめ、國王正貢の他私に貨物を附載するを得ざらしめた。依つて同十二年琉球國王尙圓王は一年一貢を請はしめたが許されなかつた。(11) 此渡航人員・貢年及び附搭物貨の制限には、廩給・口糧・賜物及び貿易の縮小制限が必然意圖されてゐる。同十二年四月巡按福建監察御史葉琍等奏して、琉球國一國の入貢に對し福建市舶提擧司は事務閑なるを以て、內官施斌の卒去に當り新に官司を差す事を止め太監盧圓をして兼官せしめん事を請ふたが、憲宗は內官常査を派した。(12) 同十八年の禮部の奏に依れば、琉球國使臣の起京人員は舊例四五十人乃至六七十人といひ現在十五人に留むといへば、宣德十年の制限より更に五人を減少したのである。其後弘治三年三月中山王尙眞王入貢奏請せしめて、赴京人員十五名を二十名に增加し、貢船着岸の際口糧支給百五十人分を二十名分增加する事となつた。(13) 正德元年には明では琉球國多年の奏請を容れて一年一貢が許されたが、嘉靖元年には復二年一貢とし毎船百五十人を定限とした。

宣宗朝以來の對外政策の消極化にはいふまでも無く財政上の問題が結ばれてゐる。即ち廩給・口糧・賜給等の節減が其一であり、(14) 官貿易額の縮少と私貿易に對する嚴戒が其二であつて、特に私易に於ては明人との間に釁隙の生ずるを慮り、異禁物の交易及び國情の漏洩を恐れたのである(15)。

皇明實錄正統五年八月甲申の條に「浙江右布政使石執中等言、近年日本諸國來貢者少、其市舶提擧司官吏人等冗賑、乞裁減三分之二、從之」とある。市舶提擧司の主なる官司は永樂元年の制では、提擧一員從五品・副提擧二員從六品・吏目一員從九品等であつて布政司に隷してゐる。浙江布政司に隷する寧波市舶司が專ら日本の遣明船に對するものなる事いふ迄もない。日本等諸國の來貢の減少せる事を述べてゐるが、之を遣明船に就ていへば、宣德八年義教が義持時代中絶の後を復して派遣し同十年に又渡航せしめてゐる。其隻數は五隻及び六隻で、永樂年間に於て永樂元年を除き二年以來七年間に六回合計三十八隻であつたに比し、貢年・隻數多少疎隔減少の狀を認め得る。されど宣宗が諸國皆入貢する際、日本のみ其事なきを遺憾として琉球國を介し詔諭せんとし、義教之を待たずして通交を復した際であり、市舶提擧司官吏等が冗賑なりとて三分の二の大刷減を敢行したるは當時の對外政策の消極化の一と見らるゝのである。

然るに次回寶德年遣明船は享德二年即ち明の景泰四年渡航したのであるが、九艘人員千二百名に達し、附載貨は又前回に數倍した。皇明實錄景泰四年冬十月丙戌の條に「時四夷入貢者多至千人、所過、趣索酒食諸物、遞凌驛傳、往往撃人至死、半江侯陣預奏、日本使臣至臨清、掠奪居人、及令指揮往詰、又毆之幾死」とある。允澎の一行三百餘名が起京の途臨清を過ぎたるは九月十五日であつた。當時附載の貨物は多く官にて收買せられたのであるが宣德八年・十年と漸次折價を低くし又實際の給直を減してゐる。左に指標的に宣德十年と景泰四年の場合を比較する。

宣德八年

蘇木	一斤につき	鈔一貫	一〇、六〇〇斤	鈔一〇、六〇〇貫
硫黄	同	鈔一貫	二二、〇〇〇斤	鈔二二、〇〇〇貫
紅銅	同	鈔〇、三貫	四、三〇〇斤	鈔二、一〇〇貫

刀劔	毎把	鈔一〇貫	三、〇五〇把	鈔三〇、五〇〇貫
鎗	毎條	鈔三貫	不明	不明
扇	毎把	鈔〇、三貫	同	同
火筋	毎雙	鈔〇、三貫	同	同
抹金銅銚	毎個	鈔六貫	不明	不明
花硯	毎個	鈔〇、五貫	同	同
小帶刀	毎把	鈔〇、五貫	同	同
印花鹿皮	毎張	鈔〇、五貫	同	同
香盒箱	毎個	鈔〇、八貫	同	同
香疊	毎個	鈔〇、八貫	同	同
硯匣	毎副	鈔二貫	同	同
水滴	毎副	鈔二貫	同	同
景泰四年				
蘇木	一斤につき	銀七分	一〇六、〇〇〇斤	七、四二〇兩
銅	同	銀六分	一五二、〇〇〇斤餘	九、一二〇兩餘

硫黄	同	銀五分	三六四、四〇〇斤	一八、二二〇兩
計				三四、七六〇兩
銀一兩錢一貫文				錢三四、七六〇貫
刀劍	每把	鈔六貫	袞刀 四一七 腰刀 九、四八二	五九、四〇〇貫
鎗	每條	鈔二貫	五一	一〇二貫
抹金銅銚	每個	鈔四貫	不明	不明
漆器皿	同	鈔三、六貫	六三四（大乘院日記目錄に蒔繪物大小六三四包とあり）	不明
硯匣	同	鈔一、五貫		
扇	同	不明	一、二五〇（大乘院日記目錄に依る）	不明
通計		折鈔絹	二二九疋	鈔二二、九三〇貫
		折鈔布	四五九疋	鈔二二、九五〇貫
		銅錢	五〇、一一八貫	

右は何れも鈔一貫は銅錢一貫・銀一兩として計算されてゐる。景泰には通計して給價九五、九六八貫であり、蘇木・銅・硫黄・刀劍の四主要貿易品に鎗を加へて計九

四、二六二貫に達し從つて抹金銅銚等は計一、五〇六貫となる。宣德度には銅・硫黃・刀劍・蘇木の主要貨の計鈔六四、三九〇貫となる。

兩度の實際の給直を比較すると二重に非常な減殺が行はれてゐる。景泰にはすべての給價が低減されてゐるのみならず、蘇木・硫黃・銅の主要貨が六分の一乃至十數分の一に差定されてゐる。次には給直の法に於ける縮減である。明では洪武二十六年の制定に諸國貢船附載の物貨の官收買を許して、「關二給鈔錠一、酬二其價値一」とある。後、弘治年間の改制に官收買物に對する錢鈔兼給の比率等を詳しく規定してゐるが、之は一般的のもので實際には國に依つて適用の法を異にした。宣德・景泰の當時我が遣明船に對しては錢鈔各半を大體給する事になつてゐたらしい。鈔一貫・銀一兩・錢一貫は元來洪武間大明寶鈔制布當時の法定で、此法定を以て附載貨の給價及び錢鈔兼給を行つたのである。然るに鈔の給直に當つて、實際は折鈔の物貨を當て給し、遣明船には折鈔絹布を給する事になつてをるが、其比率は鈔百貫毎に絹一疋・鈔五十貫に布一疋としたのであつて、之は寧ろ暴落せる鈔の時價に准せるもので大體鈔價は洪武間の二百分の一程度である。楠葉西忍の談に「ソホウ（蘇枋）日本一斤五十文、或百文、唐土一貫五百文分にて七百五十文ニ成、七百五十文ハ紙錢サウ（鈔）也、一枚五文計者也云々」とあるは、彼の渡航せる永享四・寶德二年(卽ち既述宣德八・景泰四年)の兩度の遣明船中、永享四年の經驗に基くものと認定されるが、蘇木一斤給價一貫五百文として錢鈔各半を以て給直し、鈔價は一貫(一枚)錢五文にて（卽ち洪武間の二百分の一に低落してゐる）實際に無價値に等しく、錢給分七百五十文となるといふのである。かくの如き錢鈔兼給に當り、鈔に對して鈔時直による折鈔物を以てするは甚た謂なき事て、受領者にとつて時に堪え難き不利といはねばならぬ。宣德八年の銅・蘇木・刀劍・蘇木の給價六四、三九〇貫であるが、之此際の官收買物の大部を示す事は貿易品の實際に徵して明かであるが、大乘院寺社雜事記文明五年六月十七日の條に、楠葉西忍の談として「然則日本國ヘ御返報ノ料足以下、每度如昔代於南京ノ御藏ヨリ取出テ渡給之、永享ノ渡モ、今度寶德渡ニモ、料足六萬貫・段子五百反於南京邊請取畢云々」とあり、此際給直錢六萬貫及び段布五百反等を得たものと認められ事實上大部分は銅錢にて給された事が殆んど確認される。然るに景泰には全額九五、九六八貫中、銅錢の給付は殆んど半額にて、殘半額は殆んど無價値に近き鈔價に依る折鈔絹布を以て充當せんとし、錢鈔兼給の當時の慣行を文字通り強行せんとしたものであらう。斯くの如く評價の低減に加へて價値給付の實際は二重に縮減さるゝを以て、正使允澎が景泰五年正月方物の給價の增賜を請ひ其後宣德八年の事例に依らずば歸國せずと主張し、遂に禮部は宣德十年の例に準じて給價せん事を達したるも、綱司よりも猶十年の例にては回國後誅戮さるゝ旨を陳してゐる。一方皇明實錄に依ると、正月允澎奏して附搭物件の價直が宣德年間に比して十分の一なる事を述べて給賞を乞ひ、遂に特に銅錢一萬貫を加給し、猶允澎等請ふて已まざるを以て更に絹五百疋・布一千疋を賄賜せしめたとある。而も既に南京に送れる官收買物中、銅・硫黃等の一部を返還され、法樂社船の如き硫黃等持返るといふ狀態で、楠葉西忍も「唐朝之儀、散々之間、商賣之樣不ㇾ可ㇾ說云々」といひ、「仍諸事無二正體一者也、比興」と述べてゐる。かゝる明の貿易に對する甚しき消極的態度の結果、遣明船貿易は私貿を主眼とするに至り、次の成化以後の船は唯民間禁止商品たる刀劍のみを官收買するに止めた如く、而も刀劍の價直に對しても益々縮減を圖つた形跡がある[16]。

允澎が二月强硬なる增給の折衝を爲してゐた際、皇明實錄に「禮部奏、日本國使臣允澎等已蒙二重賞一、展轉不ㇾ行、待以ㇾ禮而不ㇾ知ㇾ恤、加以ㇾ恩而不ㇾ知ㇾ感、惟肆二貪饕一、略無忌憚、沿途則擾害軍民、歐打職官、在館〇會同館である則陋楚館夫、不遵禁約、似此小夷敢爾傲慢、若不嚴加懲治、何以懾服諸蕃、宜令錦衣衛能幹官員、帶領旗校人等、示以威福、催促起程、如仍違拒、宜正其罪」とある。賞は附搭物件の給價であり、禮恩は賜宴賜物等であらう。その故か四日を經て同月廿八日に允澎一行は北京を辭してゐる。

允澎等の歸國するや、明より幕府に通する所あり、康正二年義持は通事盧圓等を朝鮮に遣はして、來歳明に使船を派し謝罪する意あるを告け、幕府のため先容をなさん事を請はしめた。其文に「妄我國行人、先是於大明國事頗不軌、然而聖恩寛宥、特屈刑章、故及歸國日、以加囚禁」とある。長祿三年明より朝鮮國使に告げ、謹厚老成にして大體を知つたる人物、通事は謹愼にして禮を知るもの、往復途中事端を生じ、人民を騷擾せざる事、財物を掠めて官符を欺凌せざる事等を幕府に通せしめた。(17) 之に依ると明では臨淸事件及び正使等の態度を以て幕府を責めたらしいが、之等は根本的には明の財政的立場に因由する事深き消極的對外政策との相剋より來た結果ともいふべきである。此際の幕府宛咨文に今後進貢方物を濫に將來する事なからしめ、硫黃の貢數は三萬斤を過ぎざる事を告げてゐる。

　かくして遣明船船隻・人員等の制限が行はるべくは、永樂以來此際なる事が豫想される。蔭涼軒日錄に記載せる伊勢貞宗の談に「以前九艘渡之時、自大唐相定、於以後者、遣唐船不過三艘」とあり、心月西堂の談に「三十年以前九艘渡唐、人數千二百人、其時日本人多々故、於大唐喧嘩出來、以故以後者、不可過三艘、人數不可過三百人」、此分相定、其後三度渡唐皆三艘」等とあるは、率直に寶德以後の制限規定と解すべきものである。之に依れば明ては臨清事件や使臣の不軌等を責めて、制限を加へたるは疑を容れぬ。恰も成化十年琉球國に對し福州の憑凌事件を機として、船隻・人員・附搭物の制限を爲したる如く、臨清事件等は彼の消極的對外政策を實現すべき機會であり、又一方には寶德度の船隻・人員・附搭物貨の過多なりし事は此決行を促進した結果となつたのである。蓋し所謂宣德要約の人三百・船三・十年一貢とは當然此際の制限に相當するもので、かくして寬正以後の遣明船に示されたる實際の事情が容易に理解し得るであらう。

　寬正以後船隻三の制限は能く實施され、已むを得ざる國內の事情にて第四號船を派遣せる場合も特に之を辯疏した。人員三百の制限は之を實施した事もあるが、其事實上遵守の困難なる事は既述の如くである。・明の官收買物は大體刀劍に限らるゝようになつたが、其給價を次第に減少せしめると共に、刀劍の裝備の粗惡化した事は事實であるが、是は刀劍給價の甚しき減少と併行する相對的の現象である其附搭數も寶德以來時に過多であつたので、成化二十一年の詔にも「其進貢附搭物件、禮部奏請、以後不許過多、只照宣德年間事例、各樣刀劍總不過三十（千數）把、庶彼此兩充勞費」とある。宣德年間兩度の遣明船の刀劍附搭數は孰れも三千本程度であつた。明應五年に入明した堯夫壽蓂の一行は濟寧にて殺傷事件を惹起し、明にては今後起京人員を五十人とし餘は浙江館に在留せしむる事とした。(18) 永正八年の桂悟の渡航せる時は、先渡の細川船を合せて四艘となり、寬正以來船三の制限に對する異例であつた。桂悟は又起京五十人の定限と、刀劍の收買數三千の制限及び當時給價も每把錢三百文を定制としたらしい規定に準じて、明より强制されんとしたに對し、强硬なる折衝を試みたのであるが、以後船三・人百・十年一貢に改制されたらしい。

然るに嘉靖二年の寧波の亂以後、市舶司を廢し、以後遣明船に關する定制遵守を益々嚴ならしむる事になつた。嘉靖六年の既揭揚彝の奏もその現れであり、同十八年閏七月湖心碩鼎等の遣明船寧波に入るの報達するや、世宗命じて巡按御史督同三司をして嚴に譯審を加へしめ效順のものたらば、例の如く五十人を起送上京せしめ、所在の居民をして私に交通するを禁せしめたる如きもそれである(19)。同二十七年三月策彦周良を正使とする大内船四艘は寧波に入つたが、六月巡撫朱紈の日本國貢使周良等六百餘人浙江界に入りし報は北京に着した。朱紈は右の報にて周良の齎らせる勘合表文の正しく、貢期數月の差あるも之を阻回するは策にあらずといひ、隨伴する者水夫共六百卅七人にて前年より外洋にあり舟山列島に、滯泊した病死する者廿一人、又三隻の他軍船一隻を副へたるは、嘉靖二十一年以來中國邊寇が日本に往き彼地の兇賊と交通して邊民を侵劫する事頻りにて、かゝる賊舟を防ぐためであると辯明する所あつた。依つて禮部は周良等の期に先んじ舟人の數倍すれども、表詞恭順・貢期を去る事遠からず、拒絕するは遠航の勞憐むべしとて、十八年の例に倣ひ、五十人を起送し餘は寧波嘉賓館に留めて賞犒し、互市は事宜を防止して斟酌處置せしめた。禮部は賞犒は百人に限らんとしたが、周良等は翌年四月入京して、隨伴者多く又一般の附來は敢えて明制に背くにあらず貢舟を譲らんためなる事情を陳した。禮部は依つて百人の他に量加賞犒して、百人の制の遵行し難き事貢舟の數を斟酌せん事を以て新に奏請してゐる。[20] 之を以て觀れば人員百の制限は渡航人員を意味するが、其制限は事實上不可能なるを以て其遵行は比較的固執せず、實際上は賞犒數としたのである。日本圖纂に同二十九年の制として、日本貢船水夫七十名三船合せて二百十名、正副使以下二十員、從商人六十人總計二百九十名としたるは或は前年の事情を斟酌差定したものかと思はれる。然らば渡航人數二百九十名を又賞犒數たらしめたものであらう。

註

1　皇明實錄　洪武七年春正月
2　同　七年三月癸巳
3　同　九年五月甲寅
4　同　二十七年春正月甲寅
5　同　永樂元年八月丁巳
6　同　三年九月甲午
7　同　十九年四月甲辰
8　同　正統四年八月丙戌
9　明會要　卷七十八
10　大明會典　卷一百十五　礼部膳羞

11 皇明實錄 成化十一年夏四月戊子
歴代寶案 巻之十二

12 皇明實錄 成化十二年夏四月乙未

13 同 弘治三年三月癸卯

14 廩給口糧に就ては大明會典巻之一百十四禮部膳羞二に、賜物（諸國王に對する頒賜物及び使臣に對する賜物）に就ては同一百十一禮部給賜二に、筵宴に就ては同一百十四禮部膳羞一に規制がある。日本關係の右件の詳細は別書、第四節遣明船に對する明の制規第三項遣明船に對する明の接待處置を參照。

15 例せば大明會典巻之一百八禮部朝貢の條に於ける會同館私易の條令、特に弘治十一年・同十三年・嘉靖三年の條令等を參照。

16 別書、第五節遣明船貿易の動向に大要を記した。

17 善隣國寶記中、皇明實錄天順三年二月癸酉、戊子入明記、世祖實錄大明景泰四年十月丙寅

18 皇明實錄 弘治九年八月庚辰

19 同 嘉靖十九年二月丙戌

20 同 同 二十七年六月戊申、二十八年六月甲寅、朱紈 甓餘雜集 章疏

四 誤謬の因由

以上縷述せる所に依つて、嘉靖末の史籍に記載せる永樂・宣德要約の事實は信據するに足らず、宣德要約として知らるゝ船隻三・人三百・十年一貢の制限は景泰

以後に頒たれたるものであり、永樂要約に至つては全く架空の存在と見らるゝ私の論證は略ぼ明かと思はれる。更に又嘉靖末以後の史籍に現はるゝ右要約に關する記載の事實を吟味し其誤謬を闡明する事は、如上の所信を一層確實ならしむるのみならず、誤謬の來由を明かにして以て其記載の採るべからざるを益益明瞭たらしめる所以でもある。

籌海圖編・吾學編倶に宣德要約を宣德元年入貢の際にかけるが、其儘之を襲記したるは殊域周咨錄・圖書編等で、續文獻通考・明會典・名山藏等は宣德初とし、明會要は宣德八年遣明使來貢の際に記述してゐる。既述の如く宣德元年の渡航船は全然無く、同八年が義敎の復活せる第一船の入明せる歲てある。籌海圖編には宣德要約の一條に「刀劍毋ㇾ過二三千一」とある。同書には同要約の制定さるゝに就て、「入貢人舡踰ㇾ數、刀劍過多、特諭二來使一」以て今後の人舡を三百人及び三隻とし又刀劍三千把に制限したといふ。即ち宣德元年(及び其以前)の遣明船が人舡數を踰え、刀劍が過多であつたといふのである。籌海圖編の永樂要約中には刀劍に關する規定がない。然るに吾學編には永樂要約に「若貢非ㇾ期、人船踰ㇾ數、夾帶刀鎗、並以ㇾ寇論」とあり、宣德要約には「人船刀劍、不ㇾ奉二我約束一」以て今後「舟三・人三百・刀劍三

(千カ)十を過ぎざらしめたとある。吾學編では刀鎗の携帶を初め禁じ、約に反して夾帶するので宣德に三千把だけ附載を許したといふ義に解される。皇明實錄永樂元年九月己亥の條によると、禮部尙書李至剛が日本貢使圭密等の寧波に到るを報じ、番使の中國に入るや、軍器刀槊類を私載し民に鬻ぐを得ざる禁令あるを以て、有司をして船中を檢査せしめ刀槊の類は京師に封送する事を奏請せるに對し、成祖は官にて市價に準じて收買せしめ、法禁に拘束し朝廷寛大の意を失ひ遠人歸慕の心を阻むなかれと命じた。事實其後も刀劍は我が附搭貿易品の大宗ともいふべく、明にては終止民間私易を禁止して官にて收買したのである。かくて永享四年宣德八年渡航三千五十把・同六年三千把を附載し、後寶德度には九千六百六十八把であり、寛正度には三萬餘把・文明八年度に七千餘把・同十五年度には三萬七千餘把に達したといふ。通說の如く宣德要約を同八年の制定とすれば、宣德間の附載刀劍大體三千把であつて過多にして今後三千把に定むとは了解し難いではないか。文明十五年度の船に對する成化二十一年の明の國書に「只照二宣德年間事例一、各樣刀劍、總不レ過二三(千カ)十把一云々」とあるは、宣德年間の附搭數の如くといふ意味である。右の刀劍附載制限を假に寶德度以後の事實とすれば、刀劍過多、今後不過三千把の意味が始めて事實に叶ふではないか。吾學編にあつては始より事實に相違してゐる。私は刀劍三千把の制限を宣德元年にかけたのは、成化二十一年の國書の宣德年間事例の句から暗示されたのではないかとさへ考へる。(1) 鄭若曾が此國書を見た事は成化二十年入貢の條に「勅諭彼王知會、自後宜恪遵宣德中事例也」とあるに依り明白である。

永樂要約に就ては弘治會典の「後定爲十年一貢」が、薛俊の日本考略では「太宗文皇帝御格初、詔許十年一貢、船隻・水手・貢物俱有定額」となり、嘉靖九年の重刊補遺では人二百と明記されてゐるといふ。籌海圖編になると勘合頒布・人二百・船隻二・十年一貢となり、吾學編では勘合頒布・十年一貢・人二百で船隻は明示してゐない。而して吾學編は此前後の記載全く日本考略補遺と一致する。

籌海圖編は永樂要約を永樂二年入貢の際の制定にかくるも、右條の記事が永樂元年・永樂三年入貢の事實を混同してゐる事は前に述べた。而して吾學編に於ては永樂二年通政趙居任を遣使來朝せしめた際に永樂要約の頒付をかけ、而して船隻二を明示せざるは注意すべき一の點である。永樂勘合の贈與は當に永樂二年趙居任來朝の際なる事は疑ふべからざる史實である。然して船隻二の制限は永樂三年に源通賢が入貢し海寇二十名を獻進するや、成祖は潘賜等をして翌年來朝せしめた際に海舟二隻を賜つた所より假想されたものと斷定し得る。即ち籌海圖編に永樂元年・同三年入貢の事實を混じて共に永樂二年入貢要約頒付の際にかけた理由の一は此處にある。

明會要巻七十六の如きは全く籌海圖編と同じく、圖書編日本國考は吾學編と同様で、「夾帶刀鎗、並以寇論」の有無も同斷である。然るに閩書に「(永樂四年)以兪士吉爲都御史、齎賜之龜紐金印、誥命封爲日本國王、名其國之山、曰壽安鎭國、上親製文勒碑其上、遂給勘合百道、令十年一貢、貢道繇寧波、船無過二隻、人無過二百」とある。(2) 何喬遠の名山藏も同様である。是はいふまでもなく永樂二年の事實と同四年の事實とを混同してゐる。龜紐金印の賜與・日本國王の誥命・勘合百道頒付は永樂二年趙居任來朝の際であり、壽安鎭國山の封名は兪士吉が永樂四年潘賜と倶に來朝せる際である。此混同は船隻二の制限と記す事が永樂四年海舟二隻の賜與と一體の關係にあるからである。殊域周咨錄日本に「給以勘合百道、定約十年一貢、人止二百、船止二艘、毋得夾帶刀鎗、如違例、越貢並以寇論、仍命都御史兪士吉、齎白金綵幣幷海舟二、賜之」とあり要約を永樂四年潘賜・兪士吉の來朝の際にかけ、海舟二の贈與と明白に聯繫せしめてゐる。明史藁・明史・續文獻通考卷二十九に「永樂初詔日本、十年一貢、人止㆓二百㆒、船止㆓二艘㆒、不㆑得㆑携㆓軍器㆒、違者以㆑寇論、乃賜以㆓二舟㆒、爲㆓入貢用㆒」となして、勘合給付の事を省略せるは流石に用意の程が偲ばれる。何んとなれば勘合給付は永樂二年たるは明確であるからである。而して明史藁・明史に永樂二年趙居任、同四年の潘賜・兪士吉の來朝につきては實錄に據りて正確なる記載を別にし、永樂・宣德要約は別に景泰四年の條に挿入し、特に永樂初・宣德初と記して年代を暈かしたる所に、一層の留意の跡が見られるのである。

以上述ぶる所に依り、籌海圖編に永樂勘合給付と共に記せる船隻・人・貢年の制限を永樂二年にかけて、永樂三年入貢後の事實を混同せる理由は自ら推知され、海舟二隻の贈與と聯關するものなる事が明かである。日本考略・吾學編に船隻を明示せずして、「人船踰數」といひ、兪士吉の來朝を其後にかけ乍らも「賜㆓王印誥冊㆒封爲㆓日本國王㆒」とて永樂二年の事實を此際に混同し、而かも永樂三年の事實たる海寇二十人の進獻をその永樂二年永樂要約制定の以前に置いて、永樂二年勘合給付の事實と船・人・貢年の制限とを同時のものたらしめるためか、前後の混錯甚しく呆然たる他はない。嘉靖以後の諸書の記載は圖編・吾學編等の錯誤せる記載を甄明せんとし、自ら其由來せる誤謬を示すに至つたものといへる。人二百の制限は船二隻の制限よりの着想であらう。然らば景泰以來の船三・人員三百・十年一貢の制限より推想して永樂要約となつて現はれ、弘治會典の「後定」が成祖即位初と考へられ、永樂四年の海舟二隻の賜與が船二隻の制限に結付き、人二百の制限となつたものであらう。正德より嘉靖の初め迄が、この説の生成期で、嘉靖末の大倭寇の終末期頃になつて此風説が史實として結成されたといふ後藤氏の見解は以上の諸點に關しては正當である。

所謂宣德要約より更に消極的なる永樂要約を案出した條件は嘉靖間に於ける倭寇畏怖の雰圍氣といふ事が出來る。籌海圖編以下に記すかの洪武年間の胡惟庸事件等の記載にもかゝる傾向か考へられ、諸書に記す年次等も一定しない。籌海圖編卷之十二に「凡外夷貢者、我朝皆設市舶司、以領之、〇中略在浙江者、專爲日本、而設其來也、〇中略西番・琉球從來未嘗寇、其通貢有不待言者、日本狡詐叛服不常、故獨限其期、爲十年、人爲二百、舟爲二隻、後雖寬假其數、而上年之期未始改也」とある。彼等は洪武以後、永樂年間に至つて義滿との間に日本通交の實際が如何に展開せるやの認識に缺けてゐる。嘉靖以後の書は多かれ尠かれ日本關係事項の認識に就ては、自然的にも意識的にも憎怖の情を以て歪曲されてゐるのである。（昭和十二年二月十八日稿了）

註

1 萬曆刊の吾學編に宣德要約を記して「刀劍毋レ過二三十一」とある。圖書編・明會要にも刀劍三十の制度としてゐる。いふまでもなく三千の誤と斷ぜられる。然るに續善隣國寶記收載の成化二十一年二月十五日付明の國書に「總不レ過二三十把一」となつてゐる。私には此誤記が單なる偶然の一致とは考へられぬ。

2 閩書　卷之一百四十六　島夷志。

南洋日本町の盛衰（二）

（暹羅日本町の盛衰）

岩生成一

目次

序論
一 御朱印船貿易の躍進
二 日本人の南洋移住
第一章 交趾日本町の盛衰
一 交趾日本町の發生
（イ）交趾に於ける御朱印船渡航地
（ロ）御朱印船の渡航と日本町の發生
二 交趾日本町の位置、戸口及び居住形態
三 交趾日本町の行政
四 交趾日本町在住民活動の消長
第二章 東埔寨日本町の盛衰
一 東埔寨日本町の發生
二 東埔寨日本町の位置、戸口及び居住形態
三 東埔寨日本町の行政
四 東埔寨日本町在住民活動の消長……………（以上前號）

第三章　暹羅日本町の盛衰
一　暹羅日本町の發生
二　暹羅日本町の位置、戸口及び居住形態
三　暹羅日本町の行政
四　暹羅日本町在住民活動の消長
第四章　呂宋日本町の盛衰……………………………………（以下次號）
一　呂宋日本町の發生
二　呂宋日本町の位置、戸口及び居住形態
三　呂宋日本町の行政
四　呂宋日本町在住民活動の消長
結　論
一　南洋日本町の特質
二　南洋日本町の衰滅

第三章　暹羅(Siam)日本町の盛衰

一　暹羅日本町の發生

暹羅の日本町に就いては、他の南洋各地の日本町に比して、從來先人の研究論著も多く、既に發表されたる主なるものでも、數篇に上つてゐる。古くは明治十八年(一八八五年)、時の駐暹イギリス公使アーネスト・メイソン・サトー氏(Ernest Mason Satow)の『十七世紀に於ける日暹交渉』(註一)あり、次いで河内のノエル・ペリ氏(Noël Peri)は『日本町の新研究』(註二)に於いて此の問題に觸れ、其の頃京大の内田銀藏博士は『徳川時代に於ける日本と暹羅との關係に就きて』(註三)なる論文を書かれ、後新村出博士は特に此れを主題として、『暹羅の日本町』(註四)なる好篇を綴り、日本町盛衰の跡を詳細に考證された。又近くは、在暹二十餘年に亙る三木榮氏の『日暹交通史考』(註五)や、曾て同國に數年間駐在領事たりし郡司喜一氏の『十七世紀に於ける日暹關係』(註六)なる大著など、相次いで出版され、今や、往時暹羅の都に榮えた日本町の實状は、色々の視角から、詳細に且つ明瞭に論述されて來た。しかし上述の諸研究を通觀するに、憑據の史料に略〻限度があつて、更に他の史料によつて論究すべき點も、未だ尚可なり殘されてゐる樣に思はれる。

日暹兩國民の直接交渉は、遙か我が吉野朝の終も近き後龜山天皇の元中五、六年(一三八、九年)の往時まで溯ることが出來る。高麗史恭讓王辛未三年秋七月の條には、奈工(Nak'on)等の暹羅船か高麗に入貢の序に、日本に立寄り一年滯留したことが記してある(註七)。次いで後十年を經て李朝の太祖丁丑六年(應永四年、一三九七年)には、暹羅斛の使者林得章等六人か、倭人の虜獲より逃れて入朝し(註八)、下つて永祿六年(一五六三年)には、暹羅の大ジャンク船か肥前の横瀨浦に入港し(註九)、翌々八年(一五六五年)にも五島に一船來航し、ポルトガル人數名便乘して來たことがあり(註一〇)、暹羅船が日本と交通せしことは、連續的ではなかつたが、既に餘程古くからあつた樣である。

南洋發展に於いて、日本人より一時代先鞭をつけた琉球人の商船は、我が室町時代に殆ど連年同國の港を訪れた(註一一)。日本船の渡航は、近世初期我が國民南洋發展の大勢に連れて、漸く安土桃山時代に始まつた樣であるが、渡航記錄の私の管見に上るもの極めて少く、僅に一五八九年(天正十七年)大刀や長刀などの武器を賣るため暹羅に向つた一日本船が、風便を失つてマニラに入港したことが、同年七月十五日ガスパル・デ・アヤラ(Gaspar de Ayara)のイスパニヤ王フェリペ二世に呈した報告に見え(註一二)、次いで福建巡撫許孚遠が得た情報には、萬曆二十二年頃(一五九四年)、薩摩を發して南洋各地に赴く數船中、一隻は暹羅に向つたことが傳へてある位である(註一三)。しかし此より先、嘉靖三十六年(一五五七年)日本に渡來した明の使節鄭舜功が、歸國後同四十三年(一五六四年)に著した日本一鑑には、當時既にポルトガル人傳授の小銃鑄造各地に起れることを述べ、更に鑄造原料の鐵に就いて、『其鐵既脆不可作、多市暹羅作也。』と記し、又火薬原料の硝石に就いて、『硝、土産所無、近則竊市於中國、遠則與販於暹羅』(註一四)と記したのは、當時既に日本船の暹羅貿易が始つてゐた消息を傳へたものではあるまいか。固より後年の盛況に比すべくも無けれども、斯くして日本船の渡航も漸く始まり、桃山時代の半頃に至り、次第に頻繁になつたのではあるまいかと思はれる。

引續いて江戸時代に入るや、日暹交通は俄に躍進し、暹羅渡航御朱印船數の如き、前掲二表によつても、總計五十二隻に上つてゐる。御朱印船の船主も、兩御朱印帳によれば、島津忠恒、有馬晴信、加藤清正、龜井茲矩、細川忠興、長谷川藤正等の大名幕吏あり、田邊屋又左衛門、今屋宗忠、木屋彌三右衛門、荒木宗太郎、大賀九郎左衛門、後藤宗印、伊藤新九郎、江島吉左衛門、長谷川忠兵衛、高尾次右衛門、與右衛門等の商人あり、在留支那人にては三官、ベッケイあり、在留西洋人には、三浦按針(William Adams)、耶揚子(Jan Joosten van Lodensteyn)、ジャカウベ(Jacques Specx)、マノエル・ゴンサル(Manoel Goncalo)、伴天連トマス(Padre Thomas)、半南士・美解留(Ferdinand Michielszoon)、閣古邊・果伽羅那加(Jacob Quackernack)等數人があつた。此の間兩國官憲の修交頻りにして、彼我官民の間常に書翰方物の贈答を繰返し、殊に山田長政が登庸されるに及び、彼の努力によつて、兩國の修好と貿易とは、一層促進された觀がある。

斯くの如く兩國の交通、我が商船の渡航頻繁となるや、便乘日本人中には、進んで暹羅に滯留して活動する者も出て來た。慶長九年(一六〇四)八月には、與右衛門と云ふ『日本人しやむろに居住之者』が、有馬晴信の斡旋で、御朱印狀三通の下附を受けたが(註一五)、此の頃加藤清正の重臣にして切支丹なる市河治兵衛(Itchicava Jifioye)等は、信仰に對する主君の壓迫に堪えかねて長崎に去り、其の後暹羅に亡命してゐる(註一六)。斯くて慶長の末年には、移住日本人の數は、漸く増加したらしく、十七年三月頃(一六一二年)には彼等が叛亂を企てゝ國外に追放されんとしたことがある。

此より先一六一〇年國王エカトサロット(Ekat'otsarot)歿して、新にプラ・インタラジャ(Pra Int'araja)卽位するや、曾て先王の王太子○死去が、全くピヤ・ナイ・ワイ(Pya Nai Wai)の陰謀に基けりと爲し、新王は直に彼を處刑した。當時國王の禁衛隊に多數の日本人あり、豫て彼の恩顧を蒙りしが、終に叛亂を企て、各商人に粉裝して王宮に侵入し、新王に强請して、日本人に好意を寄せざる高官を引渡さしめて終に之を虐殺し、王都アユチヤ(Ayut'ia)の町を封鎖し掠奪を恣にして、バンコクの西南、マレイ半島の東北隅ペチャブリ(Petchaburi)に引揚げて自立を計つたことがある(註一七)。此の反亂に參加した日本人數を、丁度一六〇七年より一六年まで太泥のオランダ商館長なりしヴィクトル・スプリンケル(Victor Sprinkel)は、四、五百人と記し(註一八)、此の事件直後暹羅に渡航したピーター・ウィリャムソン・フロリス(Pieter Williamson Floris)は二百八十人と報じてゐる(註一九)。卽ち其の頃在暹日本人は、既に少くとも三百人を數へる程になつたのであらう。

斯かる移住日本人は、前述の市川治兵衛等の如く、切支丹彈壓の手を逃れた者もあらうが、暹羅國風土軍記や暹邏國山田氏興亡記などは、『關原、大坂落の諸浪人ども、渡天の商船に取乘て賣人となり、『暹邏國に渡り逗留す。』(註二〇)と記し、當時次第に重大な社會問題となつて來た過剩浪人が、身の振方を海外新天地に索めて移住した樣に傳へてゐる。更にフランソア・ファレンタイン(François Valentijn)は、其の大著新舊東印度誌中の暹羅記事に於いて、日本人の移住定着の現象を、

日本人は常に當國と大なる取引を遂行して、既に古い時代から當地に一大日本人町(Japans Quartier)を造つたが、それは全く當地から日本に、鹿、水牛及び鮫の皮を盛に輸送するからである。…………………………………日本人は毎年同地に、彼等のジャンク船で多額の銀資本を齎し來り、日本に於いて需要大にして利益も大なる鹿皮や他の皮革を多量に購入する。斯く日本人の各地に航海する者以外に、當國の豐饒にして、食料夥多なることに誘はれて、移住する者も尠なからず、終には當地に日本人町が發達するやうになつた(註二一)。

と述べて、日本人の渡航移住を以て、貿易用務及び移住地の生産豊富なる事情によると觀察してゐる。恐らく兩者の述べる所は、暹羅移住日本人增加の眞相であらうが、更に一六二二年九月六日附東印度總督クーン等の一般報告中の一節に、

　暹羅國王の派遣せし大使等が、日本皇帝の許に在つて、國人海外輸送の許可を乞ふたが、拒絶された(註二)。

と記してあつて、暹羅國王自ら積極的に日本人の渡來移住を要請してゐる。しかし此の頃ポルトガル人等が、專らオランダ人に對抗する爲めに策動して、當局は、外人が日本人男女を買取りて軍兵奴隷として海外に輸送することを禁せし際なれば、此の要請も均しく拒絶されたのであらうが、此の如き暹羅の國内事情と、前述の日本人移住の趨勢とは相俟つて、慶長の末年には其の數增大して、終に日本町が發達する程になつたのであらう。

註一　Satow, E.M. Notes on the Intercourse between Japan and Siam in the Seventeenth Century (T.A.S.J. Vol. XIII. Part. II)

註二　ノエル・ペリ、日本町の新研究。上、九六―一〇〇頁。

註三　內田銀藏博士、德川時代に於ける日本と暹羅との關係に就きて。(續史的研究、一五七—一九二頁。後に國史總論、四五七—四八七に再錄)

註四　新村出博士、暹羅の日本町（史林、八ノ三、九ノ一、後に南蠻廣記、一九三—二一七に再錄)

註五　三木榮氏、日暹交通史考。昭和九年、東京、古今書院發行。

註六　郡司喜一氏、十七世紀に於ける日暹關係。昭和九年、外務省、調査部發行。

註七　高麗史。卷四十六（國書行會本、第一、六八八—九頁)

註八　太祖實錄。丁丑六年、四月乙巳。

註九　Frois, Luis. Die Geschichte Japans 1549—1578. Leipzig. 1926 p. 190.

註一〇　Cartas, *op. cit.* Carta do irmão Ioão Fernandez, para as irmãos da China, e India. De Firando, aos 23. de Setembro, de 1565. (長崎叢書、耶蘇會年報。第一卷、一九〇頁)

註一一　歷代寶案、卷之四十一、國王移諸國之咨。卷之四十二、執照。朝鮮諸國王咨。

註一二　The Philippine Islands. *op. cit.* Vol. VII. p. 126. Letter from Gaspar de Ayala to Felippe II. Manila. 15 July, 1589.

註一三　東西洋考。卷十一、藝文考。

註一四　鄭舜功、日本一鑑窮河話海。卷二、器用、

註一五　異國御朱印帳。七、暹羅國。

註一六　Pagès. *op. cit.* p. 101.

Guerreiro, Padre Fernão. Relacão Annual das Coisas que fizeram as Padres da Companhia de Jesus na suas Missoes do Japão, China, ... e Brasil, nos Anos de 1600 a 1609. Coimbra. 1931, Vol II. pp.

243—5.

註一七 Records of the Relations between Siam and Foreign Countries in the 17th Century. Bangkok. 1915—1921. Vol. I. pp. 6—8. Letter from Cornelis van Nyenrode etc. at Judea to H. Janssen at Patani. Wood, W.A.R. A History of Siam. London. 1926. pp. 160—161.

註一八 Commelin, *op. cit.* 1ste Deel. Kort ende waerachtigh verhael van de tweede Schipvaerd by de Hollanders op Oost-Indien gedaen, onder de Heer Admirael Jacob van Neck. p. 24.

註一九 Aa, Pieter vander, Naaukeurig Versameling der Gedenkwaardigste Reysen na Oost en West-Indien. Leyden. 1707. Dag-Register van Pieter Williamson Floris, na Patane en Siam gedaan in het Jaar 1611, en vervolgens. p. 27.

註二〇 暹羅國風土軍記。卷之一。暹羅國山田氏興亡記。(海表叢書。卷五)

註二一 Valentyn, *op. cit.* III. Deel. Beschryvinge van Siam, en onsen Handel aldaer. pp. 63, 68.

註二二 Originele Generaele Missive uyt Batavia. in dato 6en Sept. 1622 [Kol. Archief 988]

二 暹羅日本町の位置、戸口及び居住形態

暹羅に發達した日本町の位置に就いては、我が暹羅國風土軍記の如きは、暹羅の王城といふは、國都入津の湊より城中へ巡り入川あり、城の外郭には、

町をも構の中へ圍み入、其の外は外國より來る船掛りの宿を借す町屋敷十町あり、日本町も此内三郭ありて尤城外なり(註一)。

と傳へてゐる。卽ち此の傳說によれば、繁榮時代の日本町は、バンコクの北方七十一粁の地點にありて、メナム河 (Menam) 本流に臨める當時の王都アユチャヤ(Ayuthia)の城外にあつたことが判る。然るに、一六九〇年六月(元祿九年)同地に立寄つたドイツ人エンゲルベルト・ケンペル (Engelbert Kaempfer)(註二)や、ルイ十四世の使節として一六八七年九月(貞享四年)にアユチャヤに赴いたド・ラ・ルーベール(de la Loubere)(註三)、一六七三年頃から暹羅交趾支那方面にて活動した同じくフランス人宣敎師ジュアン・ド・クールトウリン(Jean de Courtaulin de Maguellone)(註四)、前述のオランダ人宣敎師フランソア・ファレンタイン(註五)、及びヘーグ國立文書館所藏の未刊メナム河流域圖(註六)などの數種のアユチャヤの古地圖によれば、日本町は何れも同一地點に描かれてゐる。卽ちアユチャヤ王城外南方、メナム河の東岸にあり、日本町の對岸はポルトカル人の町にして、北方一小流を隔て丶オランダ商館隣接し、其の他支那人町、ペグー人町、マレイ人町などの諸國人居留地が、王都の郊外に描かれてゐる。然も現今のアユチャヤの地形と、此等の諸地圖と對

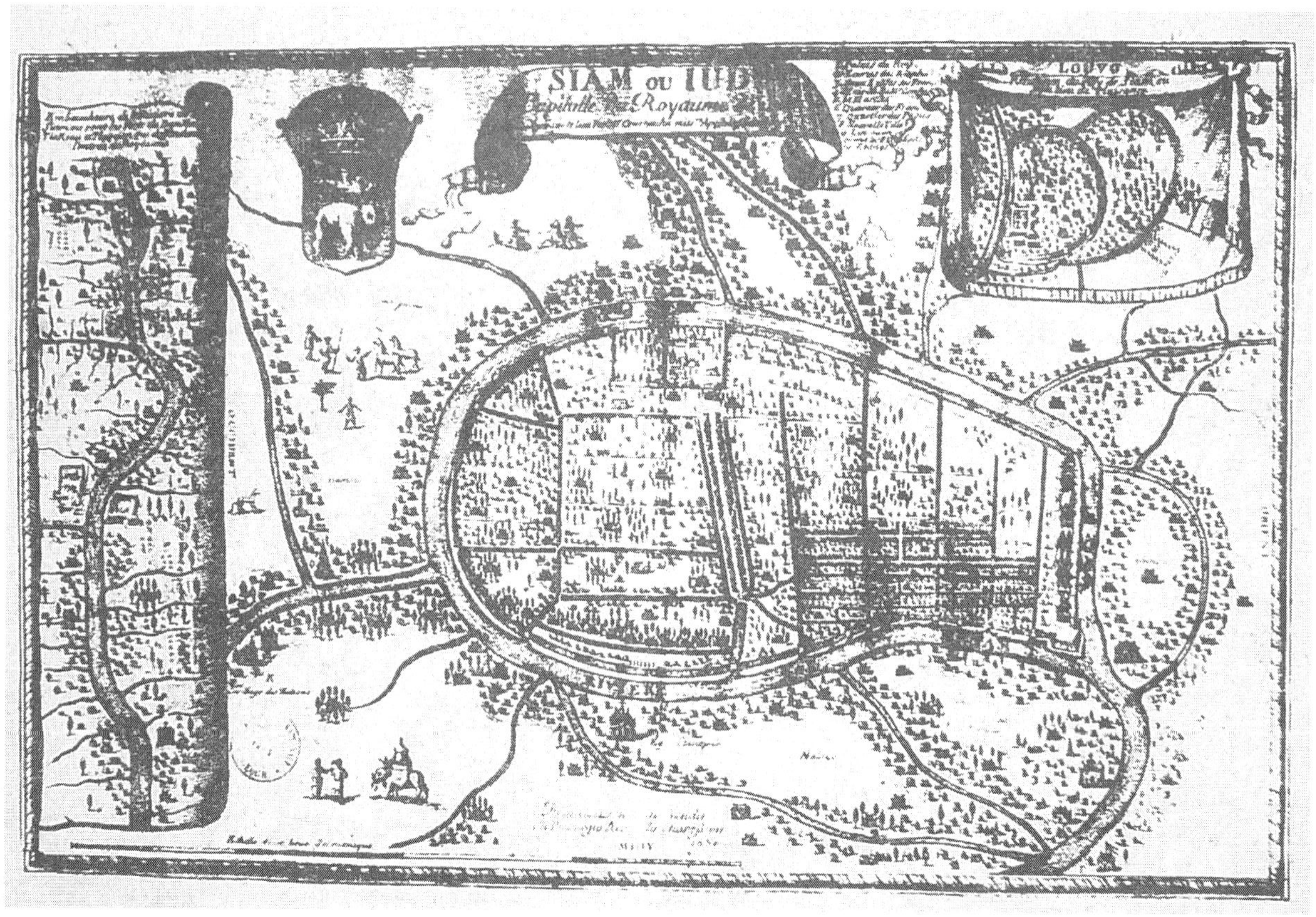

日本町を記せるクールトロリン作アユチヤ圖（一六八五年頃）

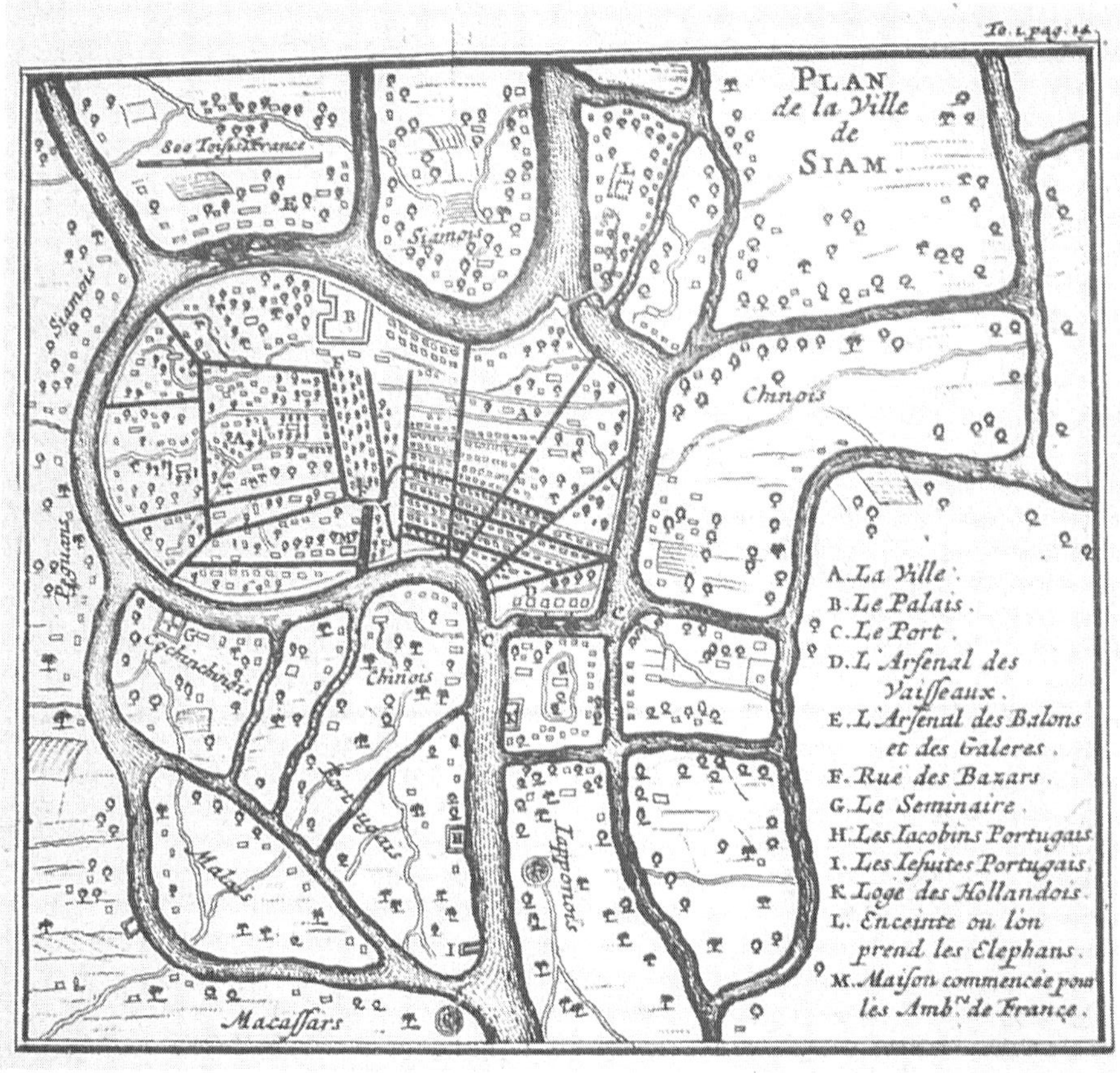

日本町を記せるド・ラ・ルーベール著述挿ニ関記所城アユチヤ圖（一六八七年）

附圖第十

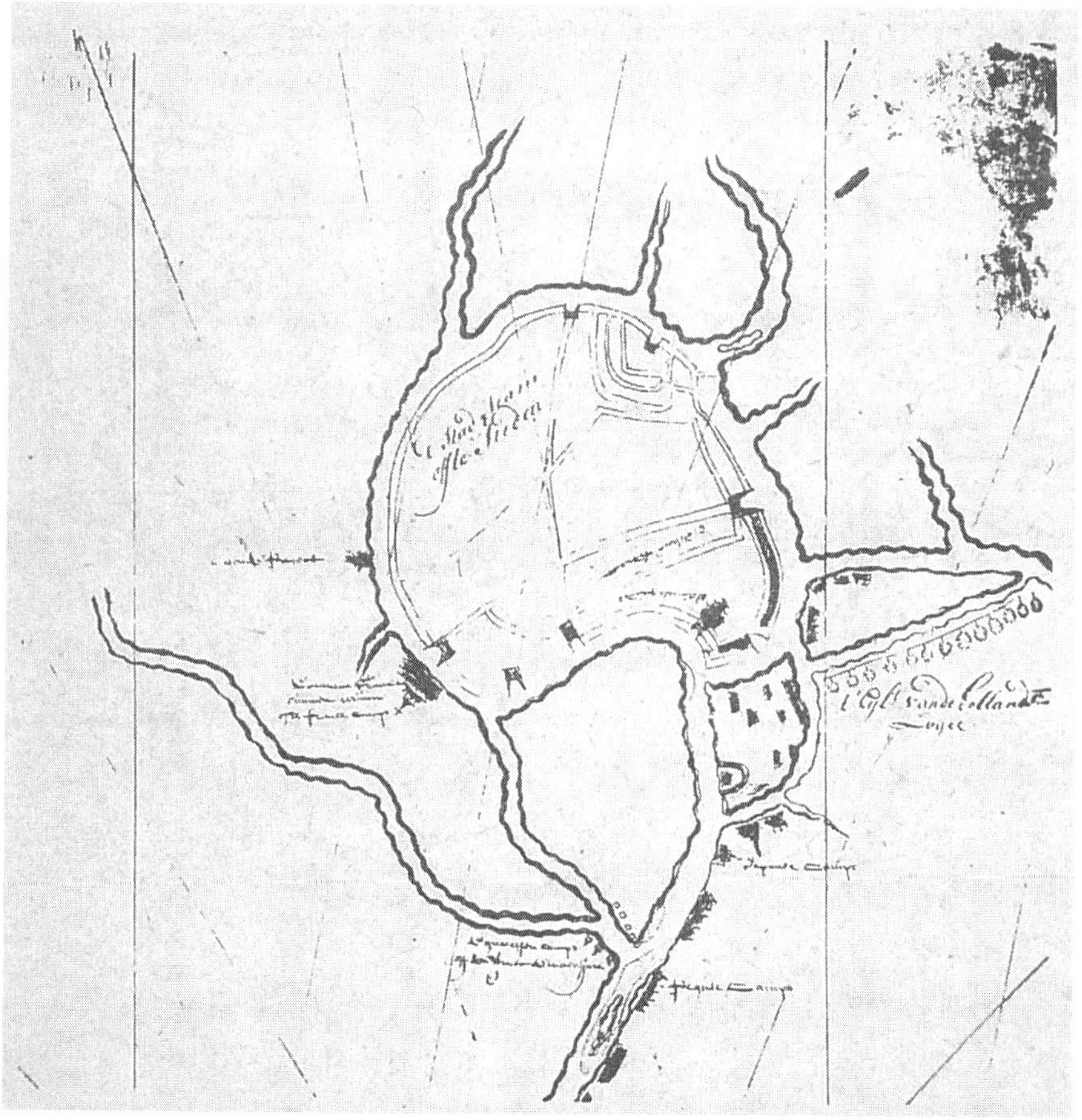

日本町ヲ記セルヘーグ文書館所藏アユタヤ古圖

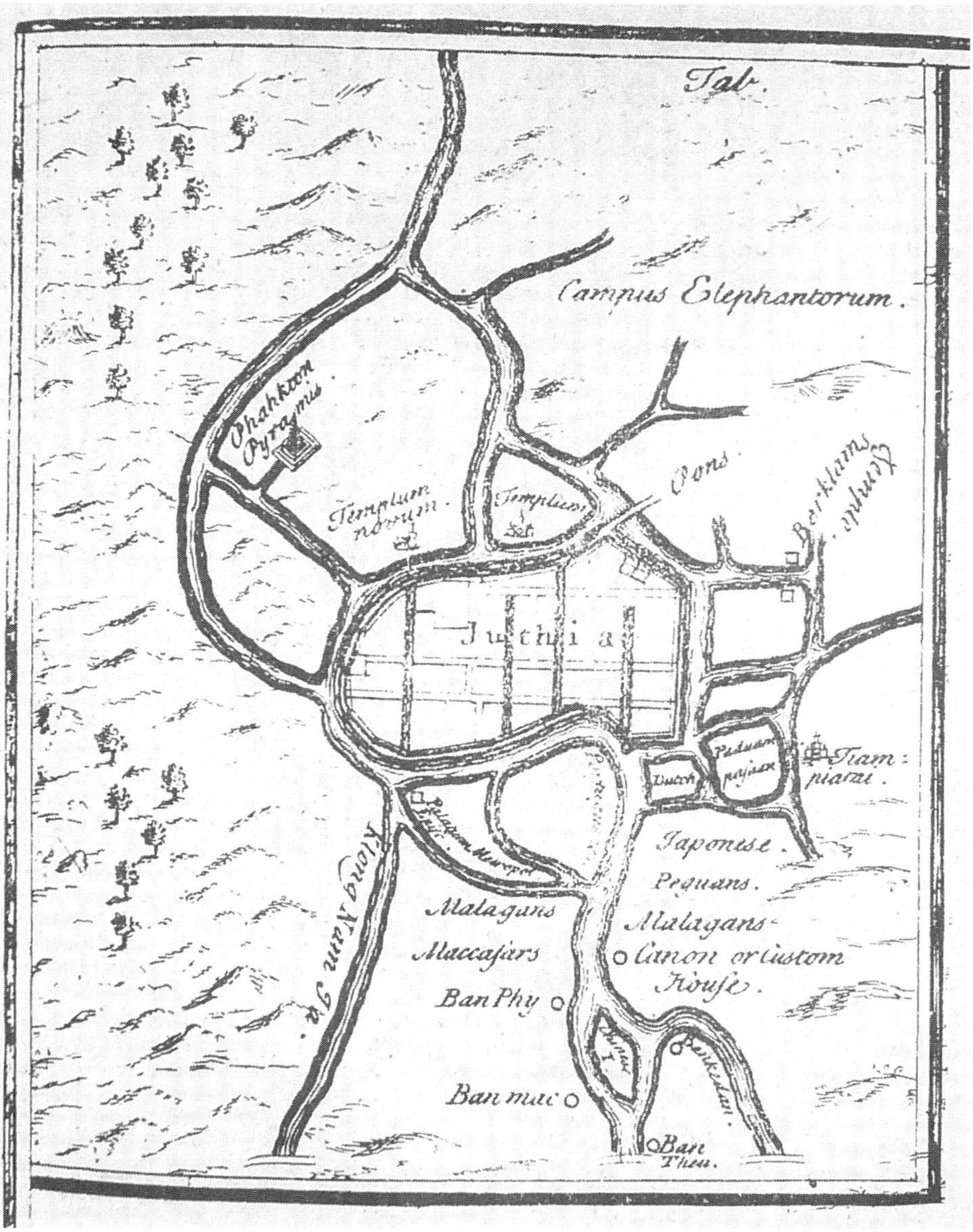

日本町を記せるケンペル著日本史所藏アユチヤ圖（一六九〇年）

附圖第十二

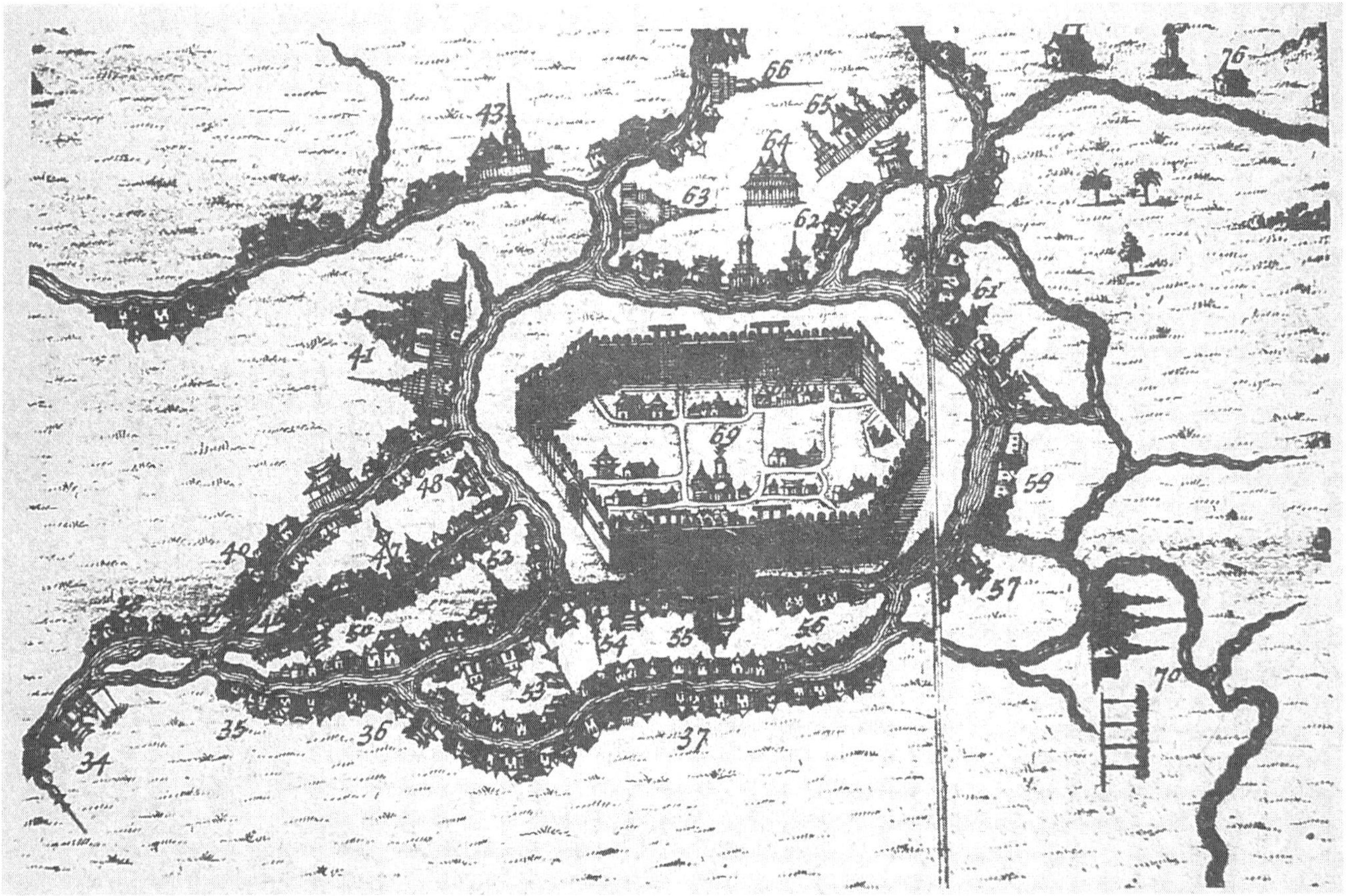

日本町を記せるヴァレンタイン著新舊東印度記所載アユチヤ鳥瞰圖（三六は日本町）（一七二四年）

附圖第十一

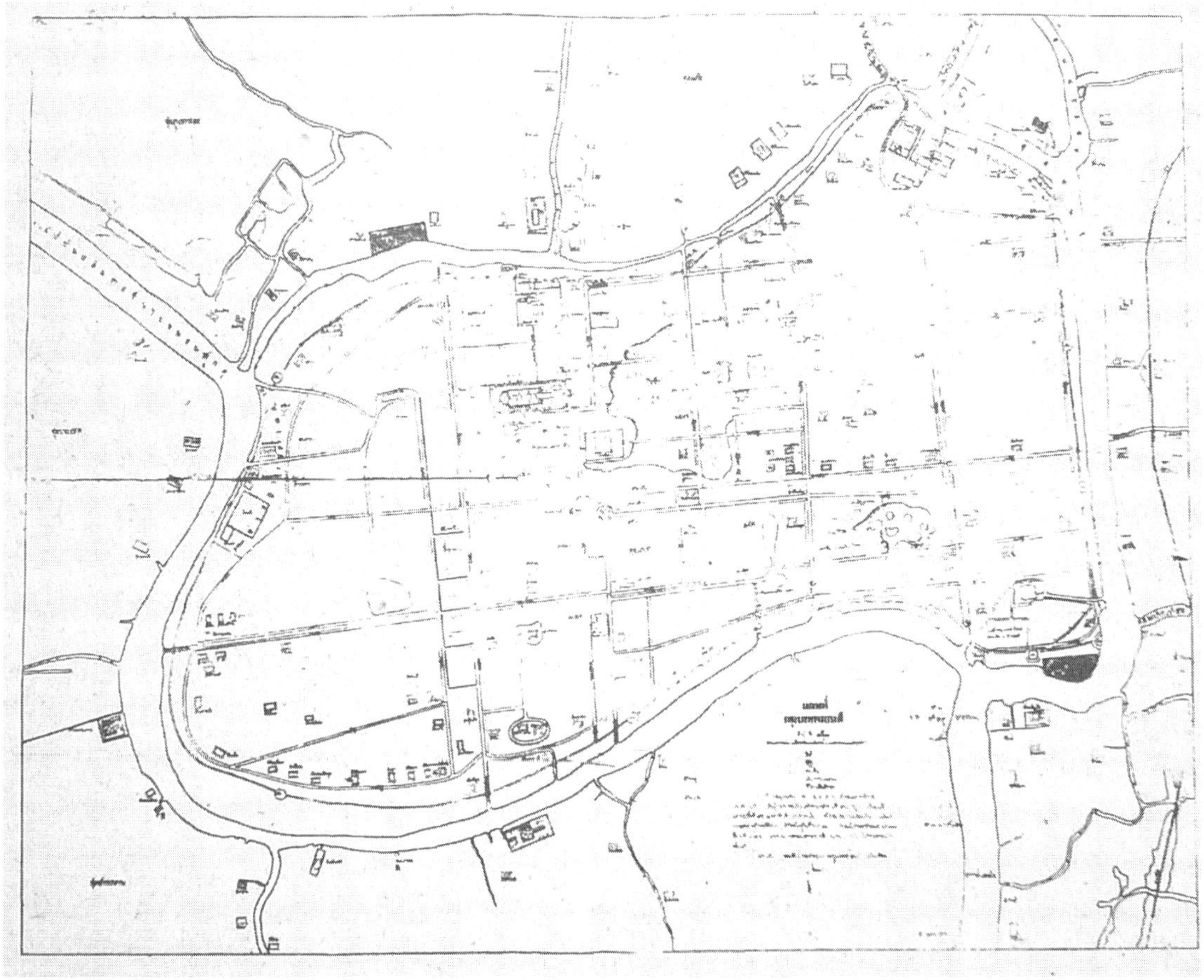

日本人町ヲ含ム十七世紀初頭のアユチヤ現状圖

照するに、二百年を經ても其の間殆ど變動なく、今日アユチャの奈邊に日本町がありしかは、容易に指摘することが出來る。しかし此等の諸地圖は、何れも十七世紀末のアユチャの實狀を記したもので、江戸時代初期に發達して、其の後再三燒失した日本町の、最初からの位置を、直ちに明示せるや否やは、尚若干再考吟味を要すべき問題であらねばならぬ。

さてアユチャ南郊の日本町成立の年次は、未だ的確に決定することは出來ないが、後年の事情より推すも、既に慶長の末年には、在住日本人多數にして、且つ之を統制する日本人頭領も選任せられてゐたから、恐らく其の頃には略〻日本町も成立してゐたのであらう。當時アユチャは南洋に於ける貿易の一中心地にして、支那人、マレイ人等の東洋諸國民やポルトガル人は、既に早くより同地に渡航在住し、後れて此の世紀の始から貿易關係を開いたイギリス人も、一六一二年八月末には國王の允許を得て、オランダ人の反對にも係らず、適當なる敷地に『長さ八尋、幅五尋の三階建の立派な石造家屋を得て』(註七)商館とし、翌年にはオランダ東印度會社の上席商務員ヘンドリック・ブルーエル(Hendrick Brouwer)が日本に渡航の途同地に立寄り、從來假寓してゐた駐在員のために、新に適地を得て其の後永年存續したオランダ商館を確立してゐる(註八)。次いで一六一六年(元和二年)には、『國王は緊急勅令を出して、國民幷に暹羅に貿易に來る諸外國人の日下暹羅に在住して、河岸に居を構へてゐる者に、各自の負擔で、彼等の地區の長さ丈け、河底を更に一尋深く掘下げ、其の地區の前面に岸壁を築かせた』(註九)から、此の頃には、日本人町を始め、諸國民の居留地區も、略整頓して來たのではあるまいか。

然るに此の日本町は、元和八年四月頃に全燒の憂目に遭つたのであつた。即ちオランダ人の報告によれば、

一六二二年四月(元和八年)にジャンク船ヒランド《平戸》(Firando)は暹羅に派遣された。……全日本町('t geheele Japanse quartier)、幷に會社の商館と貨物が燒失したが、或る日本人の家の火の過失によるもので、會社の同地に於ける損失は、七七、五五四グルデン一〇ペニングの額に上つてゐる(註一〇)。

とある。此はアユチャヤ日本町存在の確實なる記事の初見であるが、十年前に設立されたオランダ商館が、日本町に極めて隣接してゐた爲めに、斯く類燒の厄に遭つたのに相違ない。此の日本町成立の頃と相前後して萬暦四十六年(一六一

八年）までに書かれた明の張燮の東西洋考、暹羅、交易の條に

賈舶入港、約三日程、至二第三關一。舟至則偵者、飛報二于王一。又三日至二第二關一。又三日至二佛郎日本關一。所レ至關、輒聽下與二其近地一交易上、不下必《シモ》先詣上レ王也。既至二王城一、以二幣帛橙橘之類一貢レ王。王深居、不レ得レ見。（註一一）

とある。此は外舶が貿易のためメナム河を溯航してアユチャ王城に達するまでの過程を記したのであるが、佛郎日本關は溯航九日目にして達する上流、王城の直前にあつたことを傳へてゐる。然も同書形勝名蹟の條には、

三關、其一爲二程盡所一レ轄。其二爲二本夷所一レ轄。其三爲二佛郎機日本所一レ轄。（註一二）

とあつて、第三關なる佛郎日本關は、佛郎機と日本、即ちポルトガル人と日本人との管轄に屬してゐたのであつた。此の兩記事より推せば、東西洋考の所謂佛郎日本關とは王城の南に近きメナム河の一地點にありて、關所の附近、恐らく兩岸に住せる日本人とポルトガル人とが監視管轄してゐたのではあるまいか。若し此の推定にして誤なくば、當時日本人居留地はメナム河を挾んで、對岸にポルトガル人居留地があつて、先に引用した日本町全燒の記事と相關聯して推究すれば、成立當初の日本町の所在地も、矢張オランダ商館と相近接し、其の

南方河下の同岸にあり、然も其の對岸には、ポルトガル人町もあつて、恰もケンペルやド・ラ・ルーベル等の地圖に明記された十七世紀末の日本町の位置と、同一地點にあつたことが考定出來る樣である。

日本町の家屋に就いては、特に之を記したものもないが、暹羅の一般の民家と同樣に、曾てケンペルやド・ラ・ルーベールも指適し(註一三)、其の後現今に到るも殆ど進化してゐない竹材を主とした粗造な建築であつたと想像される。其の爲に再三火災に遭つてゐる。既に元和八年四月頃に全燒したが、寬永七年山田長政が任地六崑で毒殺されるや、アユチャの日本町も、同年九月二十一日(一六三〇年十月二十六日)、暹羅軍のために、すつかり燒討されて仕舞つた(註一四)。此の頃バタビヤ在住日本人等が貿易のため來航して日本町に滯在してゐたが、船も貨物も暹羅軍に沒收され、同行のオランダ人二名は、辛じて近接せる商館に避難したことがある(註一五)。其の後幾許もなくして日本町は復興再建されて、アントニ・オ・カーン(Antonio Caen)の暹羅太泥渡航記一六三二年九月二十六日の條にも、

二十六日。ファン・レンセン(Van Rensen)とミッデルホーベン(Middelhoven)氏は(書

輸と獻上品とを受取るために帆船に派遣されたが)本朝、書翰を携へて上つて來た。書翰は、河の對岸日本町附近の、俗にアポタップ(Apotap)と呼ぶ大寺院の門前に齎された。(註一六)

と記してあるが、オランダ商館も、一六三三年より四年に亙り、愈〻耐火的な石造家屋が建造された(註一七)。しかし復興日本町は、不幸にも翌年更に大火に見舞はれた。暹羅オランダ商館日記一六三四年三月二十五日(寛永十一年)の條に、

二十五日。此の夜日本人區に恐るべき大火があつて、鹿皮約七千枚とアイネモンネ(aynemmone)種の鮫皮二千枚燒失したが、此等の燒失した皮革は何れも國王のジャンク船を購入した商人等の物にして、彼等は前年も交趾支那にて同樣の不幸に遭遇し、彼等の資本を全く燒いて了つた。(註一八)

と記してある。

斯く再三の災害にも係らず、日本町は直に復興したらしく、暹羅オランダ商館日記一六三七年三月九日(寛永十四年)の條には、館長エレミヤス・ファン・フリート(Jeremias van Vliet)が、『日本町に在る惣右衞門殿(Soyemon donne)と云ふ一日本人の家』を訪問して、鹿皮と鮫皮との買集めを依賴した(註一九)。そして此の日本町も、

依然として最初からの地域に建設された様である。同商館日記一六四四年(正保元年)五月一日、十四日、十五日の條によれば、館長レイニール・ファン・ツム(Reynier van Tzum)は日本町に赴いて、皮革の手入や荷造のため、日本人勞働者の傭入れを交渉し、日本人市兵衛(Itibe)の周旋で、多數の日本人日傭勞働者が、日々河下から河上の商館に出勤し(註二〇)、次いで商館長ヤン・ファン・ライク(Jan van Rijk)が一六六二年十一月三日(寛文二年)アユチヤから溯つた報告によれば、其の頃マカオから來航した二隻のポルトガル船は、日本町とポルトガル人區との際に碇泊してゐるなど(註二一)、日本町、オランダ商館、ポルトガル町の三者の位置が、毫も從前と變動してゐない。そして此の位置が、十七世紀の末、ケンペルやド・ラ・ルーベールの圖の頃まで存續したのであつた。

次に日本町の地域と戸口に就いては、暹羅國風土軍記などの傳説には、

日本町と名付けて一郭を設け、數百軒の町屋造り並て、妻子眷屬を設るが故に、寛永の頃日本人の數八千に過ぎて、暹羅の土地に住居す。(註二二)

とあり、暹邏山田氏興亡記も殆ど同様な筆を運んでゐる(註二三)。ド・ラ・ルーベールの圖などによるも、メナム河の本流と分流とによつて三方を圍繞されてゐる

日本町の地域の廣袤は、略ゝ察することが出來る。其の人口は、前述の如く慶長の末年には、少くとも三、四百人位に達した樣であるが、此の傳說によれば、寛永年中日本町極盛時代には戶數は數百軒、人口は八千と云はれてゐる。ファレンタインも、一六二八年プラ・インタラヂャ王歿後に勃發した王位繼承の紛亂の渦中に投じた日本人數を、六千人と記してはゐるが(註二四)、餘り過大な見積りではあるまいか。曾て同地の、商館長たりしヨースト・スハウテン(Joost Schouten)の記す所によれば、

國王の水陸兩軍の有力なる兵員は、諸侯と國民とより成立つてゐるが、又モール人、マレイ人、其の他少數の外國人も混成してゐる。就中五、六百人の日本人は、最も主なる者にして、周圍の諸國民より、其の男性的信義の評判を得て、特に重んぜられ、暹羅國王からも尊敬されてゐる。(註二五)

とあり、ファン・フリートの手記によれば、

オヤ・セナピモク(Oya Senaphimocq)は、約六百人に及ぶ暹羅王國に仕せる日本人等の隊長である。(註二六)

と記してある。オヤ・セナピモクとは、山田長政が榮達した時の官爵であるが、

歿にファン・フリートは、嚮にファレンタインの述べしプラ・インタラヂャ王の歿後、更に長政が新王の命によつてピペリ(Pijperij)に出征した時に、彼の統率せる軍隊中には、日本兵七、八百人と暹羅兵一萬五千又は二萬人あつたと傳へてゐる(註二七)。卽ち寛永年間山田長政の活躍時代、日本町の最も繁榮せし頃には、暹羅國軍中には日本人兵が八百名位傭聘されてゐたのであつた。然も彼等は當時のポルトガルの年代記家アントニオ・ボカルロ(Antonio Boccarro)の記す所によれば、王侯の護衞兵たると同時に、自由に商賣を爲すことをも許されてゐたから(註二八)、彼等の大多數は恐らく一時的な臨時傭兵にして、平時はアユチヤの日本町の住民として商業貿易に携はつてゐたに違ひない。固より此の外暹羅政府に雇傭關係を持たぬ純然たる日本人商民も日本町に多數在住してゐたことは明かである。而して此の種の海外移民の性質上、彼等の中に多數の獨身者もあつたであらうが、又我傳說にもある如く、彼等の中の他の一半は妻子眷族を抱へてゐた筈なれば、アユチヤ日本町の盛時には、日本人系在住民の總數は一千人以上二千人位に上つたと思はれる。

然るに寛永七年(一六三〇年)山田長政一黨歿落して、軈てアユチヤの日本町は、暹羅軍に掠奪燒討され、在住日本人は一時難を國外に避け、或は隣邦柬埔寨に走り、或は遙かに本國に歸還する者もあつた。バタビヤ城日記一六三一年十二月五日の條に、

昨年國王は、日本人から襲擊されて殺害されんことを怖れて、適當な時期を選び、約四千人を以つて不意に彼等の家を襲ひ、之を殺戮せんと圖つたが、日本人等は此の計畫を聞知して、居留地の前面に繋留せしジャンク船に乘込んで私かに河を下つたので、暹羅人は約百艘の舟に四千人乘込んで河口まで追擊して、却つて暹羅側は忽ち五百人を失つた。日本人等は六崑に入るを得ずして、柬埔寨に向ひ、目下柬埔寨人の援助を得て暹羅と戰はんとしてゐる。之を防ぐために、河口には約百隻の船が備へてある(註二九)。

とあり、同年七月二十八日平戶の商館長から大村在牢のピーテル・ムイゼル(Pieter Muijser)に送つた通信中にも、

オプラのジャンク船も亦非常に遲く暹羅から當地に着いたが、積荷は少しもなく、唯少數の脱出日本人を載せて來て、殘餘は暹羅に於いて殺されたとの報を齎したに過ぎない。併し彼等は辛うじて逃げ延びて餘り同胞を顧みる暇

もなかつたので、確實な事は知らない。因て貴下に詳細を報告することも出來ない(註三〇)。

と記してあるが、ファン・フリートも亦、

六百人の日本人中、六十人乃至七十人は一隻のジャンクに打乘り、(幾多の不幸に遭遇して後)日本に歸還したが、殘餘は或は殺戮され、或は他の地方に走つたので、今後國王は最早日本人兵士を雇傭することも出來ず、又ジャンク船も日本から暹羅に歸つて來ないだらうと一般に考へてゐるのも無理もない(註三一)。

と記してゐる。

併し國王の長政一黨排擊日本町燒討は、彼の野心達成の障害除去の爲にして、必しも全日本人排斥の意圖では無かつた樣である。ファン・フリートは更に、

併し多數人の反感にも係らず、國王陛下は、(日本人の復讐を恐れて)日本人逃竄後幾許もなく、之を呼び還へして、其の數七八十人に及ぶや、彼等の居住地として良好なる地區を下賜し、彼等中の主なる者三名には榮爵を授けて、其の頭領に任じ、國王の一官吏をして監督せしめた(註三二)。

と記してゐるが、前述の如くカーンが一六三二年九月二十六日アユチヤに達した時には、事變後僅に二年足らずして早日本町は復興再建され(註三三)、翌年七月八日商館長スハウテンが平戸に送つた報告中にも、

既に日本に於いても承知の如く、當地には再び多數の日本人等が(其の中幾分は舊住の者もあるが)、國王の裁可を得て居住することは明かである。彼等は鹿皮を取引すると共に、國王陛下も、多數の意見に逆つて、日本人幷に他の外人等と貿易する爲めに其の國土を開放し、日本に於いて行はれてゐる樣に、暹羅の沿海に再びジャンク船が頻繁に出入することを望んでゐる。若し果して然らば此の日本人等は、會社に多大なる障害となるべし(註三四)。

とあり、日本町燒討後兩三年中に、既に同地に於ける日本人排撃の空氣緩和するに連れ、再び彼等の人口が徐々に恢復して來た樣である。

殊に隣邦柬埔寨の國情安定せず、嚮に多數の日本人は同國に逃入したが、今や再び相次いで暹羅に歸住する者もあつた。當時此の方面の布敎に從事せしゼスス會のアントニオ・フランシスコ・カルディム(Antonio Francisco Cardim)は、

二、三年を經て、暹羅の僭王は、柬埔寨に走つて再び彼の國に戻ることを願

出た日本人等を召喚し、彼等の過去を赦し、元の恩惠、自由并に特權を復舊すべきことを令したので、日本人も應諾して暹羅に歸還した(註三四)。

と記し、又暹羅オランダ商館日記一六三三年十一月五日の條には、

當地に來た報知によれば、三、四十人の日本人が妻子と共に二隻の小舟(proe-tiwen)に乘つて柬埔寨から逃れて、河(メナム河)に來たが、國王の許可を得て當地に來住する積りの由である。又他の報道によれば、交趾支那より大ジャンク船一隻來着したが、船中に日本人五、六十人あり、中多數の商人もありて、銀并に他の種々なる商品より成る總額十萬タエルの資本を携へてゐる由である(註三六)。

とあり、隣邦柬埔寨より轉住する者あり、或は交趾支那在住日本人商人が來つて貿易を開始する樣になつたが、次いで江戸幕府の鎖國令發布後に於いても、柬埔寨オランダ商館日記一六三六年十一月十八日の條には、同國の内亂の事を述べて、

前述の若い王子は、數ケ所負傷して後、日本服に身を扮して、日本人百名引連れて暹羅に逃入したが、此の事は先づ國王の耳に入つた(註三七)。

と記され、翌三十七年四月五日の條にも、

日本人幷に其の妻子六家族四十人が暹羅に向つて逃走したことが判明した(註三八)

とあつて、此等の數字を拾つて加算しても、再建後の日本町の人口が、少くとも二、三百人以上に增加したことは明かである。されば固より極盛時の人口の大に比すべくもなく、且つ鎖國によつて母國との聯絡は完全に遮斷されて、爾後母國よりの人員の補充も亦全く斷絶したとは云へ、猶多數の日本人が在住して、長く同地に於いて活動を續けた。

其の後慶安年中(一六四八―五一年)在暹の木谷久左衛門が、父母の年忌供養に暹羅の土産を故郷長崎の緣者に贈り(註三九)、寛文元年(一六六一年)には堺出身の中村彥左衛門も、兩親の追善の爲めに暹羅の佛畫を送つて故郷に其の消息を傳へてゐる(註四〇)。又延寶長崎記によれば、寛文六年(一六六六年)頃、暹羅在住日本人九人の氏名と親族關係が記してある。即ち

木村半左衛門、自註、長崎本大工町木屋久右衛門爲に弟、同平戶町辻萬右衛門爲に緣者、同諏訪町木村五郎左衛門爲に兄。 北島八兵衛、自註、長崎堀町北島平左衛門爲に兄。

徳永長三郎、自註、長崎築町徳永市左衛門爲に伯父。 石橋加兵衛、自註、長崎濱町原作兵衛爲に親類。 三宅次兵衛、自註、長崎本紺屋町鮫屋十

左衛門養子從弟。野中市右衛門、自註、長崎本紺屋町野中助之承伯父。吉原太兵衛、自註、長崎本博多町吉原五郎右衛門爲に從弟。石津伊左衛門、自註、長崎下町石津市郎兵衛爲に伯父、鹿島渡邊四郎兵衛爲に親。次郎兵衛、自註、長崎出町松田吉右衛門女房伯父。(註四一)

とあるが、右の九人は當時暹羅在住全日本人の實數に非して、其の消息が故鄉に判明せし人々の數に違ひない。現に日本町の存在を示す所の前掲クールトゥリン、ルーベール、ケンペル、ファレンタインやヘーグ文書館所藏のアユチャヤの古圖は、何れも十七世紀末葉の作にして、又ルイ十四世の大使ショウモン(le chevalier de Chaumont)に隨つて、一六八五年九月(貞享二年)に渡暹した敎父ギュイ・タシャール(Guy Tachard)の紀行によれば、

大使閣下が暹羅の王都に到着するや、豫て日本人町(Camp des Japonois)の前に住んでゐたコンスタンス氏(Constance)は、閣下の旅舍の近くに彼が所有してゐた立派な邸宅に居を移した(註四二)。

と記してあつて、明かに日本町の存在を傳へてゐる。コンスタンスとは、當時暹羅の宰相に榮進してゐたギリシャ人コンスタンス・フォルコン(Constance Phaulkon)にして、彼の夫人は日本人なりしが、一六八八年(元祿元年勃發した革命に彼が處刑されるや、夫人の母は全家族を連れて日本人甲必丹(Capitano de' Giapponesi)

の許に身を寄せ、夫人も日本人町(Campo de' Giapponesi)に避難してゐる(註四三)。當時鎖國を去ること既に五十餘年に及び、日本人町の住民も亦大いに減少し、且つ純然たる日本人のみでは無かつたかも知れないが、尚も依然として日本人町、或は日本人區とも稱すべき彼等の部落が實在し、然も之が管理統制に携はつてゐたと思はれる日本人甲必丹もゐたのであつた。寶永六年(一七〇九年)に成つた西川如見の增補華夷通商考の暹羅の條に、

此國ニモ日本人渡海ノ時住居セル者ノ子孫、今ニ多有之由。尤唐人モ多居住ス(註四四)

と記すも、亦此の間の消息を仄に傳へたものである。

註一　暹羅國風土軍記、三三頁

註二　Kaempfer. Engelbert, The History of Japan, Together with a Description of the Kingdom of Siam. Glasgow. 1906. Vol. I. pp. 43, 77.

註三　Loubere, De la. Du Royaume de Siam. Amsterdam. 1691. Tom. I. pp. 6, 14.

註四　Courtaulin, Siam ou Iudia Capitalle du Royaume de Siam Dessignée sur le lieu Par Mr. Courtaulin miss e Apostolique de la Chine. Paris.

註五　Valentijn., *op. cit.* III. Deel. Beschryving van Siam. p. 61.

註六　Kaart van de Rivier van Siam, van de Zee tot aan de Stad Siam ofte Judea. 〔Leupe. n. 267〕本圖は淡彩にして、日本紙に記した長大な地圖である。年題は單に十七世紀と推定してあるに過ぎないが、圖中『侍町卽ち虐殺されたマカッサル人の町』と記し、又『フランス町』をも記せることによつて、一六八七年八月マカッサル人の謀叛平定後より、翌一六八八年五月宰相フアウルコン（Phaulkon）が處刑されてフランス人が退縮を引上げしより以前に描かれた圖と推定される。

註七　Records of …… Sima., *op. cit.* Vol. I. p. 28. Letter from Adam Denton to the East India Company. Patani, 5 th October 1614.

註八　De Jong. Overzigt der betrekkingen van de Nederlandsch Oost-Indische Compagnie met Siam. (Tydschrift voor Indische Taal Land-en Volkenkunde Deel XIII.) p. 412.

註九　Records of Siam. *op. cit.* p. 60. A Court of Merchants held in Siam this 10 th of April anno 1610.

註一〇　Originaele Missive van J. P. Coen uyt het Ship Mauritius voor St. Helena aende Camer Amsterdam. in dato 20 Juny 1623. 〔Kol. Arch. 989〕

Colenbrander, H.T. Jan Pietersz. Coen bescheiden omtrent zyn Bedrijf in Indie. s-Gravenhage. 1919—1923. Vol. I. p. 771.

註一一　東西洋考。卷之二、暹羅、交易。

註一二　同書。卷之二、暹羅、形勝名蹟。

註一三　Kaempfer., *op. cit.* Vol. I. pp. 49—50, 53.

Loubere., *op. cit.* Tom. I. pp. 86—87.

註一四　Van Vliet., Jeremias, Historiael verhael der sieckte ende dood van Pra Interva Tsiea 22en Coninck in Siam … Item hoe den regheerenden Coninck Pra Onghsry … de Croone looslijk geuzurpeert ende zichselve in verscheyden saecken nopende de regeringe des Ryck gedaan heeft. Judia. Dec. 31, 1640. [Kol. Aanwinst] fol. 125—126.

註一五 Instructie voor den Commys. Joost Schouten geordin=opp.e hoofd in Siam, Jeremias van Vliet onder coop= & synen dadelycksen Raet waer naer hum in Siam sullen hebben te Reguleeren. 9 April 1633 [Kol. Arch. 1019]

Rapport door den Coopman Joost Schouten aen den Generael en Raeden van Indien overgegeven in dato 25 April. 1635 [Kol. Arch. 1030]

註一六 Tiele, P. A. & Heeres, J. E. Bouwstoffen voor de Geschiedenis der Nederlandrs in der Maleischen Archipel. 's-Gravenhage. 1886–1895. Vol II. p. 222.

註一七 Valentijn., *op. cit.* III Deel. Beschrijving van Siam. pp. 73, 76.

Dagh-Register vant Casteel Batavia. *op. cit.* A 1644. 14 mei.

註一八 Copie Daghregister gehouden by d E. Jeremias van Vliet in Siam sedert 4 en February 1634 tot 15 Juny 1634 [Kol. Arch. 1530]

註一九 Daghregister van 't Compton. Siam door Jeremias van Vliet van 2 Maert tot 31 October. 1637 [Kol. Arch. 1035]

註二〇 Copie Journaelse aenteeckeningh van 't Comptoir Siam door Reynier van Tzum sedert 15e January tot 8 September 1644 [Kol. Arch. 1057]

註二一 Copie Rapport door den Coopman Jan van Ryck aen haer Ed. tot Batt.a overgelevert in dato den

3en November 1662. [Kol. Arch. 1130]

註二二　暹羅國風土軍記。一〇頁。

註二三　暹邏國山田氏興亡記。一一二頁。

註二四　Valentyn., *op. cit.* III Deel. Beschrijving van Siam. p. 88.

註二五　Schouten. Joost, Beschrijvinge van de Regeeringe, Macht, Religie, Costuymen, Trafficquen, ende andere aemaercquable Saecken, des Conninghryeks Siam. Gestelt in den Jaere 1636. [Commelin, Begin ende Voortgangh. II. Deel.] p. 209.

註二六　Van Vliet. Historiael Verhael. *op. cit.* fol. 92.

註二七　*ibid.* fol. 97—98

註二八　Boccairo. Antonio, Decada 13 da Historia Da India. [Collecção de Monumentos Ineditos para Historia das Conquistas das Portugaezes em Africa, Asia, e America. Tom VI] Lisboa. 1876. Capitulo CXIX. p. 528.

註二九　Dagh-Register int' Casteel Batavia. *op. cit.* Anno 1631. 5 December.

註三〇　Copie Missive aen Pieter Muyser en d'andere Vrienden. Actum opt Comptoir Firando desen 28en July 1631. [Verzendene Brieven. Kol. Archief.]

註三一　Van Vliet, Jeremias. Beschrijving van het Koningrijk Siam. Leiden. 1692. p. 45.

註三二　*ibid.* p. 45.

註三三　Tiele. Bouwstoffen. *op. cit.* Vol II. p. 222.

註三四　Copie Missive van Joost Schouten uyt Siam naer Japan in dato 8 July 1633 [Kol, Archief 1025]

註三五　Cardim, Batalhas. *op. cit.* p. 289.

註三六　Extract uyt de Journaelse aenteyckeninge vant Comptoire Siam van 10 April tot 6 Nov. 1633 [Kol. Archief 1021]

註三七　Journael ofte de voornaemste geschiedenisse in Cambodia, door Jan Dircz. Gaelen. *op. cit.* 18 Nov. 1636.

註三八　*ibid.* 5 April 1637.

註三九　西川如見、長崎夜話草、二之卷。暹羅より千部經志願之事。

通航一覽、卷之二百六十七（刊本、第六、五二八頁）に木谷某を久左衞門に比定せし說に暫く從ふ。

註四〇　釋尊降魔成道圖表書（堺、正法寺所藏）（堺市史、第四編、第一資料編、七八一八〇頁）。

註四一　通航一覽、卷之百七十。（刊本、第四。四七一―二頁）。此の書上の年代が延寶年中に非して、寬文六年なるべきことは、拙稿、バタビヤ移住日本人の活動（史學雜誌、四六ノ一二）七一頁に考定した。

註四二　Tachard, Guy. Voyage de Siam des Peres Jesvites, Envoyéy par le Roy, aux Indes & à le Chine. Amsterdam. 1687. p. 207.

註四三　Blanc, P. Marcello le, Istoria della Rivolvzione del Regno di Siam occaduta l'anno 1688. E dello stato presente dell'Indie. Milano. 1695. pp. 145, 193—194.

註四四　西川如見、華夷通商考。卷之三。

三　暹羅日本町の行政

暹羅在住日本人の統制や、日本町の行政樣式に就いて、之を適確に記したものは無い樣であるが、諸記錄文書中に散見する斷片的な記事によつて、略〻如何なる形態を採りしかは推究することが出來る。

元和二年四月一日(一六一六年)暹羅の大官握雅・大庫(Okya Phra-klang)から前田利常に送つた書翰中に、當時城井久右衛門なるものが、暹羅に於いて大いに拔擢されたことが記してあるが、文書によれば、久右衛門の暹羅に於ける身分、地位及び職掌が略〻推察出來る。彼は其の頃既に暹羅に在住すること久しく、暹羅の法制習俗に通じ、在暹日本人を統率して國王に奉仕し、且つ外來商人等の取締監督の任にあつて、坤・惇・薩都慶(Khun Sun Sattoroun)なる官爵名を得て國王の恩寵扶養を受けてゐたのであつた(註一)。斯くして既に當時日本人中には、在住自國人を代表して之を統率してゐた者があつたことが判明する。

其の後元和七年八月(一六二一年)暹羅國王から將軍に送つた書翰中にも、

歷來　貴國商船繼至。而優郵之、勝我赤子也。當諭該司、溥濟之、毋滯難之。愿留者、擢首以總之、名坤・采耶・惇、用導新舊來販等利便。(註二)

なる一句がある。即ち數年來日本の商船絶えず、國王は之を優遇すること國人にも過ぎ、王は更に官吏に命じて之が便益を計らしめると共に、更に在留日本人の一人を拔擢して、之が頭領となし、位階第四階に敍し、坤・采耶・惇(Khun Chaya Sun)と名付け、新來又は在來日本人を統べて、其の利便を計らしめることを述べたものである。坤・采耶・惇とは此頃漸く頭格を顯はして來た山田長政にして、嚮に掲げた元和二年四月一日附の暹羅書翰中、城井久右衞門に就いて述べた所と、前後符節を合せたる如く、暹羅に於ける兩人の身分職掌を全く等しくしてゐる。兩書翰に據つて見れば、夫々其の頃に、兩人は在留日本人を代表統率してゐたのである。

以上の述べし所によつて、在留日本人統制の狀態を稍々漠然と知り得たが、西洋人の記述は、一層具體的である。かのファレンタインは王都アユチャの各國人居留地の狀態に關して次の樣に述べてゐる。

又同地には色々な國人が居る。(後年になると其の數四十種にも上つた。)何れも各自の居留地を持つてゐる。依つて當地には、暹羅人、ペグー人、支那人、マカッサル人、日本人、マレイ人、交趾支那人、柬埔寨人、及びオランダ人等が、此の都の内外、夫々獨自の場所、卽ち地域に在りて、彼等自身の一頭長(hoofd)の下に暮してゐる(註三)。

卽ち、主として王都アユチャの城外に設立された日本町などの諸國人居留地は、建設の初頃から、夫々彼等自身の頭領の統制下にあつた樣であるが、未だその統治形態に就いて記す所は、餘り明かでない。然るに一六八一年渡暹して五年間同地で活動したフランス人宣教師ニコラス・ジェルベイズ(Nicolas Gervaise)の記す所によれば、

日本人、東京人、交趾支那人及び東埔寨人等も亦各〻此地《アユチヤ》に殖民區を有し、在留民が國王の承認を得て自國民中から選任した一人の頭領(un Chef)の下に生活し、頭領は自國の形式に從つて在留民を統治す(註四)。

と云ふことであるから、彼の記す日本町統治の樣式や頭領の權限は、ファレンタインの記述に比すれば、遙に明確にして、其處には治外法權的な行政の存在せしことを暗示してゐる。ド・ラ・ルーベールは、更に此の諸國民居留地の統治に對する暹羅國政府との關係に就いて、

各國人毎に各自の居留地を有してゐる。市外に在つて、城外の場末町をなしてゐる此の居留地のことを、ポルトガル人はキャンプ(Camp)と云ひ、暹羅人

はバン(Ban)と呼んでゐる。各國人毎に夫々其の頭領(son Chef)を戴いてゐるが、暹羅人は之をナイ(Nai)と云ふ。そして此の頭領は、各自管轄の居留民の事項に關しては、暹羅國王が特に任命し、我々が其の國民のマンダリン(Mandarin)と呼んでゐる官吏と共に事を決する。しかし少し重大なる事件は、此の官吏に決裁する權限なく、バルカロン(Balcalon)に之を移管する(註五)。

と述べてゐる。バルカロンとは、暹羅の財務、貿易、外務を總轄する長官又は大臣とも云ふべき顕職である。ドラ・ルーベール等の此の記事は、彼の暹羅に使した一六八七年頃の事情を傳へたものではあるが、恐らく日本町成立より、其の衰滅に至る頃まで、斯くの如き統治形態を採つたと思はれる。而してファン・フリートの暹羅土國記には、在留外人居住地の行政に干與した此等の暹羅人官吏を、次の様に列擧してゐる。

亦、外來の居留民は次の様に分屬してゐる。即ちペギュー人はオヤ・プレチップ(Oya Poeletip)の下に、老檛人はオヤ・アワン(Oya Awangh)の下に、日本人はオヤ・ピチャソンクラム(Oya Pitsjasonceram)の下に、支那人はオプラー・シソンバット(Opraas Sysombat)及びトンスイ(Thong'suy)の下に、マレイ人はオプラー・アラクス・

アマーネ(Opraa Alaks Amane)の下に、ポルトガル人はオプラー・ライ・モンツリー(Opraa Ray Montry)の下に屬してゐる。此等の官吏は、其の管轄する居留民から利益を收める機會を決して逃さなかつた(註六)。

卽ち暹羅の日本町は、在住日本人の利益を代表する爲め、彼等の中から特に選任した頭領が、日本的な習慣法令に依つて統制し、國王の任命した暹羅官吏が、其の上に在つて之に關與し、重要事項のみは、更に財務外務長官の決裁指令を受けたのである。要するに日本町は、條件付きな一種の治外法權を有した所の自治的な居留地であつたと見ねばなるまい。

次に日本町頭領の員數に就いて前揭ファレンタイン、ジェルベイズ及びド・ラ・ルーベール等は、何れも之を單數にて表してゐる。卽ち一時に唯一人選任された樣に記し、又現に我が記錄によるも、頭領と覺しき久右衛門や長政等が、相繼いで其の任に上つた樣である。然るに、長政歿後幾許もなくして日本町を再建せんとするに當り、頭領の選任に關して、ファン・フリートは、

併し多數人の反感にも係らず、國王陛下は、(日本人の復讐を恐れて)日本人逃竄後幾許もなく、之を呼び還へして、其の數七八十人に及ぶや、彼等の居住

地として良好の地區を下賜し、彼等中の主なる者三名には榮爵を授けて、其の頭領に任じ、國王の一官吏をして監督せしめた(註七)。

と述べ、ファレンタインも略〻同様なる事を傳へて、其の員數も亦三名と記してはゐるが(註八)、其の後歴任した日本町の頭領の實數に徴すれば、兩人の記述にも係らず、常に一時に二名であつた様に思はれる。暹羅オランダ商館日記の一六三三年六月五日及び九月十三日の條には、

當地に於ける日本人等の頭領等(Oversten der Japanders)なる太右衛門殿(Tayemond^{ne})と廣助殿(Frosked^{ne})(註九)。

とて、頭領二人の名を列擧してゐる。しかし、此の記述では、頭領なる語は複數形にして、偶〻問題となれる兩人の名を列記した丈て、或は他にも頭領の在任せる者無きやを疑はしめるが、同商館日記一六三七年四月十四日の條には

太右衛門(日本人等の二人の頭領等の一人である)(註一〇)。

と明記し、翌十五日の條には、

廣助殿(日本人等の第二の頭領)(註一一)。

と記してある。日記の前掲二句によれば、日本人の頭領は、明かに一時に唯〻二

人のみ任任し、而も二人の頭領の間には、第一と第二、又は正副の順位があつたと解せねばならぬ。次いで同商館日記の一六四四年二月二十八日と三月二十六日の條にも、夫々

日本人頭領等の一人半左衛門、別名喜太郎殿 (Hanseymon alias Kitterrodonne)

日本人頭領等の一人アントニイ、別名善右衛門、卽ちオロアン・スレチイト (Anthony alias Zenemon ofte Oloangh Souretijt)(註一二)。

と記して、二名の頭領の在任を傳へ、此の前後二三十年間の日記や文書を搜索しても、二名の頭領在任以外の事實に遭遇しない。

日本町頭領の身分地位に就いて、ファン・フリートは『彼等中の主なる者三名には榮爵を授けて其の頭領に任じ』と記してゐるが、現に頭領城井久右衛門は、一六一六年頃には、同國の位階第四位なる坤・惇・薩都屢(Khun Sun Sattoron)にあり、次いで一七年には第三位鑾(Oluang)に昇敍し(註一三)、山田長政も一六二一年には第四階坤・釆耶・惇(Khun Chaija Sun)なりしが、次第に累進して晩年には終に第一階握雅・司膿那毘目(Okya Senaphimuk)に昇つてゐる(註一四)。又前揭頭領の一人アントニイ・善右衛門は、第三階オロアン・スレリイト(Oloangh Soureriit)の位にあつたが、同商

館日記一六四四年二月六日の條には、

喜太郎、別名半左衞門殿卽ちオロアン・スレリット (Kitterro alias (ロ) Banseymondonne ofte Oloangh Sourerjt)。(註一五)

と記してあつて、頭領半左衞門も善右衞門と同樣な身分の樣であるが、一六四五年三月十六日に、王命によつて外務長官大庫(Bercquelangh)が蘭領東印度總督に發した書信中に

國王に勤へて、刀俸を受けてゐる日本人の頭領の一人オロアン・スレリットは、國王に、種々の商品を積載して交趾支那に航する爲め、長さ十七尋、幅三尋半のジャンク船を仕立てることを乞ひて許された(註一六)。

とあつて、固より當然の事であるが、日本町の頭領は、國王より榮爵を授けられると同時に、一種の俸祿に與つてゐた樣に思はれる。かの城井久右衞門を『坤・惇・薩都蹔、集㆓一班人㆒、願㆑留㆓敝國㆒效勞、王以㆓通好之誼㆒、恩養備至。』(註一七)と云ふのも、亦國王からの俸祿給與などを指したに違ひない。

さて代々の日本町頭領の諸記錄に散見する者を拾つて、彼等の在任推定期間を列記し、幷せて其の略歷を左に附載しよう。

(氏名)	(官爵)	(在職期間)
――純廣	オクプラ?	一六〇九―一二年(慶長一四年―同一七年)
城井久右衛門	(コン・ソン・サットルー オロアン・ソン・サノトル)	一六一六―二〇年(元和二年―同六年)
山田長政	(コン・チヤイヤ・スン オクヤ・セナヒムク)	一六二〇―三〇年(同六年―寛永七年)
絲屋太右衛門	――	一六三三―四二年(寛永一〇年―同一九年)
平松廣助	――	同上―〃(〃〃―〃〃)
木村半左衛門	オロアン・スレリット	一六四二―七一年(同一九年―寛文一一年)
アントニイ・善右衛門	オロアン・スレリット	同上―?(〃〃―?・)
某		一六八八年前後(元祿元年)

I　**握浮哪純廣**。彼の經歷は殆ど明かでない。僅に因幡の領主龜井武藏守茲矩との交渉によつて、漠然と彼の暹羅に於ける地位活動の一端を推知し得るのみである。茲矩は、島津、加藤、鍋島、細川、五島、松浦、山口氏等と齊しく、此の頃海外貿易に手を染めた諸侯の一人であつたが、異國御朱印帳によれば、

彼は、

慶長十二年八月　十五日　西洋

同　十四年八月二十五日　暹羅

同　十五年八月二十二日　暹羅

の御朱印狀三通を受けてゐる。然るに玆矩が卯月十四日に長崎駐在の手代鹽五郎太夫に宛てた書面中に、

一　しやむろへの舟、能順風に出申のよし、司備世樣より預御狀候。珍重ゝ。

……………

來春、呂宋への御朱印の事、本上州御約束候。殊學校樣當年より御筆者にてゝ。……………(註一八)

とあつて、彼が暹羅派遣船の無事出帆を喜び、且つ明年の呂宋渡航船御朱印狀下附を本多正純が約束せしことなどを報じたもので、既に川島元次郎氏も考證せし如く、文中『學校樣(圓光寺元佶)當年より御筆者にて候。』とある一句に依つて、此の書狀の日附は慶長十三年四月十四日なることは明かである(註一九)。從つて玆矩の暹羅派遣船の出帆は、慶長十二年の末か、遲くとも翌十三年の始頃の季節風に依つたものと推定出來るが、尙玆矩は更に此の頃暹羅渡航船の出帆に當つて、十七ケ條に亙る長文の貿易指令書を使臣に送つてゐる。乃ち其の數條を拾へば、

一　上様御用之物、注文取申候間、相調候而可有歸朝候。

一　御鐵砲ハ無御誂候事。

一　御朱印下申候。能仕候而彼地にて可被見候。

一　しやむろニ鹽消稀ニ候とハ申候へ共、彌三(木屋カ)右衛門御請を申候而買候而上候ハんと申候。定而有之物ニて候間、精を入候而、鹽消三千斤ほとかひ可申候。爰元ハ百六十目一斤か二匁二分ほと仕候。

一　爰元ゟ過分ニやくそく候ハ、我等ニも千斤ほとかひて可有歸朝候。乍去、別の物ニ、利さん用候てかひ可被申候。

一　上様鹽消ハ二千斤成共可被買候。

一　五左衛門かひ申候金子ニ、にせ候間、よく見候て可被買候。おつぶり・ちりきをたのみ、よく見候てかひ可申候。道具につかひ申候金にも、にせ可有之候。念を可被入候。

以上

八月十四日　[朱印]　　玆矩(花押)

鍛冶屋彌右衛門殿

村尾十兵衛殿

一　此まへ如書付、かひ物不可有油斷候。以上
一　上様ゟ志やむろ王へ、御鐵炮廿丁被遣候間、可被渡候。大阪ゟ可下候。
　以上（註二〇）

とあるが、此より先、慶長十一年四月暹羅國重臣より島津家久に書を送り（註二一）、同年九月には、家康より始めて暹羅國王に書翰と贈物とを贈り、次いで十三年十月十日に本多正純は、家康の命を承けて、更に國王に書を呈して鐵炮と鹽硝とを求め、翌々十五年七月にも家康正純の兩人は、重ねて書を送り其の船載を促すと同時に、彼の國王に鐵炮五十梃を贈つてゐる（註二二）。しかし貿易指令書には、明かに『御鐵炮は無御誂候事』とあり、其の末尾に『上様ゟしやむろ王へ、御鐵炮廿丁被遣候』ともあるから、玆矩が慶長十四年八月廿五日初めて暹羅渡航船の御朱印狀を得た時認めたものと思はれる。又文中にも、『御朱印下申候』と記してあり、御朱印狀の日附八月廿五日も、指令書の八月十四日と極めて接近した日時てある。尙書中には、上様の命により、且つ玆矩自身の所用の爲め、鹽硝の大量買付を行はせる外、水牛角、犀角、麝香、孔雀、猫、藥入の購入を命じてゐる。

然るに又、暹羅在住の握浮哪純廣より年次未詳三月三日附の書狀が二通ある。

其の一通は、

乍恐書中に而申上候、從御所樣、爰元屋形樣え鐵炮二十挺被進候。則拙子手前より上申候處に、事の外被御滿足、忝由被仰候。隨而爲御返禮、鉛千斤被進事に候。則被成御上候而、可被下候。御奉行樣達へも、御披露奉賴之外非他候。萬事來年可申上候條、不能多筆候。恐惶謹言。

三月三日㊞　　握浮哪

進上　　純廣(花押)

龜井武藏守樣　　(註二三)

とある。先に玆矩から鍛冶屋彌右衛門に下した指令書の追而書には、『上樣ゟしやむろ王へ、鐵炮廿丁被遣候間、可被渡候』とあり、今本書には『從御所樣、爰許屋形樣へ、銕炮二十挺被進候。則拙子手前より上申候處に、事外被成御滿足、忝由被仰候』とあつて、彌右衛門は無事暹羅に渡航し、家康より暹羅國王に贈つた鐵炮二十挺は、在住日本人の頭領と覺しき握浮哪純廣の手を經て獻納したことを報じたものである。されば純廣の書翰は、玆矩の指令書に相關聯するものにして、一を慶長十四年八月十四日とすれば、本書は彌右衛門等が獻上の手續を終り、其の歸航に當り託せしものにして、翌十五年三月三日附の書翰に違ひない。更に純廣の第二の書翰によれば、

追而申上候。八拾萬斤船不成候間、先々小船に而御座候へ共、買候て進上申候。爰許にては、是程の船、今程無之候。一段能舟に而御座候。爰元河内にて一之船にて御座候ゆへ、小舟にて候へ共買候而、進上申候。則來秋は早々此地へ可被遣候。隨分御馳走可申上候。以上。

去冬、尊札被下、殊御懇志之段、畏拜受候。將亦八拾萬斤船之事被仰越候。則隨分肝煎候處に、從屋形樣唐之被遣候故、不罷成候而、不及是非候。其方より爰許屋形へ、御上被成候進物共、拙子前より慥に、屋形樣へ上申候へば、每度進物共、被遣之候て、事外御懇之樣子に而御座候、則御船は、每年此の地へ被遣候へ、御馳走可被成由に候。隨而從屋形樣船一艘被遣候へ共、餘小船に而候故、かぴたん衆も不入被申候に付、則屋形樣へ、もどし申候へば、亦爲御返禮、蘇木三千斤、鉛五百斤被進候。幷鉛千斤被遣候。是は從御所樣、鐵炮二十梃被進候。此爲御返禮、鉛千斤被遣候。其元奉賴候。右梶屋彌右衛

門殿え慥渡申候。御船に付、御馳走申上候事は、ちやう、すはう兩人、御申上可有候際、不能仔細候。恐惶謹言

三月三日㊞　握浮哪

進上　純廣(花押)

龜井武藏守様　(註二四)

とあり、文中『從御所様、鐵炮二十梃被進候。此爲御返禮、鉛千斤被遣候條、其元本賴候』とある一句も、前年茲矩が彌右衛門に與へた指令と相關聯するものにして、本書も亦前書と同年月同日附のものである。然も文中に『右梶屋彌右衛門尉殿へ慥渡申候』とあるが、是は指令中の鍛冶屋彌右衛門と同一人なる可きことは更に疑ひなき所である。

さて右の二通の書翰により、握浮哪純廣なる人物は、茲矩と何等かの舊緣ありしもの丶如く、彼は暹羅國王に對する家康の贈物、茲矩の獻上品、暹羅國王より兩人に對する返禮品の贈答の仲介を爲し、更に尙茲矩の依賴により暹羅に於いて八十萬斤の貿易船入手の斡旋をしてゐるが、同國に於ける彼の地位如何は略〻推察し得る樣である。

さて純廣の身分を兩書翰には共に『握浮哪』と記してあるが、異國日記に屢〻採錄してある暹羅國大官の書翰にも、亦彼等の身分を表はすに此の文字を用ひ、サトー氏は之を Ok Phra, Ok-Phrayah と對譯し(註二五)、東西洋考では暹羅の官制の條に、

官制凡九等、一曰握啞往、二曰握步刺(註二六)。

とあり、握步刺なる同音異字を以て充てゝゐる。而して握浮哪とは洋考にも記せる如く、暹羅に於ける位階中、上位より第二階に位するものにして、最高の Okya に次ぐものであるが、ファン・フリートの暹羅王國記によれば、

位階は段階によつて順次昇敍する。卽ち Opans, Omans, Ockans, Olaanhs, Opraas より Oyas に至るが、後者は最高の名にして且つ最高の稱號である(註二七)。

とあり、Opraas と稱してゐるが、ケンペルも亦、

宮廷の尊號は次の順序による。一、Peja と Oja とは王侯の如きものにして、二、Opera は、宮廷幷に國內に約四十名あり、領主又は男爵の如きものである(註二八)。

と云ひ、Opera なる對譯を與へてゐる。何れにしても暹羅に於ける第二階の高

位を指せることは、斯く東西の記錄の一致する所である。郡司氏も純廣が此の高位に在つたと解してゐる(註二九)。併し此は Ok Phra の文字通りの解釋にして、當時實際に於いては、此と異つて使用された場合もある。ウヰリヤム・フォスター氏(William Foster)も、日本人ウプラ(Upra Japon)を、ウンプラ(Umpra)卽ちアユチヤに於ける日本人町の首領にして、…………………ウンプラは恐らくアラビヤ語のウマラー(Umarâ)より出たもので、本來はアミル(Amîr)の複數形であらうが、常に首領又は領主の意ある單數名詞に用ひられてゐる(註三〇)。

と云ひ、サトー氏は、更に、

オンプラ(Ompra)なる稱號は日本人の場合にせよ、イギリス人の場合にせよ、何等特別なる高位階を指すものでないことは可なり確かである。彼は單に自國人の移住民の公式の首領に過ぎずして、云はば、或る種の權力を有する領事の如きものである(註三一)

と明確に斷定してゐる。されば、握浮哪純廣も、或は此の高位階を得たと見るよりも、在暹日本人の頭領として、此の俗稱を以て一般に呼ばれ、此の地位によつて龜井茲矩や家康と同國國王との間に斡旋したのであらう。併し其の後幾許もなくして、一六一二年三月頃には、前述の如く多數の在住日本人は反亂を企てたから、彼も恐らく日本人の頭領として、其の指導的役割を演じたに違ひなく、若し然らば、彼が從前暹羅政府に對して有した位置を喪失せねばなるまい。即ち其の後彼の消息を傳ふるものもなく、剩へ日本人町も幾許もなくして、他の頭領の統轄する所となつた樣である。

II　**城井久右衞門**。彼の事蹟に就いては、既に考證して發表したことがあるから、本稿では其の要點梗概を記すに留めたい（註三二）。天運丙辰年肆月一日（一六一六年五月十六日）暹羅の財務外務長官握雅・大庫は、書を松平筑前守《（前田利常）》に送つて、前年の使船が彼の斡旋にて刀甲を購入し得たことを謝し、此年再び特使兩名を遣して、舊來の好誼に酬ひ、奇楠香、鉛を贈つて我が刀劍を求めたき旨を記してゐるが、書中に坤・惇・薩都屢なる人物に就きて三度筆を及ぼしてゐる。即ち

有坤・惇・薩都屢《城井久右衞門》、集一班人、願留敝國效勞、王以通好之誼、恩養備至。令其習諳土俗禮法。凡貴國之來暹者、優待如親子民。今坤・惇・薩都屢及諸衆、稟稱舊人、己知法度、慮恐新來商舟、或搭佛郎機等船者、不守法度、惹禍生端、……

凡有發舟來者、……在暹務聽坤・惇・薩都屢及舊人約束制治（註三三）。

とあるが、此の坤・惇・薩都屢は疑ひもなく其の右肩に記した城井久右衞門の暹羅に於ける位階官名なるべく、之によつて久右衞門の地位身分に就いて、

A　似及び其の一黨は舊人と稱して既に在住久しきこと。

B　彼は同國の土俗禮法に通じてゐること。

C　在暹日本人を統率して國王に奉仕せること。

D　國王の恩寵扶養を受けてゐること。

E　坤・惇・薩都屢なる位階官名を得たこと。

F　新來外人或はポルトガル船に投じて來る者等は、彼等の取締監督を受くべきこと。

などの重視すべき諸點が明かとなつた。卽ち久右衞門は、前任者握浮哪純廣の如く、在暹日本人の頭領として、日本人を率ゐて國王に仕へると共に、外船の出入を取締監督して、云はゞシャバンダールの如き役務に服してゐたものと思はれる。

然るに前田利常に充てた暹羅書翰の日附より後るること一年餘、一六一七年

八月十二日に、暹羅の國都アユチャに於いてオランダ商館員マールテン・ハウトマン(Maerten Houtman)及びコルネリス・ファン・ナイエンローデ(Cornelis vas Nijenroode)の兩人と、此の頃坤より一位階昇つた在留日本人の頭領オロン・惇・薩都慶の久右衛門と、日暹間主要貿易品の一なる鹿皮と鮫皮との購入に關して極めて詳細にして長文の契約を締結したことがある。之によれば、前記のオランダ商館員兩名が、日本人の頭領に資金を寄託して、鹿皮と鮫皮との買集めを依賴し、其の買入値段の限界、此が手交に當り彼の享くべき手數料、其の讓渡値段も時價との關係、火災など不慮の災害に對する責任の限度などを書式を以て契約することを記してあるが(註三四)、此の契約締結の翌々年一六一九年六月七日に、先の契約當事者の一人なるナイエンローデが、國都アユチャから、平戸のオランダ商館長ヤックス・スペックス(Jacques Specx)に送つた書信の一節に

我等のジャンク船にて來着した日本人商賈等は、日本人の頭領の援助を得て、當地に於いてジャンク船を一艘艤裝した。其の商賈中の一人は、其の半額出資して、自ら船長となつて日本に歸航するが、該船の積荷は鹿皮四萬枚、鉛と鮫皮若干、及び蘇木六萬斤であらう。豫々(木屋カ)彌三右衛門殿と當地に來航して

ゐて、而も當地の習慣に通じてゐる此の商人が若し來なかつたならば、恐らく本年は會社のものとしては一枚の皮革も當地からは船に積めなかつたであらう。…………ジャンク船には日本人の頭領なるオロン・惇・薩都慶の依頼により、尚鹿皮四百枚積込んだが、此は彼が彼の父に送るもので、その輸送料は貴下の御考によつて定めた。

一六一九年六月七日ユチャにて、

追伸。前記の書翰はコピイと共に、我等のジャンク船並にオロン・惇・薩都慶のジャンク船にて發送したから、無事入手されんことを切望して已まず(註三五)。

とあり、來暹日本商人等は久右衛門の盡力にて新に船を艤装し、彼も亦故國の父に鹿皮を託送する外、別に自ら一船を故國に遣してゐる。

此より先一六一五年の末、平戸のイギリス商館に於いて日暹貿易の仲介を開始せんとして、新にジャンク船を購入艤装して、アダムス航海士となり、翌年一月アユチャに到着した時、彼等は直に日本人の頭領久右衛門に刀や脇差等を贈つて其の援助を期待し(註三六)、そして翌年暹羅駐在イギリス商館員ジョン・ジヨンソン(John Jonson)等が、占城貿易開始の爲め一船を派遣せんとした時にも、乗組の日本人船員雇傭に關して、久右衞門が斡旋の勞を執つた(註三七)。されば平戸の商館長コックス等も、暹羅に於ける業務の遂行上、此の有力者日本人頭領久右衞門との友好關係、之が勢力の利用に關して注意を怠らず、一六一七年の暮再び一船を同地に派遣するに當り、ジョンソンに書面を送つて、特に此の點に就き彼等の注意を喚起して

日本人オンプラ(Japon Ompra)は、我等のジャンク船の積荷に就き、殊に又喧噪なる日本人水夫の制御に就いて、大いに我等を助力する人なるべきことを予は承知してゐる。仍て貴下が彼と友誼を保つことは至當なことだと思ふ。予は彼の父親が彼の許に派遣する三名に對して便乘の許可を與へ、航海中の彼等の食費を無料とした。又予はイートン氏からも貴下に知らせる如く、彼に書信を送り、且つ贈物を進呈する(註三八)。

と述べてゐる。右の書中コックスが、特に母國に居る久右衞門の父親との關係が記してゐるが、同年十二月十九日には、其の父親がコックスに酒と蜜柑とを贈り(註三九)、次いで自ら酒と鯣を携へてコックスを訪問してゐる(註四〇)。其の後、

前述の如く、久右衛門は暹羅から父親に鹿皮四百枚を託送した。

先に慶長の中年、在暹日本人の頭領握浮哪純廣あり、その盡力によつて彼我官憲の親交が結ばれ、其の後兩地間の交通頻繁となるや、城井久右衛門が更に在住日本人の頭領として、元和の初年より六年頃まで活動し、日本人を率ゐて國王に仕へ、外來人の取締監督に任じ、自ら貿易船を派すると共に、日本人の通商を援助し、更に又蘭英人等駐暹外國商館員等の業務遂行上、諸般の斡旋を重ね、茲に暹羅に於ける日本人勢力の増大と其の活動は一層目覺しくなつた樣である。純廣、久右衛門等の築いた此の足場を土臺とし、斯かる日暹交通の躍進を背景として、軈てかの山田長政が兩國交通の表舞臺に登場して來た。

III. 山田長政。 彼の盛名は、往時日暹交渉史上の代表的人物として、古來普く人口に膾炙してゐるが、從來我が國に於いて彼の素性、彼の活動を傳へた諸書は何れも巷間の傳説の域を脱せず、殆ど信憑性に乏しい。然るにサトー、三木、郡司三氏の研究出でゝ、彼の活動は漸く明かになつた。殊に郡司氏は、能くファン・フリートの記述を利用して、氏の著書中、長政傳に百數十頁を割き、此の種の研究としては最も詳細なものである(註四一)。私も當時のオランダ古文書を始め、イギリス、ポルトガル等諸國の長政關係史料を多數蒐集し、曾て村上博士も、オランダ古文書の一部を以て長政に關する研究を發表されたこともある（註四二）。固より玆に彼の詳傳を記すは本稿の目的にも非れば、其の發表は他の機會に讓り、前記諸氏の研究にては未だ十分に解決されてゐない樣に思はれる長政活動の各轉期をなす可き次の諸點、卽ち

A. 長政の暹羅渡航年次。

B. 長政の六崑太守赴任の年次。

C. 長政の毒殺の年次。

の三點の考證を進めつゝ、彼の活動の梗概に觸れて見たいと思ふ。

長政の渡暹年代に就いては、彼の傳記としては最も古く、且つ比較的素朴な筆を以て記した暹邏國山田氏興亡記、暹羅國風土軍記には未だ何等記す所がない。僅に山田仁左衞門紀事に、『初元和の頃、巳午之年歟、（按するに、巳年は三年午年は四年なり。）駿府の商家瀧佐右衞門、太田次郎右衞門唐渡りしたりし時、かの仁左衞門も倶に渡海』して、大灣（臺灣）を經て暹羅に渡つたことを傳へてはゐるが（註四三）、紀事は遙か後世に及んで前記興亡記、風土軍記等を土臺として潤色せしもので、餘り信用が置け

ないと云はれてゐる。然るに異國日記によれば、曾て小倉秀實氏も指摘せし如く、

大久保治右衛門六尺山田仁左衛門、暹羅へ渡り有付、今は暹邏の仕置を仕候由也。上様への書に見へたり。此者の事歟、大炊殿上州へ文を越(註四四)。

とあるから、彼が一時駿州沼津の城主大久保忠佐の轎夫であつたことは疑ふべくもない。忠佐は慶長十八年九月七十七歳にて歿したから(註四五)、彼の駿州に於ける轎夫生活は、如何に遅くとも此の年以後ではあり得ないが、又寛永七年彼が六崑にて毒殺された時のことを、ファン・フリートは、

毒殺された日本人の子は十八才の若者にして、オコン・セナピモク(Ockon Senaphimocq)と云ひ、性質善良にして偉大なる體軀であるが、彼自身の發意から自立して父親の代りに總督となつた(註四六)。

と記してゐる。乃ち彼の遺子が寛永七年(一六三〇年)に十八歳とすれば、其の生年は慶長十八年となり、實に彼の舊主忠佐の歿年と同年である。從つて前掲仁左衛門紀事の元和三、四年渡暹説は成立しない。固より微賤の轎夫長政風勢の渡暹は、當時世人の問題にもならなかつたに相違ないが、遺子の生年と忠佐の

歿年を考慮すれば、或は慶長十七年頃ではあるまいかと思はれる。何れにしても彼の渡暹は此の年以前なるべきことは明かである。果して然らば恰も久右衛門出でゝ日本人の頭領となり、日本人の居住地も元和八年の火災までには、一區劃を成す程に發達して、彼が驥足を伸すべき素地は既に十分成り立つてゐたのである。

其の後十年を經て元和七年暹羅國王ソンタム(Songt'am)の使節が來朝した時、長政は既に日本人の頭領として、自ら書翰を土井利勝と本多正純に送り其の使命達成に盡力したが、「國王の來翰中には、特に

歷來貴國商艘繼至、而優卹之、勝我赤子也。當諭該司、溥濟之、毋滯難之。愿留者、擢首以總之、名坤・采耶・惇、用導新舊來販等利便、使向後所知與感矣。

敬以詳聞(註四七)。

と記して、長政が今や同國第四階の官爵坤・采耶・惇(Khun Chaya Sun)に敍せられてゐることを傳へてゐるが、幾許もなくして、彼は第三階鸞・采野・惇(Hluang Chaya Sun)を經て、寛永三年四月には更に第二階浮哪・司臘毘目・納斜・文低盦(Phr ya Senapimuk Rax Muntri)に昇敍されたことは、此の年暹羅國の外務長官が酒井忠世と土

井利勝に送つた書翰中に夫々、

有黴・釆野・惇。今陛浮哪・司臘毘目・納斜・文低螢。發舟商販、已經三歲未回、不知何故。望鼎力維持遣歸、均感無涯（註四八）。

とあるによつても明かである。而して文中に『發舟商販、已經三歲未回』とあるのは、此より先寛永元年在暹日本人オプラ卽ち長政の商船が長崎に來航して、有利なる皮革貿易を遂げしも、出帆許可の朱印狀を得ずして空しく滯留せしことを指せるものにして（註四九）、玆に長官の懇願によつて、今後は一般外國人と均しく將軍の御朱印狀を要せずして自由に航海すべきことを許されて、同年十一月十九日（一六二七年一月五日）に暹羅に向つて歸帆したが（註五〇）、彼の商船は同年中に再び日本に渡航し（註五一）、他の一船はマラッカに向ふ途中オランダ船に曳かれてバタビヤに入港し、後解放され（註五二）、此が機緣となつて、長政は翌年バタビヤの東印度總督ヤン・ピーテルスゾーン・クーン（Jan Pieterszoon Coen）の許に使節を派して書信と贈物を屆け、クーンも亦之に應酬してゐる（註五三）。斯くて長政は暹羅の內外に於いて大いに活躍したが、彼を信任せしソンタム王が一六二八年十二月十二日に殂落する頃には、彼の官爵は更に累進して同國最高の握雅・司臘毘目

(Oya Senaphimocq, Senaphimuk)となつた(註五四)。

然るに王位繼承問題紛糾し、豫て王位を覬覦せし故王の從弟オヤ・カラホム(Oya Calahom)は、王の長子ゼッタ(Jetta)を擁して漸次反對派の諸侯重臣を排擊し、終に新王ゼッタをも陰に弑し、其の弟にして當時僅に十歳なりしアチチアヲン(Atityawong)を擁立して手中に國政を掌握することが出來た。此の間長政は日本人隊八百人と暹羅兵二萬人を率ゐて反亂を鎮定し大いに武功を建てたが、結局カラホムは『彼の計畫達成に對する最後にして且つ最大の障害物として』長政を除かんと企圖し、先づ口實を儲けて六崑太守を罷免して後、百方長政に勸說して其の後任に推し、彼も遂に手兵を率ゐてカラホム幷に其の一黨の私かなる歡喜の中に六崑に赴任することゝなつた(註五五)。一六三一年六月五日附アントニオ・ファン・ディーメンが東印度會社に送つた報告によれば、

上席商務員ヘリッツ・ブルックマンス(Gerrit Broeckmans)は帆船スヒーダム(Schiedam)にて、一六三〇年一月四日に太泥灣から歸航したが、同地にて非常に僅少な貿易を遂げしのみであつた。…………此の間にオプラ卽ち在暹日本人の頭領には、日本人三百人及び暹羅三、四千人を率ゐて、暹羅から來てサンゴラ

(Sangora) を占領し六崑を征服して其の王を捕へて暹羅に送つたので、附近一帶混亂に陷りて太泥も少なからず恐惶を來した。仍て全灣の貿易は衰退し、ブルックマンスは利益の見込もなく、前述の如くバタビヤに歸還した(註五六)。と記してゐるが、恐らく此時が長政等在暹日本人勢力伸張の頂點であつたであらう。

長政一黨の六崑轉出の年次に關しては、暹羅關係諸書は固より、ファン・フリートの手記すら明確な記載を缺いでゐるが、前記ファン・ディーメンの報告によれば、一六三〇年一月四日にバタビヤに歸着したブルックマンスの太泥出發以前のことであらねばならぬ。然も『一六二九年二月一日以來、同年十二月十三日來航船の出帆までに暹羅に起りし事件の覺書』によれば、ソンタム王殂落後、王位を爭ひし王弟の敗戰、ゼッタ王の廢立、十歲なる幼帝の卽位、カラホムの陰謀野心の條に引續いて、

亦、日本人オップラは(前記カラホムを憚りて)日本人一同を引連れてバンコクに向つて出發したが(世評によれば)自ら六崑に赴いて同地の太守とならん爲めである。事の成行きは時がたてば明かになるであらう。以上は暹羅人から聞

附圖第十四

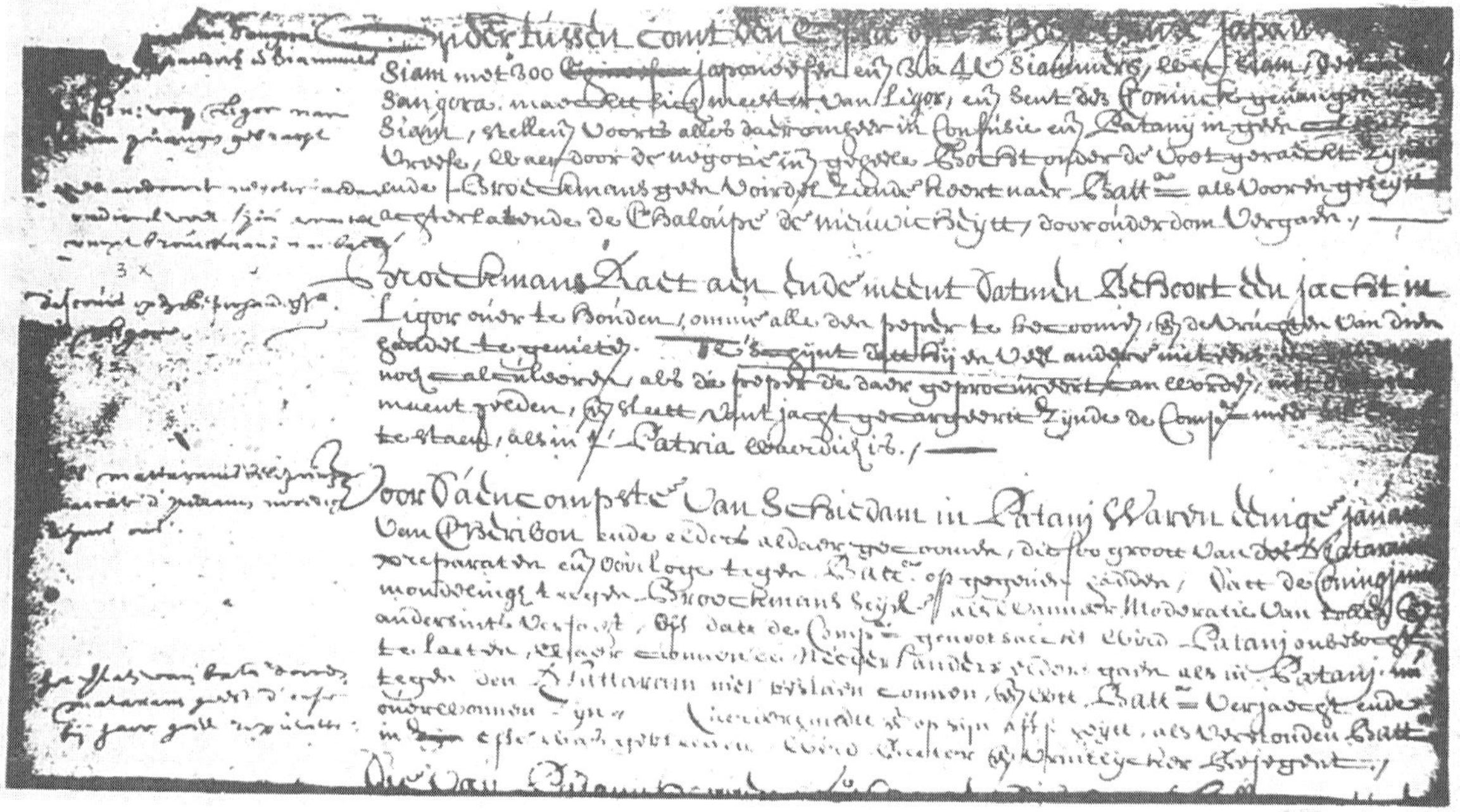

山田長政の六昆赴任を報せしアントニオ・ファン・ディーメンの書翰

き得た一切である(註五七)。

とあり、長政の六崑轉出は疑もなく、右の一六二九年二月一日より同年十二月十三日までの間である。而して暹羅歴王年代記によれば、ゼッタ王の在位は八ケ月にして、王弟アチチアヲンの在位は僅に三十八日と記してある(註五八)。然らば長政の轉出は、ソンタム王殂落の一六二八年十二月十二日より八ケ月を經過したる後、アチチアヲン王の在位三十八日間の事なれば、略〻一六二九年八、九月頃と推定せねばなるまい。

然るに長政は任地六崑に於いて、太泥の侵入軍と對戰中脚部に負傷し、侍臣の暹羅人が毒を混じた藥品を傷口に塗布した爲めに、終に非業の最期を遂げ、軈て彼の遺子オコン・セナピモクが自立して大守となつたが、國人は服從せずして叛亂を起したので、彼は日本人を率ゐて之を反擊し、六崑の町を燒いて相共に柬埔寨に去つた。其の後中にはアユチャに歸還する者もあり、偶〻長政の使船も日本より資本と商品を積んで歸航し、國王が之を抑留せんとして、再び任留日本人との間に紛擾を生ぜしかば、王は爾後の紛擾の擴大と彼等の復讐とを恐れて、終に意を決して一六三〇年十月二十六日(寛永七年九月二十一日)の夜突如大兵を差向け日本町を襲撃して燒拂つた(註五九)。

長政暗殺の年時に關しても、彼我の史書には明確なる記載を缺いでゐる。我が傳說では寛永十年(一六三三年)と傳へてゐるが(註六〇)。バタビヤ城日記一六三一年十二月五日の條には、長政暗殺後の日本町燒討、日本人の暹羅退去、逃入日本人の後援による柬埔寨王の暹羅との對戰を以て、何れも其の前年一六三〇年のことゝ爲し(註六一)、殊に前掲ファン・ディーメンの一六三一年六月五日附の報告書中には、

一六三〇年四月末日上席商務員クローク(Crook)は帆船フロート・マウリチウス(Groot Mauritius)にて暹羅に渡航し、………次いで同年十二月四日に前記クロークは歸着したが、………暹羅にては、我等の商品は嗜好に投じて歡迎された。同國は安定してゐて、國王は平和に統治してゐるが、柬埔寨及び太泥とは交戰してゐた。六崑の王日本人オプラは死亡したが、世人は毒殺されたと推測してゐる(註六二)。

とあり、彼の毒害は、明かに一六三〇年(寛永七年)のことにして、且つクロークが四月末日バタビヤを發して暹羅に渡り、次いで同地より十二月四日にバタビ

ヤに歸着するまでの間のこととなるべく、殊にファン・フリートによれば日本町の燒討は同年十月二十六日なれば、長政毒害の日時の限界は、クロークの暹羅到着の日、恐らく五月下旬より、十月二十六日に到る五ヶ月間のことであらねばならぬ。

然るに本光國師日記寛永八年極月二十八日の條に、

一同廿八日。御本丸出仕、御目見如常。西之丸へも出仕、尾大様、水中様御一所ニ罷在、年寄衆に參會、退出之刻、道春、永喜出會抑留、酒井雅樂殿御意之由。暹羅國より去秋雅樂殿へ捧書簡候。文體一覽申候様ニと、永喜取出、三人一所ニ披見。山田仁左衞門病死、其養子功謀逆候様成文體、彼國之文字を漢字に直し候。長々と書首尾分難聞也。右ニ早道春、永喜は右之書切々讀候て、雅樂殿へも申聞候哉、雅樂殿口上ニも、文體ニては、きらりと分不聞候間、竹中釆女して、彼國之者に様子御聞候て、其上返事可罷成候。先書ヲ國師見候由、御前へ可被申上ため御見せ候由也。此一ヶ條異國往來之留書ニ書加可申也(註 三)。

とあり、暹羅國より去秋酒井雅樂頭忠世に書翰を送つて、長政の病死、其の子の謀叛の次第を報じてゐる。寛永八年十二月より指して去秋云々と云ふは明かに寛永七年の秋のことにして、長政の毒殺は同年七、八、九月の秋のことか、或は秋に酒井忠世に到着した書翰の發信日以前、即初秋頃か夏秋の交と推せらる。國師の日記は簡にして其の詳細を知る由もなけれども、長政の死後、其の遺子の自立を傳へて、未だ其の六崑退去、柬埔寨逃入に及ばない様であるが日本町の燒討十月二十六日までには此等の事件が相繼いで起り、可也の日時が經過したらしく察せられるから、長政の暗殺は、恐らく、寛永七年の早秋より下ることはあるまい。殊に同年六月にバタビヤ在住日本人が艤裝して、商品を積込み暹羅に向つたジャンク船が、途中太泥に寄港して更に若干の商品を仕入れて暹羅に到着するや、恰も同地に於ける日本人排撃の紛擾に會して、國王に船荷幷に沒收され、乘組日本人等は拘禁されたことがある(註六四)。即ち右の日本船沒收の日時は、六月中にバタビヤを出帆し途中太泥に寄港し暹羅に到着して後なれば、恐らく七月下旬か八月初旬頃と思はれる。果して然らば、此の沒收に先立つ可き長政の暗殺も、略ゝ一六三〇年七月末頃、即ち寛永七年夏秋の交と推定しても大過はあるまい。

斯くして長政は六崑在任僅々一年足らずにして、敢えなき最期を遂げたのであるが、暹羅に於いて日本人が永年築き上げし勢力も、茲に鎖國を待たずして一時殆ど其の根底より覆された。

IV—V。 絲屋太右衛門(Itoya Taymon) **平松廣助**?(Feramats Feroske)。 兩人はアユチヤ日本町の頭領に同時に選任されて、前述の如く、太右衛門は第一の頭領に、廣助は第二の頭領であつたが(註六五)、恐らく長政一黨の沒落後、日本町が再建されるに當り最初に選任された頭領の樣である。既に暹羅オランダ商館日記一六三三年六月五日の條に、

亦當地日本人の頭領なる太右衛門殿及び廣助殿と、會社の爲めに皮革を適當なる價格で買占めることを契約した(註六六)。

とあり、日本町復興後幾許もなくして、既に兩人の頭領の在任を傳へてゐる。斯くオランダ人は、此の有力者日本人頭領を利用して、彼等の日暹仲介貿易の重要商品皮革の入手を計り、常に兩人との交誼を結んで、或は其の買占を依賴し、或は彼等より直接購入してゐる。商館日記同年九月十三日の條にも、

鹿皮買入の季節も始り、既に數週間以前から多數の日本人商人が、皮革買集

契約を結ぶことを予に乞ふてゐるので、商館員列席評議の上、鹿皮買占めの爲め、當地日本人の頭領太右衞門殿及び廣助殿、幷に日本人商人喜太郎殿(Kitsarrod=^{no})等と、鹿皮を三ケ月以内に時價に應じて引渡すべき條件に基き、暹羅銀五十一カチイを手交することを承諾した(註六七)。

と記してあるが、商館長スハウテンは翌一六三四年一月二十二日に太右衞門と鹿皮一萬枚及び鮫皮六千枚、二十六日に廣助と鹿皮五千枚、二十四日に喜太郎と鹿皮三千枚及び鮫皮三千枚を、夫々四ケ月以内に引渡すべき買付契約を結んでゐる(註六八)。續いて同年四月十八日、五月二日、三日及び四日、六月二日に彼等は契約に基き鹿皮と鮫皮を分納してゐる(註六九)。

斯くの如く日本町の頭領兩人はオランダ人の委託によつて、當時暹羅の重要輸出品皮革の購買に斡旋すると共に、又他の諸商品、例へば鉛の如きも、彼等の盡力によつて入手してゐた樣である。商館日記一六三三年九月二十六日の條に

太右衞門殿の斡旋で鉛棒百本を、密にペグー商人數名から(非常に安價に)一本百斤を三テール四分ノ一にて買入れたが、ペグー人は此の鉛を上地の鉛鑛山

から、普通に河水汎濫期に持ち下つて、必づ國王の手代に引渡さねばならぬものにして、此の商品取引は特に嚴罰を以て禁ぜられてゐるので、支那人、日本人并に交趾支那人等のジャンク船が當地に來航しても、一本に付き四、五又は五テール半にて賣却され、其の輸出も、多額の獻上品を呈して許可されてゐる。此の鉛は疑ひもなく、近々密かに日本に送られなば、同地にて十割以上の利益あるべく、且つ船荷としても少しも場所を取らない(註七〇)。

此等の諸商品購入後に於ける運搬や荷造りに關しても、オランダ人は常に日本町の兩頭領の盡力を仰がねばならなかつた。一六三四年四月十八日には、太右衛門がオランダ商館に至つて、購入鹿皮の分類、緊縛、荷造りの斡旋を爲し(註七一)、一六三七年四月十四日には、太右衛門がオランダ商館を訪問して、當時支那人が、會社の鹿皮荷造に從事せることに種々抗議して、從來の緣故により日本人を雇傭すべきことを乞ひ、其の應諾を得て全日本人召集に着手してゐるが、翌日廣助も商館を訪れ彼の配下の日本人を雇傭すべきことを要請し、翌々十六日支那人オプラ・シトンク(Sytongh)と兩人が商館長を訪ひ、兩國人が夫々折半して、皮革の整頓荷造りを請負ふことになつた(註七二)。其の後一六四〇年六月に暹羅の閣臣更迭して、新にポルトガル人と親しき閣臣が其の主班となるや、既に恆例のオランダ東印度總督から國王に宛てた書信の捧呈に就いても紛擾を生じ、國王はオランダ人の退去を命じ、更に兵備を整へて開戰の用意をしたので、七月十二日館長ファン・フリートは日本町に赴き頭領太右衞門に其の解決を依賴した。此の事が國王の耳に入り、オランダ人と日本人と聯合すべき懸念、且つは近臣の諫により、若干の條件を以て事落着したことがある(註七三)。當時暹羅に於ける日本人の餘勢の未だ殘存せること、就中彼等頭領の暹羅王廷幷にオランダ人等に對する地位勢力も推察出來る。

然るに其後幾許もなくして日本町の頭領兩人は相次いで、同地に客死せしものゝ如く、商館日記一六四二年十月二十五日の條に、

二十五日、(外務財務長官)ベルケラングは通譯に裁判所員を添へて日本人廣助と太右衞門の未亡人の許に遣し、同人等を日本人の頭領の前に喚問して、其の面前でオランダ人の債務未濟の理由を尋ねさせたが、彼等が歸つて報告する所によれば、廣助の未亡人は列席することを欲せず、負債に就いて知る所がない。又太右衞門の未亡人の語る所によれば、彼女が太右衞門の側に在りし日も淺く、又

非常に賤しい身分であつたので、斯かることを少しも承知せず、且又彼は永く病褥に在つて全く消費し盡して死んだ(註七四)。

とあり、遲くとも此の時までに廣助、太右衞門の兩頭領は死亡して、他に新たに日本人の頭領が選任せられしことは明かである。平松廣助なる人物に就いては、オランダ人の以上の記述以外に知る所がないが、絲屋太右衞門とは疑ひもなく長崎の貿易商絲屋隨右衞門の一族なるべく、彼の一家は早くより呂宋を始め廣く南洋各地に貿易船を派遣し、鎖國直前まで家業を繼續した。一六三四年七月十八日臺灣長官ハンス・プットマンスから平戸の商館長ニコラース・クーケバッケルに送つた通信中にも、絲屋太兵衞(Ytooja Taffioya)の御朱印船が、柬埔寨より歸航の途中同地に寄港して、殘餘の資本を投じて更に商品の買入れと、之を輸送すべきシャンク船の購入を計つてゐる(註七五)。恐らく太右衞門も、交趾に於ける平野屋六兵衞や角屋七郎兵衞と等しく、母國の大商人の取引先に於ける貿易事務の利便の爲め、同地に手代或は出張所員の資格で駐在して鎖國後も居殘つた者であらう。

VI—VII 木村半左衞門(別名**喜太郎**)。(Kimola Kitsaro, Kitaro alias Hanseymon) **アントニ**

ﾏ善右衛門(Anthony alias Zenemon)。日本町の頭領絲屋太右衛門及び平松廣助と並んで、早くよりオランダ人の皮革買付けなどに盡力して活躍した有力なる商人に木村喜太郎なる男がある。既に一六三三年六月、暹羅より日本に向ひ出帆したオランダ船ワーペン・ファン・デルフト(t Wapen van Delft)に、彼は鹿皮一一五枚鮫皮一六六枚及び沈香二〇斤を託送したが(註七六)、同年九月には前述の如く商館長スハウテンの依頼により、頭領兩名と共に皮革の買占めを承諾し、翌年一月二十四日には鹿皮三千枚及び鮫皮三千枚を四ヶ月以内に引渡すべき買付契約を結んで、契約書の末に木村喜太郎と署名してゐる(註七七)。

斯くて彼はオランダ商館の爲めに暹羅の特産皮革の購買に盡力すると同時に、常に其の手入れや荷造りに關し勞働者の傭入れなども周旋した樣である。商館日記同年二月十五日の條に、

十五日。本朝非常に被害多き鹿皮の蟲干しを命じて、日本人喜太郎殿を雇ふことにしたが、陛下が全廷臣を召連れ行幸して、市人、就中勞働者が非常に不足し、喜太郎殿も病み、太右衛門もプラバット(Prabat)に赴いたので、何も爲すことが出來なかつた。仍つて此の至急の用事も國王が廷臣と共に還幸す

るまで延引せねばならぬ(註七八)。

と記してあるが、更に一六三九年七月十四日にファン・フリートよりフランソア・カロンに送つた書信の一節に、

當地に於いては、喜太郎と呼ぶ一日本人が、商館の再建以來屢々來訪して、鮫皮や其の他諸商品の蒐集、鑑別及び荷造りに、(無報酬で)非常によく働いて呉れたが、前記喜太郎の云ふ所によれば、長崎に萬右衛門(Manemon)と云ふ兄弟が居て、相當な暮しの商人にして善良なる男である。此の弟に貴下が眷顧を與へ、又託送した日本文書信一通を彼に手交せんことを懇願してゐる。喜太郎の此の熱心なる願を無下に退けかねるので、餘り我等の紹介が束縛にならないならば、貴下が上手に其の書信を屆け、或は前記萬右衛門に適當の眷顧と信用とを與へられんことを願ふ(註七九)。

とあり、彼が依然としてオランダ商館の爲めに常に進んで盡力せることを記してゐるが、殊にオランダ人に頼みて故郷長崎に住せる弟萬右衛門に音信を通せしことは見逃せない一句である。

其の後幾許もなくアユチャ日本町の頭領兩人は相次いで死亡し、他に新に日

本人の頭領が選任されたが、其の一人は實に喜太郎なりし如く、一六四三年十一月二十五日レイニール・ファン・ツム (Reijnier van Tzum) が暹羅から總督ファン・ディーメンに送つた報告中に、

近頃、去る十二日に、日本人頭領の一人喜太郎殿が、主として錫を積込む爲めに六崑に彼の舟を派遣したが、殆ど積荷なく歸還した。其の理由は、同地にマラッカより一オランダ船が來航して、錫が既に六崑貨二十五テール又は暹羅貨十二テール半に騰貴したからである。其の後に於ける前記の船の貿易并に其の地に同船の派遣された理由に就いて何等の報知もないので、後報を閣下に致す能はず。…………數日前交趾支那から當地に日本人の一商船が來航して、米并に他の諸商品輸出の意向なる由なれども、予の感ずる所は鮫皮の買入れなるが如く、日本人頭領の一人喜太郎殿を商館に招いて、其の事情を尋ねたが、日本人の貿易は全く成功せざることが明かとなつた(註八〇)。

と記してある。然るに交趾支那より來航の日本人に關して、商館日記翌年二月六日の條に、

喜太郎別名半左衞門殿、即ちオロアン・スーレリット(Kitterro alias Hanseijmon donne

olte Oloangh Sourcrit)は、當地に來た交趾支那の日本人と共に、國王から百五六十コヤング(Coyangh)のジャンク船一隻を二十五六カチイにて買入れ、一半を現金にて、他の一半を明年來航の時支拂ふことゝし、米を積んで交趾支那に派遣する積りてある(註八一)。

とあつて、日本町の頭領木村喜太郎は又半左衛門とも呼び、暹羅の官爵第三階オロアング・スレリットにあることが明かである。此より先一六三九年七月に喜太郎は暹羅からオランダ船に託して、長崎に住せる弟の萬右衛門に書信を通じたが、其の後一六五三年(承應二年)にも故郷に音信を通じたことが、出島のオランダ商館日記同年七月十九日の條に、前日暹羅船入航のことに續いて、

其の情報を得るために派遣した乙名の息子が予に齎した返答によれば、……

……又當地の奉行に宛てた在暹日本人の頭領喜太郎の金の函に入れた書信を齎したが、書中彼は、書面に添へて金子若干を送つて、之を當地に居る彼の弟に手交され度く、一部を彼が註文した商品の支拂ひに宛てることを許され度しと願出てゐる(註八二)。

とあり、在暹日本人の頭領喜太郎、即ち木村半左衛門が書信を送つた長崎在住

の弟とは、鄕に一六三九年度のファン・フリートの書翰に記された萬右衛門に違ひない。然るに延寶長崎記には當時在暹日本人九人の氏名と親族關係とが採錄してあるが、其の中に

木村半左衛門、自註、長崎本大工町木屋久右衛門爲に弟、同平戶町辻萬右衛門爲に緣者、同諏訪町木村五郎左衛門爲に兄（註八三）。

とあり、木村半左衛門の緣者には平戶町の辻萬右衛門が揭げてある。此の木村半左衛門が、日本人の頭領木村半左衛門卽ち喜太郎なる可きことは最早少しも疑なかるべく、彼がオランダ人に託して音信を通じた長崎在住の弟萬右衛門とは、此の平戶町の辻萬右衛門のことに違ひない。然らば此の調査のあつた一六六六年(寛文六年)頃まで、彼は暹羅に生存活動してゐたことは明かである。

斯くの如く、半左衛門は暹羅に於ける日本人の頭領として永く活躍したが、上來述べし如くオランダ人との交涉は特に緊くして、同地のオランダ人の商館日記や通信中には、彼の行動に關する記事が隨所に頻出して來る。既に早くよりオランダ人の委託を受けて、鹿皮や鮫皮の買付や納入に從事すると共に、之が手入れや荷造に當つても勞働者の傭入れに盡力したが、又自ら商船を仕立てて貿易に從事した。鄕に國王から貿易船を購入したが、一六四四年四月二十一

日に同船は、米、鉛、木綿、硫黄、犀角、暹羅銀、耶子油などを積込み、五月一日交趾支那に向つて出帆した(註八四)。又彼は六崑の特産錫の取引にも關係せしものゝ如く、既に引用したるファン・ツムの報告には、彼が錫積取りに派遣した一船は、一六四三年十一月に積荷少く歸航したことを記し、商館日記によれば、翌年三月八日にも亦錫積取りの一船を同地に派遣してゐる(註八五)。其の後遙かに一六七一年十一月三十一日館長ニコラース・デ・ロイ(Nicolaes de Roy)が暹羅よりバダビヤに送つた報告中にも、前年十一月より本年九月に至る間に、僅に錫十二本購入したに過ぎないが、是は主として日本人が六崑に赴いて買占めた爲めにして、

日本人の頭領は我等の屢々訴へし如く、最大の錫商人である(註八六)。

と述べてゐる。最大の錫商人なる日本人頭領とは、早くより六崑の錫取引に手を染めた木村半左衛門のこととなるべく、果して然らば、彼は此の一六七一年(寛文十一年)までは生存して盛に活躍してゐたことになる。

木村半左衛門と時を同じくして暹羅日本人の頭領に選任されしはアントニイ善右衛門であつた。暹羅オランダ商館日記一六四四年三月二十六日の條に、

日本人の頭領の一人アントニイ別名善右衞門、即ちオロアング・スーレチット(Anthonij alias Zenemon ofte Oloangh Sotretijt)(ママ)が來訪して、種々なる話の末鮫皮のことに就いて語つた(註八七)。

とあり、彼も半左衞門と共に、日本町の頭領として、暹羅の官爵の第三階オロアング・スレーチットを授けられてゐた。而して此の官爵に對して、暹羅の重臣ベルケラングの書翰によれば、

日本人の頭領オロアング・スレーリットは、國王の臣僕にして、又月俸を給與されてゐるが、國王に長さ十七尋、幅三尋のジャンク船に各種の商品を積込み交趾支那に派遣することを乞ひて許可になつた(註八八)。

とあつて、彼は同國官憲より月々若干の俸給を得てゐる樣であるが、固より日本町の頭領として在暹日本人を代表して同地の官憲と接觸することも多かるべく、自然兩者の關係も親密にして、一六四四年四月二十七日にも、國王は日本人の頭領兩人に引出物として蘇木四萬斤を下賜したこともある(註八九)。

斯樣に善右衞門は暹羅官憲と親密なる關係を保つたが、又オランダ商館にも頻に出入して彼等の爲めに盡力した。前途の如く一六四四年三月に、彼はオラ

ンダ商館を訪問して、鮫皮の市況に就き種々談合したが、此より先既に一六三七年三月六日にも、オランダ商館との間に皮革納入の契約を結んだ。即ち商館日記同日の條に、

本日我等は日本人アントニイと談合して、彼に勸めて、其の所持金暹羅貨約三十カチイを鹿皮と鮫皮とに投資せしめ、購入した皮革を當地の商館に納入せしめ、我等は四ヶ月以內叉は帆船がバタビヤから來着するまでに皮の代價を、只今より同船が日本に向ひ出帆する時までの間の相場に應じて支拂ふ可きこととした。我等の考へでは、我等に現金の準備も餘り無ければ、此の契約は會社に頗る有利なるべく、且つ此の方法に依りて約一萬枚の鹿皮入手の見込みである(註九〇)。

と記してあるが、同年九月十日には、彼は他の日本人惣右衛門(Soyemon)と共に、鮫皮を買占める爲めにメナム河を下航してゐる(註九一)。さればオランダ商館側にても、彼等に對しては好意的態度を採り、時には彼等の必要に應じて資金を無利息にて融通したこともあつた。一六五七年二月二十二日(明曆三年)商館長ヤン・ファン・ライク(Jan van Rijk)が總督に送つた報告書によれば、當時回收困難なる不

良債務六一四一二グルドン一二ストイフェル八ペンニング中に

絲屋太右衛門…………一四〇六グルデン五ペンニング

平松廣助…………八四〇〃 ―

の多きに上り、他に前館長フォルケリウス・ウェステルウォルトが臺灣に出發後、アンドニイ善右衛門、半左衛門、加兵衛(Cahee)等の日本人に貸與せし額は暹羅貨二一〇カチイ、卽ち蘭貨二五二〇〇グデルンの多額に上つてゐる(註九二)。加兵衛と云ふのはオランダ人とも關係深き在暹日本人の有力者にして、延寶長崎記に記された長崎濱町原作兵衛の親類石橋加兵衛に相違ない。其の後彼等の債務も返濟されたらしく、一六六三年末(寛文三年)の帳簿尻によれば、當時未決濟債務は日本人一名、支那人一名にて合計七八〇グルデンに過ぎなかつた(註九三)。同年十月三十一日國王の命によつて、暹羅人官吏と共に一日本人の頭領がオランダ船を訪ひ、館長が商館を撤退せんとする理由を尋ね、國王は今後共オランダ人と友好を維持せんとする旨を傳達した時、彼等が『日本人等の頭領は會社と永年關係淺からぬ男である』と云へるも(註九四)、彼とオランダ人との間の從來の交誼を洩らした語に相違ない。日本人の頭領と云ふは、果して善右衛門なるか、半左衛門なるか明かでないが、此より先一六五五年の秋、半左衛門が、オランダ人の鹿皮輸出獨占權に反對して策動し(註九五)、或は兩者の間も疎隔し得べき際なれば、寧ろ善右衛門であつたと見るが穩當であらう。アントニィ善右衛門は、其の名より推せば暹羅に多數避難せし切支丹の一人であつた樣であるが、オランダ人の報道以外に、我が文獻には全く傳ふる所がない。

其の後一六八八年(元祿元年)の革命に、宰相フォルコンの遺族が身を寄せた日本人町の日本人甲必丹も(註九六)、前記數人の頭領と等しく、日本人の監督統制に携はつてゐた者であらう。然も鎖國後既に五十餘年を經過せし後なれば、前述の初代移住民半左衛門や善右衛門に非して、寧ろ同地にて生れた彼等の子孫の一人に違ひない。

註一　江雲隨筆。
　拙稿、一六一六年暹羅國日本遣使考。(史學雜誌、四四ノ六)
註二　異國日記。通航一覽。卷二百六十七(刊本、第六。五三六頁)。
註三　Valentijn., *op. cit.* III Deel. Beschrijving van Siam. p. 59.
註四　Gervaise, Nicolaes. Histoire Naturelle et Politique du Royaume de Siam. Paris. 1688. pp. 69–70.
註五　Loubere., *op. cit.* Tom I. p. 337.

註六　Van Vliet, Jeremias. Beschryving *op. cit.* p. 62.

註七　*ibid.*, p. 45

註八　Valentijn., *op. cit.* III Deel. Beschrijving van Siam. p. 69.

註九　Daghregister vant gepasseerende in Siam van 10 April tot 6 November 1633. 5 Junij, 13 September. 〔Kol. Archief. 1021〕

註一〇　Journael vant Comptoir Siam van 2 Maert tot October 1637 14 April. 〔Kol. Archief 1035〕

註一一　*ibid*, 15 April.

註一二　Journaelse aenteyckeninghe van't Compatoir Siam sedert 15en January A° 1644 tot 8 September. 28 February, 26 Martij. 〔Kol. Archief 1057〕
　　浮右衞門の位階名 Oloangh Souretijt は恐らく Sourerijt の誤寫ならん。

註一三　一六一六年暹羅國日本遣使考。八五—九〇頁。

註一四　異國日記。通航一覽（刊本、第七。六頁）
　　Van Vliet. Historiael Verhael *op. cit.* fol. 92.

註一五　Journaelse aenteijckeninghe, *op. cit.* 6 Feb. 1644

註一六　Copie Translaet Missive van den Coningh van Siam aen d' Heer Gouverneur Generael. 16 Maert A° 1645 〔Kol. Archief. 1057〕

註一七　江雲隨筆。

註一八　暹文書。

註一九　朱印船貿易史。二七五—六頁。

註二〇　多胡文書。

註二一　島津文書（史學雜誌。四五ノ一、圖版）

註二二　通航一覽。卷二百六十七（國書刊行會本、第六。五二九—三一頁）

註二三　龜井文書、坤。

註二四　同文書。

註二五　Satow. *op cit.* pp. 105, 165.

註二六　東西洋考。卷之二、暹羅。

註二七　Van Vliet, Beschrijving *op. cit.* p. 54.

註二八　Kaempfer. *op. cit.* Vol. I. p. 39.

註二九　十七世紀に於ける日暹關係。五七七—五八〇頁。

註三〇　Foster. William, Letters received by the East India Company from its Servants in the East. London 1896—1902. Vol. V. p. 267.

註三一　Satow. *op. cit.* p. 193.

註三二　一六一六年暹羅國日本遣使考。

註三三　江岳随筆。

註三四　De Jong. Overzigt der Betrekkingen van de Nederlandsche Oost-Indische Compagnie met Siam. Bijl. No. 2 (Tijdschrift voor Indische Taal-, Land-en Volkenkunde. Deel XIII.) pp. 438—440.

註三五　Originele Missive van Cornelis van Nijenrode uijt Judea in Siam aen Jacques Specx, oppercoopman tot Firando in dato Junij 7, 1619 〔Kol. Archief 983〕

註三六　The Log Book of William Adams. *op, cit,* Appendix. IV. Extracts from Ed. Saris's Journal of a Voyage to Siam, 1615—16. p. 101.

Record of the Relations between Siam and foreign Countries. *op. cit.* Vol. I. p. 48.

Journal of Edmund Sayers of a Voyage from Firando to Siam and back. *etc.* 1615 Dec. 7—1616 Oct. 22 〔India Office. Marine Records. XXIV. p. 39〕

註三七　Foster. Letters. *op. cit.* Vol. V. pp. 266—267.

註三八　*ibid.* Vol. VI. pp. 265—266.

註三九　Cocks. Diary. *op. cit.* Vol. I. p. 342.

註四〇　Satow. *op. cit.* p. 192.

註四一　十七世紀に於ける日暹關係。六二九—七七九頁。

註四二　村上直次郎博士。オランダ史料に現はれたる山田長政（臺北帝國大學記念講演集。第三輯。一—二七頁）

註四三　通航一覽。卷二百六十六。（刊本。第六。五〇二頁）

註四四　小倉秀貫氏。山田仁左衛門の元の身分は轎夫（史學雜誌。六ノ一二）

註四五　寛政重修諸家譜。卷七百七。（刊本。第四輯、七九三頁）

註四六，Van Vliet. Histriael Verhael. *op. cit.* fol. 123.

註四七　通航一覽。卷二百六十七。（刊本。第六。五三六頁）Satow. *op. cit.* p. 153

註四八　通航一覽。卷二百六十八（刊本。第七。七—八頁）。Satow. *op. cit.* p. 167.

註四九　Missive van Cornelis van Nyenroode aen de Ed. Heer generaell Pieter de Carpentier. Actum Int Comptoir Firando desen 30 Nov. 1624 〔Verzendene Brieven. 1623=25 Kol. Archief〕

Missive van Cornelis van Nijenroode aen Jan van Campen. Actum opt Nederlants comptoir Firando desen 27 Dec. anns 1624 〔*ibid.* Kol. Archief〕

註五〇 Missiven van Cornelis van Nijenroode aen H. van der Elst in Judea. 15 Nov. 1626. & 5 Jannuary anno 1627. 〔Vergendene Brieven 1626 & 1627. Kol. Archief〕

註五一 Copie Missive van Cornelis van Neyenroode uijt Firando aen den gouv=gen=. in dato 1 Oct. 1627. 〔Kol. Archief. 1004〕

Missiven van Cornelis van Nijeuroode uijt Firando aen H Adriaen de Marees in Siam. 6 Dec. 1627 & 1 Jan. 1628 〔Verzendene Brieven. 1627 & 1628〕

註五二 Colenbrander. Coen. Bescheiden. *op. cit.* Vol. V. pp. 646—47.

註五三 *ibid.* p. 533.

註五四 Van Vliet. Historiael Verhael. *op.cit.* fol. 91—92.

註五五 *ibid.* fol. 91—118.

註五六 Originael Missive van Antonio van Diemen uijt 't schip 'Deventer aen Bewinthebberen in dato 5 Junij 1631. 〔Kol. Archief〕 1011〕

註五七 Memorie van 't gepasseerde 't sedert 1 Feb. 1629 tot 't vertreck van de gecomen joncq in Siam. 13 Dec. 1629 〔Kol. Archief 1010〕

註五八 Van Vliet, Cort verhael van t naturel, eynde der volbrachter tijt ende successie der Coningen van Siam, voor soo veel daer bij d'oude historiën bekent zyn. Februari 8, 1640 〔Kol. Archief Aanwinst〕

註五九 Van Vliet. Historiael Verhael. *op. cit.* fol. 123—126.

註六〇　暹羅國風土軍記、卷之三。
暹邏山田氏興亡記（刊本、五。二三頁、一〇頁）

註六一　Dagh-Register vant Casteel Batavia. *op. cit.* Anno 1631. 5 December. p. 53.

註六二　Originael Missive van Antonio van Diemen. 5 Junij 1631. *op. cit.*

註六三　本光國師日記、卷之四十六（大日本佛教全書本、五。二三八八—九頁）

註六四　Instructie voor Joost Schouten, Jeremias van Vliet in Siam. 9 April 1633. *op. cit.* Rapport door den Joost Schouten. in dato 25 April. 1635. *op. cit.* Copie notitie betreffende een jonk met cargaz. toebehoorend aen Japanische burgers in Juni 1630 van Batavia naar Siam gezeild en aldaar ongeslagen 〔Kolonial Aanwinsten〕

註六五　Journael vant Comptoir Siam van 2 Maert tot October 1637. *op. cit.* 14& 15 April.

註六六　Dagh-Register vant gepasseerde in Siam van 10 April tot 6 November 1633. 5[ve]= Junij 〔Kol. Archief 1021〕

註六七　*ibid.* 13[en]= September.

註六八　Verscheijde Contracten over de heitvellen in Siam. 〔Kol. Archief 1625〕

註六九　Copija der Journaelse Aenteyckeninge vant Comp[ti]=Siam 't zedert 4[en]=february tot 15[en]=Junij A[no]=1634. 〔Kol. Archief 1030〕

註七〇　Extract uijt de Journaelse Aenteyckeninghe. *op. cit.*

註七一　Copija der Journaelse Aenteyckeninge. *op. cit.*

註七二　Daghregister vant Comptoir Siam van 2 Maert tot 31 Oct. 1637 〔Kol. Archief 1035〕

註七三 Dagh-Register int Casteel Batavia. *op. cit.* Anno 1640—1641. 21 Nov. 1640

註七四 Vervolck van Siams Daghregister sedert 13en=October 1642 tot dato 10en=Januarij A° 1643 〔Kol. Archief. 1050〕

註七五 Copie Missive van Hans Putmans uyt't Fort Zeelandia aen de President Nicolaes Coukebacker. Ady 22en=July 1634 〔Kol. Archief〕

註七六 Inventaris vande goederen ende Coopmanschappen met t schip t Wapen van Delft naer Japan gesonden ady Juni A° 1633 〔Kol. Archief. 1025〕

註七七 Verscheydene Contracten. *op. cit.*

註七八 Dagh-Register gehouden bij J. v. Vliet. 1634 *op. cit.*

註七九 Copie Misive van Jeremias van Vliet uyt Siam aen Francois Caron. adj 14 Julij 1639. 〔Kol. Archief.〕

註八〇 Copie Missive van Reynier van Tzum aen de Gouv.r gen.l Antonio van Diemen p.r 't schip Delft in dato 25 November A.° 1643 〔Kol. Archief 1056〕

註八一 Vervolgh vant Siamse Dachregister van 15 Januarij tot 8 September A° 1644 〔Kol. Archief 1057〕

註八二 Japan Dagh-Register door Frederick Coyet van 4 Nov. 1652 tot 10 Nov. 1653.

註八三 通航一覧 (第四ノ四七一—二頁)。

註八四 Vervolgh vant Siamse Dachregister. *op. cit.* A° 1644 April 21 & Pme—Mei.

註八五 *ibid.* 8en Martij

註八六 Copie Missive van den Coopman en opperhooft Nicolaes de Roy ende den Raet in Siam aan haar Ed. tot Batavia van dato 31 October 1671 〔Kol. Archief 1173〕

註八七　Vervolgh vant Siamse Dachregister. *op. cit.* A° 1644. 22 Martij.

註八八　Copie Translaet Missive van den Coningh van Siam. 16 Maert 1645. *op. cit.*

註八九　Vervolgh van t Siamse Daghregister. *op. cit.* April. 27.

註九〇　Daghregister van't Comptoir Siam van 2 Maert tot 31 Oct. 1637 〔Kol. Archief 1037〕

註九一　ibid.

註九二　Copie Missive van Jan van Rijck uijt Siam aen Haer Ed., in dato 22 Feb. 1657 〔Kol. Archief 1113〕

註九三　Dagh-Register van't Casteel Batavia. *op. cit.* 9 Dec. 1663.

註九四　*ibid.* 9 Dec. 1662

註九五　Copie Missive door Volkerius Westerwolt uijt Siam in dato 12 Oct. 1655 〔Kol. Archief 1100〕

註九六　Blanc. Istoria della Rivoluzione. *op. cit.* pp. 175, 194—5.

四　暹羅日本町在住民活動の消長

一　宗教的活動。　アユチヤの日本町の居留民中には、前に其の發達の過程を述べる際にも記したる如く、加藤清正の舊臣市河治兵衛等を始め、鄉里に於ける切支丹迫害の手を避けて轉住した者も少くなかつた樣であるが、又關ヶ原役、大坂落城前後浪人の亡命する者も多かつたと傳へられてゐるから、其の中にも亦多數の切支丹宗徒がゐたことは疑ふ可くもない。一六一二年(慶長十七年)暹羅國王の寵臣ピヤ・ナイワイが王位簒奪の陰謀發覺して處刑されるや、當時アユチヤに在住して國王の護衛兵を勤め、豫て彼の恩顧を受けてゐた多數の日本人切支丹が叛亂を企てた(註一)。

其の後一六二四年(寛永元年)にドン・フェルナンド・デ・シルバ(Don Fernando de Silva)の率ゆるイスパニヤの兵船がマカオからメナム河に到着して紛擾を起し、暹羅軍に襲撃されて、司令官シルバ以下多數難に斃れ、船員三十名許り同國に拘禁されたことがある。マニラのイスパニヤ政廳では直に協議を開いて、損害賠償と拘禁イスパニヤ人收容の爲め問罪の使節を派遣することに決し、然も此の事件に日本人が關係し、且つ在暹日本人が同國の政府に參與すること多きを見て、翌一六二五年一月特に日本通の聞えある敎父ペドロ・モレホン(Pedro Morejon)、敎父アントニオ・カルディム(Antonio F. Cardim)及び日本人敎父ロマン西(Romão Nixi)の三名を選んで暹羅の宮廷に派して折衝せしめたが、餘り思はしき效果を收めることが出來なかつた(註二)。併し彼等には他に目的があつた。卽ち暹羅、六崑及びラオス地方に新に傳道開拓の使命を帶びてゐたので、カルディムとロマン西の兩人は留りて、前者はラオスの布敎を擔當し、後者は專ら當時暹羅に在住せる日本人商人の間の傳道に着手することになつた(註三)。

斯くて兩人は暫くアユチヤに留つて活動したが、軈てカルディムがラオスに出發することになり、後任として一六二七年八月マラッカから敎父ジュリオ・セザル・マルギコ(Julio Cesar Margico)來着し、兩人力を協せて大いに傳道に努めた。

カルディムの記す所によれば、

敎父等は立派な敎會堂一宇を開設して、同處で其の國に在住せる日本人切支丹四百名、并に其の町に住めるポルトガル商人若干名と他の諸國人切支丹に秘蹟を授けた(註四)。

とあつて、當時日本町には少くとも四百名にも上る多數の切支丹が在住してゐた樣であるが、固より彼等の母國に歸還することは、幕府の嚴に取締れる際なれば、彼等は同地に餘儀なく踏留まらねばならなかつたに違ひない。次いで在住日本人の多數が、長政に率ゐられて六崑に轉するや、ロマン西も亦從つて同地に至りしが、長政の毒殺後日本人一同六崑の町を破壞して柬埔寨に走つたので、彼も一時同地よりマカオに去り、後柬埔寨に於ける日本人敎化の爲め再び同地に渡航した。其の後暹羅に於いて國王の赦令出でゝ、日本人等は柬埔寨より歸還して、彼等に秘蹟を授く可き敎父の來任をマカオに要求せしが、既に他の會派の敎師が渡航して活動せる故を以て、ゼスス會よりは一時敎父の派遣を見合せた(註五)。

江戸幕府の切支丹宗彈壓の手が重加するに連れ、信徒は東京、交趾、柬埔寨等各地に走つたが、又逃れて暹羅に入る者も多かつた(註六)。フランスの外國傳道敎會の敎父ド・ラ・モット・ランベール(de la Motte-Lambert)が一六六二年八月二十二日(寛文二年)アユチャヤに到着した時には(註七)、同地に夫々ドミニコ派とゼスス會に屬せる敎會堂二宇あり、總數五百名の各國人のキリスト敎徒がゐて、其の中には、母國に於ける嚴しき迫害を避けて轉住した日本人も未だ猶可也殘存して、敎父の訪問に接し、日本に於いて先年來既に三百七十名も殉敎し敎父も死滅しても猶堅く信仰を守れる者あることを告げ、彼も之に感激して此等追放切支丹の慰安と助けに一層力を盡した(註八)。日本町の頭領アントニイ・善右衞門の如きも、亦彼等信徒中の指導的人物に違ひない。ランベールは、其の後相次いで渡來した敎父等と共に、土語を學び一層傳道に努めたが、一六六七年頃に、在留日本人等が、彼等の爲めに禮拜堂を建て、之を管理するに司祭を派遣せられんことを彼に願出たこともある(註九)。されば、一六八五年(貞享二年)大使ショーモンに隨從渡暹したフォルバン伯(Comte de Forbin)の回想錄によれば、當時同國に在留せるポルトガル人、交趾支那人幷に日本人中には多數のキリスト敎徒があつて、宣敎師は彼等の世話をなし、彼等に秘蹟を授けてゐた(註一〇)。又大使に同行したショアジイ司敎(Abbé de Choisy)の日記一六八五年十月十四日の條には、アユチャを距ること一リーグの地に學林と修道院もあつて、何れも十二歲より二十歲までの支那人、日本人、暹羅人、其の他諸國人修道僧約四十名位、法衣に身を纒ひ、哲學や神學を修めラテン語を學んで說敎すること、フランスや歐洲修道院の如しと記してあるが(註一一)、寧ろ我が有馬や天草に於いてゼスス會が經營した所に髣髴たるものがある。有馬や天草にては、青年子弟に哲學、神學、ラテン語等の外音樂や繪畫も敎授したが、暹羅の學林にて斯様な敎育を受けた者でもあらうか、一日本人畫工が、此の頃宰相フォルコンの施主となつてルーボー(Leuvo)に建てた禮拜堂の壁に、舊約幷に新約聖書中の主なる奇蹟の壁畫を美事に描いた(註一二)。此等の青年子弟は、固より初代移住日本人の子弟として同地にて生れた者でなければならぬ。此より先一六八二年五月(天和二年)に、宰相フォルコンは、殉教者の血統にして篤信の譽高き年若い一日本人婦人と結婚したが、其の後革命の動亂に彼が處刑された時、夫人の祖母は移住後同地の熱帶的氣候にも係らず能く八十八歳の長壽を保つてゐた(註一三)。

既に鎖國を去ること五十年にも及び、斯樣な初代移住日本人も年と共に減少して、其の子孫も殆ど國人に同化混血して之を指適するも漸く困難となり、此の間辛うじて彼等によつて其の行末を窺ひ得るに過ぎないであらう。夫人は後遙に一七一九年(享保四年)アレクサンダー・ハミルトン(Alexander Hamilton)が暹羅に渡航した頃には、再び宮廷に召出されて、王室料理部の頭を勤めて世人の尊敬を受けてゐた(註一四)。

二 軍事的活動。 山田長政の出世物語に傳へられたる如く、暹羅移住日本人は同國の軍事方面に最も華々しく活躍した。前述の如く一六一二年頃には、國王の近衞隊に勤務せる日本人が、或は二百八十名、或は四、五百名あつたと傳へられてゐるが、豫て恩顧を蒙りし重臣ピャ・ナイ・ワイの處刑後、彼等は王宮に闖入して、反對派の重臣を捕へて殺害し、ペチャプリに引上げて自立を計つた。フロリスは、此等の日本人を重臣ナイ・ワイの奴隷と記すも(註一五)、スプリンケルやボカルロの云へる如く、寧ろ國土の禁軍の兵員と見るべく(計一六)、當時南洋各地に於いて日本人移民は勇猛好戰的の評を得、其の中には恐らく實戰の經驗に富む多數の浪人もあつて、卓越せし戰鬪技術を有せしなるべく、各〻其の在住地の軍隊に參加して重んぜられたが、其の後も暹羅國王の禁衛隊に雇傭されて活動した。

叛亂日本人の其の後の運命は明かでないが、十年を經て一六二二年(元和八年)に暹羅王ソンタムが隣邦柬埔寨に遠征せし時、在住日本人も亦從軍した樣である。

元和九年七月(一六二三年)暹羅國使二人來朝して國書方物を前將軍秀忠に獻上した。書中に、

去歲擬欲重修恭候之忱、緣該屬柬埔寨、舊浮哪・詩・士板忠順、令其守鎮、恪供及職。臨終時曾屬其子七・士他嗣襲、當忠誠效順。及故、悖父遺囑不請、擅襲拒臂失貢。由是國議、差使往諭、詎他逆命不悛、政事旁午、弗遑修候、爲歉彌。今他越分釀禍、政荒民苦、勢將殘敝。本國欲乘便宜、興水陸師、以踐平其境。慮貴國商販彼處者、值干戈之秋、誤爲彼助、未免混傷。恐非和好之本

意。望諭停之、容事平後依舊通販(註一七)。

とあるは、重視すべき文章である。蓋し此より先、柬埔寨王浮哪・詩・士板(Prea Srey Sopor)の歿後、曾て暹羅に質たりし長子七士他(Chesed a)嗣立して暹羅に朝貢せざることを責めて、膺懲の爲め、一六二二年暹羅王子の率ゆる一軍は北方より、將軍ピヤ・タイ・ナム(Phya Thya-Nam)指揮下の一軍は南方より柬埔寨に侵入して、結局翌年暹羅軍の大敗を以て戰局を結んだことがある(註一八)。國書は、當時柬埔寨に來航せる日本人の敵軍を援助する勿んことを乞ふたものであるが、別に同國の重臣握雅大庫よりも我が幕閣の重臣酒井忠世、土井利勝、板倉重宗に夫々書信を寄せて、王の使命の滯りなく逹成せんことを依賴した。秀忠は返書して、日本人援兵の處置を暹羅國王に一任してゐる(註一九)。

斯樣に暹羅王ソンタムは一方日本に使節を遣して自國の立場を有利に導かんと努めたが、前年一六二二年の早春にはバタビヤに使者を派して、夫々蘭英兩國人の諒解を求め、相互の和親と其の援助とを期待せしのみならず(註二〇)、一六二二年四月日本から歸航した蘭船ニュー・ゼーラント(Nieuw Zeelandt)の齎らした報告によれば、暹羅國王の派遣せし使節等が日本の皇帝の許に至つて、國民を海外に輸送すべきことの許可を願つたが拒絕された(註二一)。

とあるから、或は既に元和七年度の遣使に當り、恰も柬埔寨と開戰の準備中に、豫じめ日本人の來航援助を乞ひて拒絕されたのではあるまいかと思はれる。然るに同年五月三十一日、コルネリス・ライエルセン(Cornelis Ryersen)の艦隊の決議錄中に、

本日ヤハト船ビクトリヤ(Victoria)は掃海に赴いて、四十八人乘組める暹羅ジャンク船一隻捕獲して艦隊に曳航して來た。彼等四十八人は暹羅國王に仕へ、王の艦隊に從つて柬埔寨に赴く樣に命せられたものである。彼等はモンスーンに逆つて航行する法を知らず、船は漏水して、船中の食物の貯藏殘り少く、餓死の恐あり、且つ今彼等のゐる位置がわからず、敢て上陸して敵手に落ちんことを恐れて、寧ろ會社に仕へて出來る限り使傭されんことを司令官に申出た。依つて、乘組の暹羅人二十八人と日本人二十人を暹羅に送り屆けることが出來るまで、會社の用務に使用して、ジャンク船は、積荷を取去つて沈めることに決議した(註二二)。

とあつて、暹羅の柬埔寨遠征艦隊中に日本人若干が從軍してゐたことは明かであるが、恐らく此の戰役には、他にも多數の在暹日本人が同國の水陸兩軍に參加したであらう。翌々一六二四年國王がイスパニヤ艦隊司令官シルバ等をメナム河にて殺戮した時にも、『其の國の近衞隊中に多數ゐる日本人幷に多勢の暹羅人を以て』之を襲擊した（註二三）。斯の如き日本人兵は此の頃五、六百名もあり、勇敢にして信義を重んじ、常に國王を始め諸國人の均しく尊敬重視せしことは、オランダ商館長スハウテンの記す所である（註二四）。山田長政は實に彼等の頭領にして、ファン・フリートの手記にも、

オヤ・セナピモクは、約六百人に上る暹羅王國在住日本人等の隊長である（註二五）

と記してあるが、彼は此等の手兵を擁して同國政界に重きを爲し、國中第一の重臣オヤ・カラホムに對して陰然一敵國の觀あり、彼の野望達成を一時抑へてゐた。

軈て一六二八年の暮、豫て彼を登庸信任せしソンタム王殂落して、王位繼承の內亂勃發するや、彼は日本人八百人、暹羅人二萬人を統率してピブリに出征

し叛俠を討つて、大いに日本人の勇名を轟かせ、次いで翌年の秋には日本人三百人暹羅人三、四千人を率ゐて六崑に轉出し、同地の紛亂を一掃せしが、幾許もなくして翌一六三〇年の初秋家臣に毒殺された。子のオクン・セナピモクは父の餘衆を率ゐて自立して同地の太守となつたが、國人服從せずして叛亂を起したので、彼等は六崑の町を燒いて柬埔寨に走り、アユチャの日本町も同年十月二十六日に暹羅軍に燒拂はれて、同國に於ける日本人の勢力は俄かに凋落した(註二六)。

併し其の後國王の態度緩和するや、日本人は相次いで暹羅に歸還し、アユチャの日本町も再建されて、其の人口は少くとも二、三百人以上に恢復した樣である。されば一六三四年暹羅王が太泥を遠征するに當り、彼等は再び從軍を命ぜられた。バタビヤ城日記同年一月三十一日の條に、

三十一日。本日暹羅からヤハト船テクセル(jacht Texel)が當地に安着した。……暹羅王の太泥遠征と米作不良の爲め、本年は米價騰貴して、入手困難であつた。…………

又在暹日本人の大多數は國王から、同國艦隊の強化と援助の爲め、近々特別

な船にて六崑に向ひて太泥に對戰すべきことを命ぜられた。商務員スハウテンが某有力者より聞く所によれは、國王は斯様にして、彼の國土から、啻に日本人のみならず、ポルトガル人、混血兒及び他の外國人を一掃する由である(註二七)。

とあり、此の戰役に當り日本人の救援を特筆せる點より見ても、其の數が決して僅少ならざりしことは推測出來る。

曾て長政を退けて王位に即きしオヤ・カラホム即ちプラサット・トン(Prasat T'ong)は、治世二十年の後一六五六年八月(明曆二年)に殂落したが(註二八)、又もや王位繼承の爭亂勃發し、アユチヤの町には流言蜚語盛にして、八月二十五日に、オランダ商館長ヤン・ファン・ライク(Jan van Rijk)が握雅・大庫を訪ひ、在留オランダ人の生命財産の保護に付き折衝せし時、

オランダ人は、當地在住日本人等と共に、王宮を占領して、他に新王を擁立せんと計畫し、其の爲めに砲を据へた船二隻を商館の前に碇泊せしめてゐる(註二九)。

との噂さが專ら流布したが、結局十月二十六日に王子ナライ(Narai Prommarit)は

日本人幷に混血日本人、マレイ人より成る護衛隊を率ゐて王宮を占領し、クーデーターに成功して王位に即くことが出來た(註三〇)。當時日本人の勢力は漸く凋落して往時の活況なしと雖も、尙斯様な政變に當つては、未だ彼等の武力も決して無視出來ない有力なる役割を果してゐる。其の後一六八六年(貞享三年)、オランダ人に逐はれてアユチャヤに亡命せしマカッサル王子の一派が叛亂を起し、彼等の信奉するマホメット敎に反對なるポルトガル人と日本人キリスト敎徒排擊を名として立つたが(註三一)、鎭壓に向つた宰相フォルコンの隊中にゐた一日本人が陣頭に立つて奮戰した(註三二)。暹羅移住日本人は、同國の軍事的方面に於いては斯様にして、鎖國以前は固より、其の後に於いても、或は其の外征に、或は其の內亂に當つて大いに活躍して、暹羅に於ける日本人の活動と云へば、獨り彼等の武勇傳が代表せるかの觀ある所以であらう。

三　經濟的關係。　日暹間の貿易は、主として同地に於いて產出多き鹿皮や鮫皮及び蘇木の取引を中心として行はれた。當時同地に向つて頻に渡航した我が御朱印船は、何れも多額の銀資本を携行して、此等の重要商品の取引に從事したのである。ファン・フリートは、或る日本商人は、既に餘程以前から暹羅國に頻りに訪れ、特に暹羅の鹿皮と鮫皮を常に日本に供給して、多額の利益を擧げる爲めに、毎年彼等のジャンク船に資金と商品とを積んで同地に來航した。彼等は此の豊かなる利潤を非常に好んで(且又此國に產物豐富なる爲にも)、中には終に同地に留つて定住する者もあつた。依つて(常に對外貿易の保護者であつた)暹羅國王も、日本人に對し、就中彼等商人が毎年ジャンク船に積んで同地に齎らす銀資本に對して大いに好意を寄せ、遂に陛下は屢〻贈物と友好の挨拶を書連ねた書翰とを使節に持たせて、日本皇帝の許に派遣した(註三三)。

と記して、親密なる日暹兩國の國交と、同地に於ける日本人定住者の增大を以て、全く皮革取引を中心とする彼我經濟關係の濃密化に基くものと見てゐる。

斯くして、御朱印船貿易の躍進時代に於いては、日本商人は暹羅の市場に於いて此等の重要商品の取引に、常に壓倒的勢力を有する樣になつた。御朱印船の來否は此等の商品の市價を左右した。一六一三年四月二十四日(慶長十八年)ハウトマンがアユチヤより出した報告には、

本年當地に來航した日本人等は、既に種々なる商品の外、鹿皮十二萬枚購入

したので、從前に比して非常に高値を支拂はねばならなくなつた。日本人等の當地に來着する前は、百枚に付き三十五匁乃至四十匁の上等品が、九十匁百匁、或は百十匁に騰貴したが、此は箆棒な高値である(註三四)。

とあり、一六二五年十一月十七日(寛永二年)に、平戸から商館長ナイエンローデが總督に致した報告にも、

當地からジャンク船二隻暹羅に向つて出帆したから、同地に於ける鹿皮は騰貴し、當地にては下落すべきことは明かである(註三五)。

と記してあるが、又其の後一六三四年七月十日(寛永十一年)にアユチャの商館長スハウテンが平戸の商館長クーケバッケルに送つた暹羅の市況報告中にも、

日本人のジャンク船が交趾支那から來着したので(予の暹羅滯在中は固より、特に予がバタビヤに出發後)取引は極度に困難となつて、商品は非常に騰貴したので、本年會社は、鹿皮や其の他の總ての商品を、前期モンスーン期以上に不當に高値に評價する樣になつた。此の損害は日本人ジャンク船が無事日本に歸航すれば決定的となるべく、之に反して當地に於ける彼等の取引は恢復して明かに増加するであらう(註三六)。

と記してあつて、御朱印船が暹羅に渡航するや、市場は活氣を呈して、日本向重要輸出品は騰貴して、オランダ人は其の爲めに彼等の取引を常に阻害されてゐるが、此より先一六二四年一月三日に東印度總督ピーテル・デ・カルペンチール(Pieter de Carpentier)が本社に送つた報告中に、

暹羅在住日本人は、帆船ムイデン(Muijden)の來着前に間に合ふ樣に、急いで鹿皮十六萬枚幷に蘇木二十萬斤を非常に廉價で買占めて、同地より一隻のジャンク船に積込んで日本に送つたので、ムデインは不良皮八千枚以上は入手出來ずして、我等は同方面で商利を失つた(註三七)。

とあり、啻に御朱印船の商人のみならず、在住日本人も亦日暹間の貿易に手を染めて、鹿皮蘇木を買占めたので、オランダ人は殆んど手を出す餘地も無かつた樣である。其の後一六四四年一月(正保元年)商館長ファン・ツムの報ずる所によれば、

僅々鹿皮二萬五千枚に過ぎない少量の商品を、日本貿易に準備した許りである。日本人は獨占的に鹿皮を買占め、且つ商取引も主として日本人に依存してゐるので、彼等の活動に對抗してオランダ人の爲し能ふ所は誠に微々たる

ものである(註三八)。

とあつて、當時既に鎖國によつて直接本國との聯絡も斷絶せしに係らず、在暹日本人は暹羅市場にて能く從前の優越なる地位を維持して、商館の入手する鹿皮の多寡も、專ら彼等がオランダ人に對する態度によつて左右された程である。斯様にして日本商人が暹羅市場に於いて年々取引せし商品は莫大なる數量に上り、鹿皮の如きも、時には十二萬枚、或は十六萬枚なる數字を示してゐるが、又ド・マンデルスロー(Jean Albert de Mandelslo)の波斯東印度紀行によれば、一六三九年頃にても、アユチャヤに於いて日本人が年々取引する鹿皮は、依然として從前の數字を維持して、十五萬枚の多きに上つたと云はれてゐる(註三九)。

當時アユチャヤに滯在せし蘭英兩國人が、餘り利益の擧がらざる同地の商館を經營したのも、全く此等の商品を日本市場に供給すべき培養市場を維持せんが爲めであつた(註四〇)。而して彼等が日本向き重要輸出品皮革や蘇木を購入するには、彼等の商敵なるにも係らす、同地の市場に壓倒的勢力を有する在住日本人の助力を仰ぐより他無かつた。上來其の經歷を縷述せし際に屢〻觸れた様に、城井久右衛門、山田長政、絲屋太右衛門、平松廣助、木村半左衛門、アントニオ善右衛門の如きは、何れも在住日本人を代表して之が統制監督に當る頭領たると同時に、又專ら此等の諸商品を買占めてオランダ商館に納入した大仲買商でもあつた。更に此等の商品の整理、手入、緊縛、荷造をなす日本人勞働者も彼等の周旋監督する所であつた。併しオランダ商館との斯かる關係は、必しも前記數名の頭領のみに限らず、他の在留日本人中にも、手を染める者もあつた。

オランダ商館日記一六三七年三月九日の條に、

> 本日我等は日本町の宗右衛門殿(Soyemon donne)と云ふ一日本人の家に赴いて、彼が我が國民幷に我等の舊友にして、從來から多量の鹿皮と鮫皮を買占めて我が商館に交付したことを語り、目下彼が前記の商品を多量に貯藏せること確めたれば、彼が之を時價で商館に供給するや否やを尋ねた(註四一)。

とある。宗右衛門も恐らく日本町の有力者に相違ない。此の時には結局オランダ人の提議に應せずして、彼は手持商品を近く來航すべき交趾船の爲めに保留し、更に同年九月には鮫皮買占めのためにメナム河下流に赴いてゐる(註四二)。又一六四四年五月頃にオランダ商館在庫の皮革手入と荷造の爲めに、日本人勞働者が連日傭はれた時、日本人の有力者と覺しき市兵衛(Itsibe)が彼等を監督取締つた(註四三)。

オランダ人は、此等日本人有力者の手を通じて商品を入手する場合には、商品納入後に代價を支拂ふ可き契約を結んで、其の間商館は資金を有利に運轉したが(註四四)、バタビヤ城日記一六四〇年十一月二十一日(寛永十七年)の條には、日本人小左衞門(Quosaemon)と軍兵衞(Gumbe)は常に鹿皮を買占めては商館に手交してゐたが、茲に不實なことをして、會社が彼等に手交した資金を以て彼等は毎日多量の鹿皮を買占めて、ファン・フリートの抗議に從はずに前記の支那人船主に賣渡したので、會社も已むなく彼等より該資金を引上げて、彼等と絕つた(註四五)。

とあつて、又豫め手附金や前金を手交して、之に應ずる商品を納入せしめる方法も採つた樣である。

斯樣にして暹羅の對日重要輸出品鹿皮蘇木の市場に於いて、在留日本人は時にオランダ人と協力し、時に彼等を援助したが、元來兩者の利害關係は寧ろ對立して、鹿皮蘇木等の重要輸出品を繞る兩者の商爭は繰返された。オランダ人は機會ある每に市場に於ける日本人の制肘を脫して、其の貿易を獨立自由に遂行せんとし、更に此等の重要貿易品の獨占的取引にまで進まんとしたが、仲々其の目的を達することが出來なかつた。長政歿後アユチヤ日本町の燒討、日本人の追放は彼等に取つて絶好の機會であつた。即ち猶豫することなく、一六三二年十月(寛永九年)東印度總督はアントニイ・カーンを暹羅の宮廷に派して、米穀の大量輸出及び鹿皮蘇木の貿易獨占權獲得に就いて種々折衝せしめたが、未だ十分に目的を達することが出來なかつた(註四六)。幾許もなくして國王の日本人に對する態度緩和し其の來住を許して日本町再建するや、商館長スハウテンが、

旣に日本に於いても承知の如く、當地には再び多數の日本人等が(其の中幾分は舊住の者もあるが)、國王の裁可を得て居住することは明かである。彼等は鹿皮を取引し、…………會社に多大なる障害となるべし(註四七)。

と云ひしは、決して彼一人の杞憂ではなかつた。彼が更に平戸に報ずる所によれば、

當地に在住せる日本人等は日本船が頻々と來航して暹羅貿易が再開されることを熱心に欲してゐるが、貧窮して資金がないので、日本に在る多數の大商人に書面を送つて、速に日本船と資金を當地に送る樣に計つてゐる(註四八)。

とあつて、從來主として御朱印船の貿易に依存生活せし移住民が、日暹交通の杜絶によつて打擊を受け、茲に其の復活に腐心劃策してゐるが、御朱印船による日暹貿易の復活と、之に應ずる移住日本人の活動とは、言ふまでもなくオランダ人の日暹仲介貿易の阻害に他ならなかつた。されば一六三三年十二月二十五日東印度總督ブルーウェルから本社に送つた報告中には、即ち

我等は、暹羅より日本、及び日本より暹羅との間の貿易を綿密熱心な調査によつて擴大增進して、會社が永年待望せし利益を享受し、特に、此より先同地より追放された日本人の今後暹羅に歸來するのを抑止せんことを希望して、一時此の事は有望に見えたが、今や國王及び他の交趾支那の有力者の滿悅の中に、日本の大ジャンク船が資本金一萬タエル積んで、去る十一月の初め當地に來航して我等の希望もつなげなくなつた。尙斯樣な日本ジャンク船二隻十分なる資金を積んで後續する由であるが、是は、暹羅在住日本人數人が、帆船ワーペン・ファン・デルフト(Waepen van Delft)に託して、日本の有力なる商人數名に書信を送り、暹羅に派船して、同地にて從前通り貿易を營むことを求めた」からである(註四九)。

と記した程であつた。此に於いて、オランダ商館長スハウテン及び新に來暹した特使ヤン・ヨーステン・デ・ロイ(Jan Joosten de Roij)はオランエ公の親書と多額の贈物とを國王に獻上し、恰も大泥と對戰中の暹羅軍援助を交換條件として、一六三四年二月には、今後一年間の鹿皮輸出獨占と新設商館の敷地給與を承認せしめ、尙此の獨占權を推持して、連年日本と交趾より來航する日本人との商爭に對抗する爲めに、日本將軍の暹羅國王及び大官に對する惡感を上申して、國王等の日本人に對する反感の排發に努めた(註五〇)。

併しオランダ人の暹羅王廷に於ける皮革貿易獨占の暗躍に對抗して、日本人も亦彼等の特權の解除に努力した。一六五二年十月二十三日(承應元年)商館長フォルケリウス・ウェステルウォルト(Volkerius Westerwolt)がアユチャから東印度總督に送つた報告によれば、

喜太郎と呼ぶ日本人の頭領の一人は、本年オヤ・ラパシップ(Oja Rapasip)に就いて大いに運動して、商會に許可されてゐた鹿皮と牛皮輸出の特權を破棄せんとし、彼の利益の爲めに大いなる噓言を敢てした(註五一)。

とあるが、彼の運動は其の後奏功したるものゝ如く、同人が一六五五年十月十

二日に發した報告には、

國王は(予が以前閣下に報告せし如く)皮革の購入と輸出に關して會社に認可せし特權を取消して、其の取引を公開して自由にしたので、日本人商人等は(多量の皮革の手持品を有してゐるが)數隻のジャンク船が日本に歸航することを知つて、當地にやつて來て、我等幷に支那人が稀有の、否極端なる高値を付けて保證した以外には、商會に一枚の皮革をも引渡さない(註五二)。

とあつて、暹羅の重要貿易品皮革を繞つて、日蘭兩國商人の商爭は長く繰返へされた。

此の外在暹日本人は、當時暹羅の市場にて取引された鉛や錫等の重要鑛產品や米穀の仲買や販賣にも手を伸した。一六三三年九月(寛永十三年)には、頭領絲屋太右衞門が斡旋して、ペグー人の舶載した鉛をオランダ人に賣渡さしめ(註五三)、一六三六年五月には、木村半左衞門がオランダ人の依囑を受けて國禁を潛つて密かに米と籾を買占めてゐる(註五四)。彼は其の後一六四三年(寛永二十年)錫買入の爲めに一船を暹羅の屬領六崑に派し(註五五)、翌年にも再び同地に派船して錫を積取らせてたが(註五六)、一六七一年頃(寛文十一年)にも日本人が同地に於いて錫を買占めるので、オランダ人は同年度中僅かに十二本購入したに過ぎなかつた程で、當時頭領半左衛門は最大の錫取引商であつたと傳へられてゐる(註五七)。又一六七四年(延寶二年)オランダ人が日本町で錫一本十七グルデンにて買上げんとしたが、當時日本人が既に之を六崑及びタナッサリ(Tannassery)に再輸出したので、彼等は五十本以上は入手出來なかつたこともある(註五八)。其の後一六八一年九月(天和元年)イギリス商館員ジョージ・ゴスフライト(George Gosfright)はアユチャにて一日本人仲買人に銅を賣渡し(註五九)、尚當時來航のフランス船ボルツール(Voultour)の船長も、同地に於いて多量の印度商品を一日本人に賣渡してゐる(註六〇)。

斯様にして暹羅に移住した日本人は、長く同國の經濟界に活動したが、鎖國によつて御朱印船の來航全く杜絶して彼等の活動力大いに減退せし後も、尚自ら商船を國外に遣す者あり、殊に南洋各地移住日本人中には鎖國前後を通じて暹羅に貿易船を遣す者頻りにして、暹羅を中心とする日本人の經濟的活動範圍は同國の內外多岐多方面に跨り仲々活發であつた。今一六三〇年以後暹羅に出入せし南洋移住日本人商船の管見に上る所を拾ひて列記すれば次の如くなる。

年次	出帆地	渡航先	備考
一六三〇年　七月	バタビヤ	暹羅	
一六三〇年　七月	日本	暹羅	船主　山田長政
一六三二年一〇月	マニラ	暹羅	
一六三三年　六月	暹羅	交趾	
一六三三年一一月	交趾	暹羅	三隻
一六三四年　二月	交趾	暹羅	二隻　船長　彌兵衛
一六三四年　三月	交趾	暹羅	船長　四郎左衛門
一六三七年　三月	交趾	暹羅	
一六三七年　五月	交趾	暹羅	
一六三七年一一月	交趾	暹羅	
一六三八年　六月	暹羅	交趾	
一六四〇年一一月	暹羅	交趾	二隻
一六四三年一一月	交趾	暹羅	
一六四三年一一月	暹羅	六崑	船主　木村半左衛門
一六四四年　二月	暹羅	交趾	船主　木村半左衛門
一六四四年　三月	暹羅	六崑	船主　木村半左衛門
一六五八年	暹羅	東京	

一六六〇年　二月　東　京　暹羅　船主　和田理左衛門
一六六一年　四月―九月　東　京↔暹羅　船主　和田理左衛門
一六六三年　五月　暹　羅　六　崑　三隻　船主日系混血兒
一六九〇年　三月　暹　羅　マラッカ　船長日系混血兒

此の表は固より其の全部を盡したものでないが、暹羅を中心とする日本人の貿易界に於ける活動を窺知し得るかと思ふ。殊に交趾日本町との經濟的聯絡は特に密接であつた樣であるが、此は彼等が交趾に輸出せし商品を、同地と日本との間に頻繁に往復せる支那船に積換へて、間接に日本貿易を遂行したのではあるまいかと思はれる(註六一)。然るに此の世紀の半過ぎには、彼等の派船も漸く寥寥間歇的となり、殊に一六六三年度六崑に渡航した商船に就いては、バタビヤ城日記五月二十二日の條に、

暹羅の日本系混血兒等は、彼等の持船三隻をシンゴラ人(Sangoresen)に奪はれたので、他の三隻にて六崑に來航したが、其の爲めに錫八、九十本以上は輸出しなかつた(註六二)。

とあり、又一六九〇年(元祿三年)のマラッカ派船に就いては、同年八月九日附の

マラッカ知事トーマス・スリヘル(Thomas Sligher)の書翰に

三月十日に暹羅から、日本系混血兒ナイケウン(Nay keún)幷に暹羅の現王の王子に屬するルクー(roekoe)一人及び船員二十四人が、一月十三日附のピーテル・デル・ホールン(Pieter der Hoorn)氏の渡航免狀を携へて當地に來航し、……六月二十日下記の商品を積んで再び暹羅に向つて出帆した(註六三)。

とあつて、何れも暹羅在住日本系混血兒の活動を傳へてゐる。鎖國を去ること漸く遠く、初代移住日本人亦漸く減じて、彼等の活動が、同地に生れた其の子孫、就中斯くの如き日本系混血兒の手に移つて行つたのであらうが、軈て彼等も其の後幾星霜を經過する間に全く同國人に同化融合して了つたに違ひない。

註一　Boccarro. Decada 13 da Historia da India *op. cit.* Tom. VI. Cap. CXIX. p. 528.
Wood. *op. cit.* pp. 160—161.
Records of the Relations between Siam and Foreign Countries. *op. cit.* Vol. I. pp. 6—8.
ボカルロによれば、寵臣の名はチャカラン・ノヴァイ(Chacarão Novay)とあり、一六〇〇年の事件となつてゐるが、同書の註には、リスボンの國立圖書館所藏文書に一六〇八年の事件とある由を記してゐる。しかし暹羅對外關係文書やウッド氏の暹羅史によれば、一六一二年のことなるべきは明かにして、又 Chacarão **Novay** も **Pya Nai Way** の訛傳と思はれる。

註二　拙稿、松倉重政の呂宋島遠征計畫、（史學雜誌。四五ノ九）八四—八六頁。

Cardim. Batalhas. *op. cit.* p. 260

註三　*ibid.* pp. 260—261.

註四　*ibid.* p. 287.

註五　*ibid.* pp. 289—90.

註六　Relation des Misions des Evesques Francois aux Royavmes de Siam. *op. cit.* p. 4.

Pallegoix, Mgr. Description du Royaume Thai ou Siam. Paris. 1854. Tom. II. p. 109.

Pagés. *op. cit.* p. 865.

註七　Pallegoix. *op. cit.* Tom II. p. 103

註八　Relation des Mission des Evespues Francaise. *op. cit.* pp. 4—5.

註九　*ibid.* p. 17.

註一〇　Forbin, Comte de. Memoire du Comte de Forbin, Chef d'Escadre, Chevalier de l'Ordre Militaire de Saint Louis. Amsterdam. 1740. Tom. I. p. 247.

註一一　Choisy, Abbe de. Journal du Voyage de Siam. Trevoux. 1741. pp. 238—9.

註一二　Tachard, Guy. Second Voyage du Pere Tachard et des Jesuites envoyez par le Roy au Royaume de Siam. Paris. 1689. Livre V. pp. 210—11.

註一三　Bowring, Sir John. The Kingdom and People of Siam. London. 185. Vol. II. Appendix E. History of Constance Phaulkon. pp. 390—91. 407.

Cartwright, B.O. Turpin's History of Siam. Bangkok. 1908. pp. 90—91.

註一四　Foster, Sir William. A New Account of the East Indies by Alexander Hamilton. London. 1930. Vol. III. p 94.

註一五　Dagh-Register van Floris. *op. cit.* p. 27.

註一六　Van Neck. Verhael van de tweede Schipvaert. *op. cit.* p. 24.

Boccarro. Decada 13. *op. cit.* Tom VI. p. 528.

註一七　異國日記。通航一覽、刊本、第七。一—三頁。

註一八　Leclére. Histoire du Cambodge. *op. cit.* pp. 338—9.

註一九　異國日記。通航一覽、刊本、第七。二—五頁。

註二〇　Colenbrander. J. P. Coen. Bescheiden. *op. cit.* Vol. I. p. 737.

Records of the Relations between Siam and Foreign Countries. *op. cit.* Vol. I. pp. 113—115.

註二一　Origineele Generaele Missive uyt Batavia. 6 Sept. 1622. *op. cit.*

註二二　Records. *op. cit.* Vol. I. p. 116.

Groeneveld. W. P., De Nederlanders in China De eerste bemoeiingen om den handel in China in de vestiging in de Pescadores (1601—1624). 's-Gravenhage. 1898. p. 83.

註二三　Th Philippine Islands. *op. cit.* Vol. XXII. Relation of the Conditions of the Philipinas Islands and other regions surrounding, in the year 1626. pp. 138—9.

註二四　Schouten. Beschrijving van de Coninghrijcks Siam. *op. cit.* p. 209.

註二五　Van Vliet. Historiael Verhael. *op. cit.* fol. 92.

註二六　*ibid.* fol. 123—126.

Originael Missive van Antonio van Diemen. 5 Junij 1631 *op cit.*

註二七 Dagh-Register vant Casteel Batavia. *op. cit.* Anno 1634. 31 Jan. p. 230.

註二八 Wood. History of Siam, p. 187.

註二九 Copie Rapport van den Coopman Volckerius Westelwolt aen den Gouverneur Generael Ioan Maetsuycker ende Raeden van India wegens den toestandt van 's Comp$\stackrel{s}{=}$Negotie int Coninckrijck Siam, sedert den 26 Feb. A=1626. 16^{en} November A$\stackrel{o}{=}$1656. 20. Aug. 〔Kol. Archief. 1109〕

註三〇 *ibid.* 26 Oct. Wood. *op. cit.* p. 190. note 1.

註三一 Forbin. Memoire. *op. cit.* pp. 154—5.

註三二 Turpin's History of Siam. *op. cit.* pp. 61—62.
Tachard. Second Voyage. *op. cit.* p. 120.

註三三 Van Vliet. Beschrijving van Siam. *op. cit.* pp. 43—44.

註三四 Copie Missive van Maerten Houtman uijt Judea (in Siam) aen den oppercoopman Heijndrick Janssen in Patanij, 24 April 1613 〔Kol. Archief 968〕

註三五 Copie Missive van Cornelis van Nijenroode uijt Firando aen den Gou.^{r} Genl in dato 17 Nov. 1625 〔Kol. Archief 999〕

註三六 Copie Missive van Joost Schouten naer Japan in dato 10 July 1634 〔Kol. Archief 1030〕

註三七 Originele Missive van Pieter de Carpentier uijt Batavia aen bewinthebberen in dato 3 Jan. 1624 〔Kol. Archief 991〕

註三八 Dagh-Register vant Casteel Batavia. *op. cit.* A.° 1644. 25 Jan.

註三九　Mandelslo, Jean-Alberto de, Voyages celebres & remarquables, faits de Perse au Indes **Orientales.** Leide. 1719. p. 328.

註四〇　Van Vliet, Beschrijving van Siam. *op. cit.* pp. 51, 52.
Records. *op. cit.* Vol I. pp. 5, 44, 68, 69.
Mijer, P. Verzameling van Instructien, Ordonancien en Regelementen. Batavia. 1848. p. 62.

註四一　Dagh-Register van t Comptoir Siam, sedert 2 Maert tot Ul—Oct.《mo》 1637. *op. cit.* 9. Maert.

註四二　*ibid.* 9 Maert. 10 Sept.

註四三　Journaelse aenteeckeningh van t Comptoir Siam van 15 Jan tot 8 Sept. 1644. *op: cit.* 1, 8, **14,** 15, 21, 24, 25 May.

註四四　Daghregister van't Comptoir Siam van 2 Maert tot 31 Oct. 1637 *op. cit.* 6 Maert.

註四五　Dagh-Register vant Casteel Batavia. *op. cit.* Anno 1640. 21 Nov.

註四六　Tiele. Bouwstoffen. *op. cit.* Vol. II. pp. 224—228

註四七　Copie Missive naer Japan in dato Julij 1633. *op. cit.*

註四八　*ibid.*

註四九　Originele Missive van Hendrick Brouwer uijt het schip Wesel in dato 25 Dec. 1633. 〔Kol. Archief 1019〕

註五〇　De Jong. Overzigt der Betrekking. *op. cit* pp. 414—5.
Dagh-Register vant Casteel Batavia. *op. cit.* A°. 1633. 16 Dec. A° 1634. 14 Mei. Originele Generale Missive in dato 15 Aug. 1634 〔Kol. Archief 1023〕

註五一 Copie missive door den Coopman Volckerius Westerwoltt uijt Siam aen den Gou^r^ Genl in dato 22 Oct. 1652. [Kol Archief 1085]

註五二 Copie missive door Volkerius Westerwoltt uijt Siam in dato 12 Oct. 1655. [Kol. Archief 1100]

註五三 Extract uijt de Journaelse Aenteyckening. *op. cit.*

註五四 Journaelse aenteyckeninge vant Compton Siam. *op. cit.* A° 1636. 8 May.

註五五 Copie Missive van R. van Tzum in dato 25 Nov. 1643. *op. cit.*

註五六 Vervolgh vant Siamse Daghregister. *op. cit.* A° 1644. 8 Martij.

註五七 Copie Missive van Roij in dato 31 Oct. 1671. *op. cit.*

註五八 Copie Missive vant Opperhooft Jan van der Spuyck ende raad in Siam in dato 5 Aug 1674. [Kol. Archief 1193]

註五九 Syam, Journall Dyary beginne the 6 September 1681 and ended the 18 January 168$\frac{1}{2}$, kept by Mr Geo. Gosfright [Factory Records. Siam. Vol. 1]

註六〇 Memorie van eenige goederen door t franse schip de Voultour in Siam aengebracht [Kol. Archief 1251]

註六一 Dagh-Register vant Casteel Batavia. *op. cit.* A° 1636. 26 Nov.

註六二 *ibid.* A° 1662. 22 May.

註六三 Copie Missive door den Gouverneer Thomas Sligher en den Raet tot Malacca aen den Gouverneur Generael ende Raden van Indie in dato 9 Aug. A° 1690 [Kol. Archief 1375]

昭和十一年五月二十二日　　（未完）

附記。 印刷校正中閲讀したアドリヤン・ラウネイ師の暹羅傳道史料集（Adrien Launay, Histoire de la Mission de Siam, 1662—1811. Documents Historiques. Paris. 1920）中に、一六六三年敎父ランベールが敎父パルー（Mgr. Pallu）に送つた書信中に、日本町の傳道、就中二十五人家族の主人なる日本人信徒ジュアン（Jean）の篤信を述べ（Vol I. pp. 14—15）、一六八七年十二月十四日附敎父バツセ（M.r Basset）の書信には、アユチヤに於ける基督敎修學林の狀態を詳述し、東京人三名、交趾支那人四名、暹羅生れの日本人一名、マレイ人二名、合計十名の在學生があつたことを記してゐる（*ibid*. p. 102）。又一七〇六年（寶永三年）の暹羅修學林人員名簿によれば、父が日本人にして母がペグー人なるシモン・ザマダ（山田？）（Simon Zamada）の名が見える（Vol. II. p. 67）。尙同師の交趾支那傳道史料集（Histoire de la Mission de Cochinchine, 1658—1823. Documents Historiques. Paris. 1923—25.）中にも交趾在住日本人の宗教生活に關する記事が散見するが、何れ他日機會を得て追補する積りである。

近代日暹交渉史年表稿

岩生成一

（日附をゴシック活字にて記したるは大陰暦である。）

日本暦	西洋暦	事件	典據
慶長六年	一六〇一年 一六〇二年	○太泥にてポルトガル人雇傭日本人二百名オランダ人と争ふ。（一六〇二年一月二六日）	ファン・ネック第二回東印度航海記
同七年	一六〇二年	○徳川家康返書を太泥國林隠麟に送る。（**七月五日**）	異國日記
同八年	一六〇三年	○幕府太泥國渡航御朱印狀を下附す。（**四月二八日・一〇月一一日**）	相國寺文書
同九年	一六〇四年	○幕府暹羅國渡航御朱印狀を島津忠恒、暹羅居住與右衛門等に下附す。（**八月一二日、二五日、二六日**）	異國御朱印帳
		○幕府太泥國渡航御朱印狀を今屋宗忠、大黒屋助左衛門、檜皮屋孫兵衛等に下附す。（**八月二六日、一二月一六日**）	異國御朱印帳、内木文書
		○加藤清正の臣にして切支丹なる市河治兵衛等長崎に逃れ、次いで暹羅に移住す。	パゼス日本耶蘇教史。グェレイロ布教報告
同一〇年	一六〇五年	○幕府太泥國渡航御朱印狀を尼崎屋又二郎、六條仁兵衛等に下附す。（**一月三日、一二月二日**）	異國御朱印帳
		○日本人太泥の町を焼拂ふ。	フロリス太泥暹羅渡航日記
同一一年	一六〇六年	○暹羅國重臣書を島津家久に送り交通貿易を開かんこ	

		とを求む。（四月）	島津文書
		○家康太泥國王に返書して日本人の奪掠せし者を罰せんことを約す。（八月）	異國近年御書草案
		○幕府暹羅國渡航御朱印狀を有馬晴信、木屋彌三右衛門、今屋宗忠、長崎惣右衛門等に下附す。（七月二一日、八月一一日、一五日、一〇月八日）	異國御朱印帳
		○家康書を暹羅國王に送り奇楠香鐵砲を求む。（九月二一日）	異國日記
同　一二年	一六〇七年	○幕府暹羅國渡航御朱印狀を、大賀九郎左衛門、木屋彌三右衛門、島津忠恒、後藤宗印等に下附す。（五月七日、八月四日、十月一八日、一二月二四日）	異國御朱印帳
同　一三年	一六〇八年	○龜井玆矩商船を暹羅に派す。（一月?）	龜文書
		○幕府暹羅國渡航御朱印狀を田邊屋又左衛門に下附す。（七月二五日）	異國御朱印帳
		○本多正純家康の命により書を暹羅國に送り、鐵砲鹽硝を求む。（一〇月一〇日）	方策新編
同　一四年	一六〇九年	○幕府暹羅國渡航御朱印狀を加藤清正、伊藤新九郎、トーマス、島津忠恒、木屋彌三右衛門、龜井玆矩等に下附す。（一月一一日、七月二五日、八月二五日）	異國御朱印帳
		○龜井玆矩鍜治屋右衛門を暹羅に遣し、書を握浮哪純廣に送る。（八月一四日）	多胡文書

同　一五年	一六一〇年	○日本人オクプラ純廣返書を龜井茲矩に送り、鉛、鐵砲の獻上、新造船の事を報す。（三月三日） ○家康書を暹羅國王に送り、本多正純返書を暹羅の重臣握雅・普控に送る。（七月） ○幕府暹羅國渡航御朱印狀を木屋彌三右衛門、龜井茲矩、江島吉左衛門に下附す。（一月一一日、七月二五日、八月二二日） ○龜井茲矩太泥國王に書を送り、新に商船を暹羅より廻航することを報ず。（八月二二日）	龜井文書 異國日記 異國御朱印帳 龜井文書
同　一六年	一六一一年	○幕府暹羅國渡航御朱印狀を細川忠興に下附す（一月一一日）忠興の船は安南に漂着し、同地の官憲より送還さる。 ○日本人再度太泥の町を燒く。	異國御朱印帳、駿府記、細川家記 フロリス太泥暹羅渡航記
同　一七年	一六一二年	○在暹日本人二百八十人王宮に闖入し、重臣を殺し、次いでピペリに走りて自立を計る。（三月） ○日本船暹羅にて鹿皮十二萬枚購入す。（四月二四日） ○幕府暹羅國渡航御朱印狀を木屋彌三右衛門、ヤン・ヨーステンに下附す。（八月六日、九月九日）	暹羅外交文書集、フロリス太泥暹羅渡航日記 ファン・ネック第二回東印度航海記 ヘーグ文書 異國渡海御朱印帳
同　一八年	一六一三年	○幕府暹羅國渡航御朱印狀を長谷川忠兵衛、マノエル、ヤン・ヨーステンに下附す。（一月一一日、九月九日）	異國渡海御朱印帳

同　一九年	一六一四年	○幕府暹羅國渡海御朱印狀を木屋彌三右衛門、ウィリアム・アダムス、唐人ベノケイ等に下附す。（一月一一日、九月九日）	異國渡海御朱印帳
元和元年	一六一五年	○ウィリアム・アダムス暹羅に航して、日本人の頭領城井久右衛門に贈物す。（一月一一日）	アダムス航海記
		○幕府暹羅國渡航御朱印狀を長谷川權六、唐人三官、ヤックス・スペックス、高尾次右衛門等に下附す。（九月九日）	異國渡海御朱印帳
		○握雅・大庫日本人吉兵衛を日本に遣して刀甲を求む。	江雲隨筆
同　二　年	一六一六年	○握雅・大庫書を前田利常に送つて刀を求む。（四月一日）	江雲隨筆
同　三　年	一六一七年	○暹羅に於ける蘭英人の爭に日本人加はる。（五月一三日）	ヘーグ文書
		○アユチヤのオランダ商館長ナイエンローデ日本人頭領オロン・ソン・サツトルー城井久右衛門と鹿皮賣買契約をなす。（六月一二日）	ヨング蘭暹交渉史
		○平戸のイギリス商館長コックス久右衛門の父より酒と蜜柑を贈らる。（一二月二九日）	コックス日記
同　四　年	一六一八年	○此頃日本人メナム河の日本關（税關）を管理す。	東西洋考
同　五　年	一六一九年	○日本人の頭領久右衛門オランダ船に託して日本に在	

		る父に鹿皮を送る。（六月七日）	ヘーグ文書
同六年	一六二〇年	○日本人長蔵太泥よりバタビヤに渡航して総督から営業自由免状を受く。（七月一一日）	ヘーグ文書
同七年	一六二一年	○暹羅國使江戸に至り、國王の書（四月七日）を秀忠に、握雅・大庫の書（四月八日）を本多正純長崎奉行に送る。秀忠等夫々返書す。（九月）	異國日記、コックス日記
		○山田長政又土井利勝、本多正純に書（四月一一日）を送る、兩人夫々返書す。（九月）	異國日記
		○オクプラ長政英商館長の願により拘禁英人及び日本人の釋放に斡旋す。（八月）	印度省文書
同八年	一六二二年	○アユチヤの日本人町燒失しオランダ商館類燒す。（三月）	ヘーグ文書
		○暹羅渡航御朱印船歸途交趾沖にてオランダ船に臨檢さる。（六月八日）	フルーネフェルト蘭支交渉史
		○日本人パウロ暹羅人マヨンとバタビヤにて結婚す。（九月二一日）	バタビヤ文書
		○木屋彌三右衛門等暹羅國渡航御朱印狀の下附を受く。（九月二七日）	全堺詳志
同九年	一六二三年	○暹羅國使江戸に上り、國王の書を秀忠に呈し、暹羅東埔寨間の紛争に日本人の援助せざらんことを乞ひ、	

		握雅・大庫も酒井忠世、土井利勝、板倉重宗に書を送る。(四月) 秀忠以下夫々返書す。(八月)	異國日記
		○日本船三隻暹羅に渡航す。	ヘーグ文書
		○アユチヤのイギリス商館雇傭日本人二名殺さる。(一二月一四日)	暹羅外交文書集
寛永元年	一六二四年	○イスパニヤ船アユチヤにて日本人に襲撃さる。 ○ウィリアム・アダムスの遺子船を暹羅に派す。	ロバートソン比島關係史料集、ファン・フリート暹羅誌 ヘーグ文書
		○山田長政の船平戸に着し貿易を終つて後も歸航許可の御朱印狀を得る能はず。(一一月三〇日)	ヘーグ文書
同　二　年	一六二五年	○牧野信成書を握雅大庫に送る。(八月) ○小濱民部等の御朱印船二隻暹羅に渡航す。(一〇月一一日)	羅山文集 島井文書 ヘーグ文書
同　三　年	一六二六年	○握雅大庫書を酒井忠世、土井利勝に送り、長政船の歸航許の斡旋を乞ふ。(四月) 兩人夫々返書す。(一〇月)	異國日記
		○角倉與一船暹羅に渡航す。(一〇月一六日)	天竺徳兵衛物語
	一六二七年	○長政船今後御朱印狀の必要なく自由に來航することを許されて出帆す。(一六二七年一月五日)	ヘーグ文書
同　四　年	一六二七年	○小濱民部の御朱印船等二隻暹羅に渡航す。 ○此の頃長政オクプラに昇敍さる。	博多三傑傳 ヘーグ文書 異國日記

		○アユチヤに日本人切支丹四百人あり、教父ロマン西等來り禮拜堂も建つ。（八月）	カルディム布教報告
		○本年日本に渡航せし長政船長崎より歸還す。（一〇月）	ヘーグ文書
		○日本人船暹羅よりバタビヤに渡航す。（一二月一七日）	ド・フリース東印度航海記
同　五　年	一六二八年	○日本船三隻暹羅に渡航す。（二月一七日）	ヘーグ文書
		○長政のマラッカに派遣せし使船バタビヤに曳航さる。（三月）	ヘーグ文書、クーン書信集
		○イスパニヤ船アユチヤにて高木作右衛門の御朱印船を燒沈し乘組日本人中四四人を捕ふ。（五月一四日）	ヘーグ文書　ローバートソン比島關係史料集
同　六　年	一六二九年	○此頃暹羅近衛隊に日本人七、八百人あり。	スハウテン暹羅國誌
		○長政日本人八百名を率ゐ暹羅兵二萬人と共に叛亂軍を鎭壓す。	ファンフリート暹羅王位繼承記
		○長政使船をバタビヤに派し、書翰と贈物を總督クーンに送る。次いで總督クーン長政に返書と贈物を答贈す。（五月二二日）	ヘーグ文書　クーン書信集
		○長政六崑總督に任ぜられ日本人三百人暹羅人四千人を率ゐて赴任す。（八月）	ヘーグ文書
		○長政の船長崎に入港し（七月二〇日）、暹羅使節江戸に上りて將軍に謁し新王の卽位を報じ國書を呈す。	ヘーグ文書　異國日記

		(九月一九日) 長政使節に託して書(三月三日)を酒井忠世の臣關主税に、握雅・大庫書(四月一五日)を酒井忠世、板倉重宗に送る。家光等夫々返書す。(九月、一〇月三日)	異國日記
同　七　年	一六三〇年	○長政六崑に於いて毒殺され、其の子オクン・セナピモク自立を謀り、次いで東埔寨に去る。(七月)	ヘーグ文書
		○バタビヤ在住日本人等の商船アユチヤにて抑留さる。(八月)	ヘーグ文書
		○アユチヤの日本人町燒討さる。(一〇月二六日)	ヘーグ文書
同　八　年	一六三一年	○日本人の一部長政船にて暹羅より避難歸國す。(七月)	ヘーグ文書
		○東埔寨國王暹羅より遁入せし日本人等の助力を得て暹羅と戰はんとす。(一二月)	バタビヤ城日記
		○長政殺害の報達し、幕府にて對策を議す。(一二月二八日)	本光國師日記
同　九　年	一六三二年	(蘭使アントニヲ・カーン暹羅日本町を通過す。(九月二六日)	チーレ史料集
		○日本船マニラより暹羅に渡航す。(一〇月)	ヘーグ文書
同　一〇年	一六三三年	○暹羅國王舊住に幷に新來日本人の居住を認可す。	ヘーグ文書
		○日本人彌兵衛、喜太郎商品をオランダ船に託して日	ヘーグ文書

		本に送る。（六月一日）	ヘーグ文書
		○日本船交趾より暹羅に入港す。（六月二日）	ヘーグ文書
		○日本町の兩頭領糸屋太右衛門、平松廣助オランダ商館に鹿皮賣渡契約を結ぶ。（六月五日）	ヘーグ文書
		○糸屋太右衛門オランダ人が鉛をペグー人より買ふことを斡旋す。（九月二六日）	ヘーグ文書
		○蘭使國書を暹羅國王に呈す、宮中に日本將軍の書翰丁重に保存さる。（九月二八日）	ヘーグ文書
		○日本人三、四十人妻子を連れて柬埔寨より暹羅に移住す。（一一月五日）	ヘーグ文書
		○日本船三隻交趾より暹羅に入港す。（一一月五日）	ヘーグ文書
同　一一年	一六三四年	○糸屋太右衛門蘭商館長スハウテンと鹿皮鮫皮賣契約を結ぶ。（一一月二一日）	ヘーグ文書
		○木村喜太郎スハウテンと鹿皮鮫皮賣渡契約を結ぶ。（一月二四日）	ヘーグ文書
		○平松廣助スハウテンと鹿皮賣渡契約を結ぶ。（一月二六日）	ヘーグ文書
		○暹羅國王太泥遠征に日本人兵を用ふ。（一月三一日）	バタビヤ城日記 ヘーグ文書
		○彌兵衛等の日本船三隻交趾より暹羅に入港す。（二月一九日）	ヘーグ文書
		○平戸の四郎左衛門船交趾より暹羅に入港す。（三月八	

		日）	
		○アユチヤ日本町燒失す。（三月二五日）	ヘーグ文書
		○日本人暹羅王の船を購入す。（四月一三日）	ヘーグ文書
		○太右衛門、喜太郎、半左衛門等契約に基き鹿皮鮫皮をオランダ商館に納入す。（四月六日、五月二日、三日、四日、六月二日）	ヘーグ文書
		○暹羅王使船を日本に派す。長崎にて拒絶さる。（五月二四日）	ヘーグ文書
		○喜左衛門の船日本に向ひて出帆す。（六月三日）	ヘーグ文書
		○伯者屋吉左衛門の船暹羅より歸還して同國の國情を報す。（一〇月）	ヘーグ文書
		○此頃森田長助暹羅より歸國して暹羅通事となる。	長崎先民傳
同　一二年	一六三五年	○暹羅王の日本遣使オコン・シパコディ船暴風に遭ひて廣南に寄港す。	ヘーグ文書
同　一三年	一六三六年	○半左衛門オランダ人の爲めに米、籾を買占む。	ヘーグ文書
		○日本人の海外渡航及ひ歸國禁止令發布せらる（鎖國）（五月一九日）	憲教類典
		○暹羅國使オコン・シパコディの船長崎に着し、奉行に拒絶せらる。（一〇月）	ヘーグ文書
		○東埔寨王子日本人百人を從へて暹羅に亡命す。（一一月一八日）	ヘーグ文書

同　一四年	一六三七年	○日本アントニイ暹羅オランダ商館にて鹿皮の賣渡契約をなす。（三月六日）	ヘーグ文書
		○蘭商館長日本町の宗右衛門を訪ひ、鮫皮の商談をなす。（三月九日）	ヘーグ文書
		○山上吉左衛門等日本人三名オランダ船にてアユチヤよりバタビヤに赴かんとして途中暴風に遭ひて引返す。（二月一八日、三月一六日）	バタビヤ城日記 ヘーグ文書
		○日本人六家族四十人東埔寨より暹羅に移住す。（四月五日）	ヘーグ文書
		○糸屋太右衛門、平松廣助オランダ商館を訪ひ日本人勞働者の傭入れを周旋す。（四月一五日、一六日）	ヘーグ文書
		○日本船交趾より暹羅に航し支那金を齎す。（三月五日）	ヘーグ文書
		○暹羅國使長崎に至り奉行より拒絶さる。（九月二〇日）	ヘーグ文書
		○日本船交趾より暹羅に航す。（一一月）	ヘーグ文書
同　一五年	一六三八年	○交趾在住日本人暹羅に來り鹿皮を買入れて歸帆す。（六月）	ヘーグ文書
同　一六年	一六三九年	○木村半左衛門長崎の親戚辻萬右衛門に音信を通ず。（六月一四日）	ヘーグ文書
		○此頃日本人暹羅にて取引する鹿皮十五萬枚に上る。	マルデルスロー波斯東印度紀行

同　一七年	一六四〇年	○オランダ商館長暹羅王廷との紛擾の和解を太右衛門に依頼す。（七月一一日）	バタビヤ城日記
		○小左衛門、軍兵衛オランダ商館依託資金を流用して鹿皮を買占め支那人に賣渡す。（一一月二一日）	バタビヤ城日記
		○在暹日本人鹿皮八萬枚を船二隻に積んで交趾に向ふ。（一一月二一日）	バタビヤ城日記
		○暹羅國使金書を携へて日本に向ひ暴風に遭ひ廣東より引返す。（一一月）	ヘーグ文書
同　一八年	一六四一年	○長崎奉行蘭支人が海外在住日本人の貨物書翰傳言を取次ぐを禁ず。（一一月二六日）	ヘーグ文書
同　一九年	一六四二年	○日本町の頭領太右衛門、廣助の兩未亡人日本町の新頭領に喚問されて、亡夫の蘭人に負ふ債務に付き裁判官に訊問さる。（一〇月二五日）	ヘーグ文書
同　二〇年	一六四三年	○暹羅國王日本に使節船を派せんと計畫す。（九月一四日）	ヘーグ文書
		○日本町頭領木村喜太郎錫を買ふ爲めに商船を六崑に派遣す。（一一月一二日）	ヘーグ文書
正保元年	一六四四年	○日本町の頭領木村喜太郎別名半左衛門暹羅國王の大船を購入して交趾に派せんとす。（一月六月）	ヘーグ文書
		○半左衛門船を六崑に派して錫を購入す。（三月八日）	ヘーグ文書

		○日本町の頭領アントニイ・善右衛門オランダ商館を訪ひ鹿皮の買付、國王の日本走使に付いて談す。（三月二六日）	ヘーグ文書
		○在暹牛左衛門蘭商館に鮫皮を賣渡す。（四月一八日）	ヘーグ文書
		○暹羅國王の使節船日本に向ひ出帆し、（四月二二日）暴風雨に遭ひ澎湖島に着し掠奪さる。（六月二日）	ヘーグ文書 バタヒヤ城日記
		○暹羅國王日本町の頭領牛左衛門善右衛門兩人に蘇木を送る。（四月二七日）	ヘーグ文書
		○多數の日本人勞働者市兵衛監督の下にアユチヤの蘭商館の皮革の手入荷造に從事す。（五月八日―二五日）	ヘーグ文書
同　二　年	一六四五年	○日本人ミヒール暹羅人アブラハムにバタビヤに於いて金を貸す。（五月一六日）	バタビヤ文書
同　三　年	一六四六年		
同　四　年	一六四七年		
慶安元年	一六四八年		
同　二　年	一六四九年		
同　三　年	一六五〇年	○オランダ人アユチヤにて日本人在庫の各種牛皮を買入る。（五月二四日）	ヘーグ文書

同　四　年	一六五一年	○木谷久左衛門父母の年忌供養に暹羅より土産を故郷に送る。	長崎夜話草、通航一覽
承應元年	一六五二年	○木村半左衛門暹羅の王廷に運動して蘭人の皮革輸出獨占權の廢棄にに努む。(一〇月)	ヘーグ文書
同　二　年	一六五三年	○半左衛門オランダ船に託して長崎の辻萬右衛門に信書金子を送る。(七月一九日)	ヘーグ文書
同　三　年	一六五四年	○暹羅國王新造船を日本に派せんとして蘭人航海士を求む。(一一月)	ヘーグ文書
明暦元年	一六五五年	○半左衛門の努力によつて暹羅國王オランダ人の皮革輸出獨占權を解放し、日本人鹿皮を買占む。(一〇月三日)	ヘーグ文書
	一六五六年	○日本人オランダ商館と鹿皮賣渡契約をなす。(一月)	ヘーグ文書
同　二　年	一六五六年	○暹羅の使節船國王の金書を携へて長崎に來航し(七月九日)、拒絶されて出帆す。(八月二九日)	長崎夜話草 ヘーグ文書
		○暹羅國王死して内亂起り、王子は日本人、日本系混血兒、マレイ人を率ゐて王宮に入りクーデータに成功す。(八月八日)	ヘーグ文書
同　三　年	一六五七年	○日本人善右衛門、半左衛門、加兵衛等オランダ人に借金す。(一一月二二日)	ヘーグ文書

萬治元年	一六五八年	○在暹日本人オランダ人航海士を傭ひて商船を東京に派遣す。	バタビヤ城日記
同　二　年	一六五九年		
同　三　年	一六六〇年	○暹羅大使和田理左衛門船にて東京に向ふ。（二月八日）	バタビヤ城日記 ヘーグ文書
寛文元年	一六六一年	○暹羅大使二名國書を持して再び和田理左衛門船にて東京に向ふ。（九月二四日）	バタビヤ城日記 ヘーグ文書
		○堺の人中村彦左衛門暹羅より佛書を故郷に送る。	正法寺文書
		○暹羅國王船モール人名義にて日本に到り貿易を遂ぐ。	ヘーグ文書
		○暹羅大官日本人船長を傭ひ船をバタビヤに派遣せんとす。	バタビヤ城日記
同　二　年	一六六二年	○暹羅國王、日本町ポルトガル町及ひオランダ居住地の住民が互に交通することを禁す。	ヘーグ文書
		○アエチヤの日本人切支丹等教父ド・ラ・モッテ・ランベールを歡迎す。（八月二二日）	フランス司教報告
		○オランダ人日本人加兵衛、ロマン、平左衛門に鹿皮代を支拂ふ。（一一月三日）	ヘーグ文書
同　三　年	一六六三年	○日本系混血兒錫を購入する爲め船三隻を六崑に派遣す。（五月二二日）	バタビヤ城日記

		○日本人の頭領王命によつてオランダ船を臨檢す。(一〇月三一日)	バタビヤ城日記
同四年	一六六四年	○日本に向ひし暹羅國王船(六月二五日)途中廣南にて一冬を過す。	ヘーグ文書 バタビヤ城日記
同五年	一六六五年	○暹羅國王の使船廣南より長崎に到り奉行の斡旋で貿易を遂ぐ。(一〇月二四日)	ヘーグ文書
		○暹羅國王日本人頭領の斡旋にてハタビヤにて廣南日本町の頭領林喜右衛門より日本製大斧を買ふ。	ヘーグ文書
同六年	一六六六年	○此頃在暹日本人の主なる者は木村半左衛門、北島八兵衛、德永長三郎、石橋加兵衛、三宅次兵衛、野中市兵衛、吉原太兵衛、石津伊左衛門、次兵衛。	延寶長崎記
		○暹羅王の船オランダ商館長のパスを持つて長崎に到り貿易す。(七月二六日)次いで王の第二船も入港す(八月一五日)	ヘーグ文書
同七年	一六六七年	○(東京在住和田理左衛門死す)。(九月七日)	ヘーグ文書
		○日本人等教父ランベールに禮拜堂を建てんことを熱望す。	フランス司教報告
同八年	一六六八年		
同九年	一六六九年		

同　一〇年	一六七〇年	○日本町の頭領等六崑の錫を取引す。	ヘーグ文書
同　一一年	一六七一年	○暹羅國王船長崎に到りて貿易す。	ヘーグ文書
同　一二年	一六七二年	○暹羅國王更に商船三隻を日本に派して貿易す。（八月一七日）	ヘーグ文書
延寶元年	一六七三年		
同　二　年	一六七四年	○暹羅國王及び王妃夫々船を日本に派遣し、在暹イギリス商館長日本将軍への贈物を託す。（五月）	ヘーグ文書 暹羅外交文書集
		○日本人錫を六崑及びタナサリに再輸出し、オランダ人の錫買付不能となる。	ヘーグ文書
同　三　年	一六七五年		
同　四　年	一六七六年	○（アユチヤの支那人町大火あり二百二十軒燒く。）（一月一五日）	ヘーグ文書
		○イギリス商館日本人グルベーを傭ふ。（六月二三日）	暹羅外交文書集
同　五　年	一六七七年	○暹羅國王船日本より歸航す。（三月一六日）	ヘーグ文書
		○暹羅國王船日本に向ひ出帆す。（五月一二日）	ヘーグ文書
同　六　年	一六七八年	○暹羅國王船長崎にて日本金を買上げ、出帆後直に難波し支那船を購入して歸國す。（一月三日）	ヘーグ文書
同　七　年	一六七九年	○暹羅國王の第一船第二船及び王弟の船日本より銅磁	

		器小判を積んで歸國す。（三月五日、七日、二一日）	ヘーグ文書
		○暹羅國王船及び王の重臣の船日本に向ひ出帆す。（四月二十九日、五月二六日）	ヘーグ文書
同八年	一六八〇年	○暹羅國王及び王妃夫々船を日本に派遣す。（四月二十六日、五月一七日）	ヘーグ文書
		○國王幷に王妃共同にて船を日本に派遣す。（五月二六日）	ヘーグ文書 長崎志
天和元年	一六八一年	○飢饉の爲め長崎に於いて來航船より暹羅米を購入す。（八月二十九日）	ヘーグ文書
		○英人アユチヤにて日本人仲買人に銅を賣る。（九月一六日）	印度省文書
		○フランス船ボウルツールの船長日本商人に印度商品を賣る。	ヘーグ文書
同二年	一六八二年	○暹羅の宰相ギリシァ人コンスタンチン・フォルコン日本婦人と結婚す。（五月）	バウリング暹羅國誌 パレゴア暹羅タイ記
		○英國東印度會社暹羅國王に書翰を日本に傳送せんことを乞ふ。（一一月一五日）	暹羅外交文書集
		○日本人半右衞門暹羅よりマニラに航せんとして暴風雨に遭ふ。	ケンペル日本史
同三年	一六八三年	○暹羅船五隻日本銅一萬箱を積みて日本より歸航す。	ヘーグ文書

貞享元年	一六八四年	○暹羅國王船四隻日本に向ひ出帆す。（三月一八日、六月二日）	ヘーグ文書
同 二 年	一六八五年	○暹羅船三隻日本より銅磁器を積んで歸航す。（三月三日、九日）	ヘーグ文書
		○暹羅國王船五隻日本に向ひ出帆し（六月一〇日）一隻難破す。	ヘーグ文書
		○宰相フォルコン日本町より佛國大使ショーモンの宿舎の近くに居を移す。（九月）	敎父タシャール紀行
		○アユチヤ郊外の修學院に日本人青年數名在學す。（一〇月一四日）	ショアジイ司敎紀行
同 三 年	一六八六年	○暹羅國船二隻銅一萬七千箱を積みて日本より歸航す。（二月一七日、三月一八日）	ヘーグ文書
		○暹羅國王船日本に向ひ出帆す。（五月一九日）	ヘーグ文書
		○在暹マカッサル王子日本人切支丹排撃を名として叛亂を起す。	フォバン回想錄
		○敎父ジュアン・クールトウリンのアユチヤの圖に日本町を明記す。	クールトウリンのアユチヤ圖
同 四 年	一六八七年	○暹羅昭不耶・大庫支那船に託して書を長崎奉行に送る。（四月）	通航一覽
		○ド・ラ・ルーベール暹羅に使す、彼のアユチヤの圖に日本町を明記す。（九月二七日）	ルーベール暹羅王國記

		○日本人畫師ロプリ禮拜堂の壁畫を描く。	教父タシャール第二回紀行
元祿元年	一六八八年	○宰相フォルコン處刑され、未亡人等日本町の日本人頭領の所に難を避く。（五月一九日）	ル・ブランク暹羅革命記
同 二 年	一六八九年		
同 三 年	一六九〇年	○日本系混血兒暹羅よりマラッカに來りて貿易す。（三月一〇日）	ヘーグ文書
		○ドイツ人ケンペル日本人牛右衞門を伴ひアユチヤに着く。ケンペルの地圖にも日本町を明記す。（六月六日）	ケンペル日本史
同 四 年	一六九一年	○暹羅船二隻長崎に入港す。（七月三〇日）	ヘーグ文書
同 五 年	一六九二年		
同 六 年	一六九三年	○暹羅船洋中破船の廣東人男女十八人を救ひて長崎に入港す。（八月）	通航一覽
同 七 年	一六九四年	○シンゴラ船廣東漂着長門人十二人を送還して長崎に入港す。（七月）	通航一覽
同 八 年	一六九五年		
同 九 年	一六九六年		
同 一〇年	一六九七年		

同　一一年	一六九八年		
同　一二年	一六九九年		
同　一三年	一七〇〇年	○暹羅國王日本銅をバタビヤに轉賣す。	ヘーグ文書

（昭和八年初稿、十一年五月補訂）

彙報欄目次

史學科講義題目――「臺灣高砂族系統所屬の研究」の完成と移川教授の帝國學士院賞受賞――村上教授勇退――菅原助教授海外留學――開學記念展覽會――開學記念講演――中南部修學旅行――臺灣史料調查室の設置――南方土俗例會――歷史讀書會――史學科職員氏名――史學關係出版物

彙　報

史學科講義題目

昭和十年度

國史特殊講義(二)　中村教授

國史特殊講義(三)　中村教授

(古文書學總論)

國史特殊講義(二)　小葉田助教授

(鎌倉時代の研究)

國史講讀(二)　小葉田助教授

(奈良朝史料)

東洋史概說(二)前半　桑田教授

東洋史概說(二)後半　青山助教授

東洋史特殊講義(二)　桑田教授

(夢粱錄講讀)

東洋史特殊講義(二)　青山助教授

(日鮮交涉史近世初期)

南洋史概說(二)第一學期　村上教授

南洋史概說(二)第二學期　岩生助教授

南洋史特殊講義(二)　村上教授

(臺灣史)

南洋史特殊講義(二)　岩生助教授

(蘭領東印度近代史)

南洋史講讀及演習(二)　岩生助教授

(Hoetink : So Bing Kong 蘇鳴崗, Het eerste hoofd der chineezen te Batavia)

西洋史概說　菅原助教授

地理學概論　小野講師

土俗人種學概論(二)　移川教授

土俗人種學講讀及演習(二)　移川教授

(Westermark : Early Belief and

Social Influence)

和蘭語初歩　　　岩生助教授

「臺灣高砂族系統所屬の研究」の完成と
移川教授の帝國學士院賞受賞

史學科土俗人種學講座擔任の移川子之藏教授はその著「臺灣高砂族系統所屬の研究」で昭和十一年度第一部の帝國學士院賞を受與され、又言語學講座擔任小川尙義教授の「原語による臺灣高砂族傳說集」は帝國學士院より恩賜賞を授けられた事は本學として慶賀に耐えない。

移川教授の研究は小川尙義教授の研究と共に昭和五年上山元臺灣總督より寄贈された資金により研究したもので、爾來昭和九年に至るまで、土俗學人種學研究室職員の手によつて全島の蕃地を隅なく實地踏查し、その資料を蒐集し昭和十一年四月漸く完成を見たもので、その研究の方法は前人未踏の境地を行き、世界學界にもその類例を見ないものである。

本研究は先づ全島の各蕃社の主要なる家の系譜を記錄し、これによつて蕃社の移動狀態、舊居住地等を知り、その社人の系統を尋ね來つたものである。家の系譜は老人によつて始めて知らるゝもので、これ等老人の死去と共に若き者は開化と共にこれ等の口碑を記憶するものなく、全く貴重なる資料が滅亡する所であつたのであるが本研究によつてその貴重なる資料の大部分が永久に保存される事になつた。

本研究は更に高砂族の分類上に於て新なる貢獻をなしたものである。卽ち、從來高砂族は七種族に分類してゐるものを九種族に分類したもので、卽ち從來のパイワン族を更に、ルカイ、パナパナヤンを獨立せしめて三種族とした點である。

本研究は以上の如く臺灣高砂族自體の研究として重要である事は勿論であるが、その最も重要としてゐる點は、原始民族なるものが、如何なる經路で、如何なる動機で移動し、如何に發展するかの問題の一部としてこれを見る事で、臺灣の一民族の消長に止らず一般民族發展の歷史の上に寄與する所大なりとしてこれに授賞の榮が下つたものである。

書籍は菊二倍版、本篇資料篇の二冊となり、本篇は五六二頁、系統所屬の總說で、寫眞、系統移動圖を含んでゐる。資料篇は詳細なる蕃社分布圖、寫眞製版により系譜を全部集錄したもので三年間蕃社を經歷した汗の集結である。

菅原助教授海外留學

西洋史學擔任の菅原憲助教授は西洋史學研究の爲め獨・佛・米三ケ國に一年六ケ月の豫定を以て留學する事となり、昭和十一年二月七日神戶を出帆した。

村上教授勇退

昭和三年四月より八年間本學にあつて南洋史講座を擔當されて居た村上直次郎教授は今回一身上の御都合で勇退される事になり、昭和十年十月八日離臺された。

先生の海外交涉史研究、特に蘭・西・葡・伊等の諸史料を驅使しての獨特の諸研究は自他共に許す所、本學にては專ら十七世紀臺灣史の研究、或は日本人南洋發展史を研究、講述して居られた。近時日本人の南洋發展が國策として叫ばれるに至り、本學の如き特殊地位にある學校は益〻先生の研究に期待する時、先生を失ふ事は本學にとつても惜しみても餘りある事である。因みに先生御離臺後は東京にあつて從來關係を持たれて居た史料編纂所に勤められる傍ら、種々西籍を飜譯されて史學界に貢獻される由である。吾人は遙かなる南冥の地より先生の愈〻御壯健にて斯界の爲盡される事を熱望する次第である。

開學記念展覽會

昭和十一年五月十七日午前十時本學開業記念式を內臺各地の來賓多數出席の下に盛大に擧行、同日午後一時及び十八日午前十時より學內を開放の上、理農、文政兩學部の陳列品を展觀に供した。

史學科は國史、東洋史、南洋史、土俗人種學合同にて土俗學標本室に陳列した。

國史學は院廳牒、北條實政自筆書狀、感神院所司奏狀を始め古文書三十一點、沖繩縣古碑拓本七點、法隆寺百萬塔陀羅尼、古筆手鑑、土佐光起筆三條西實隆畫像を始め標本七點に說明を附し、最後に德川時代貨幣を再度展覽した。

東洋史學は清朝治下の臺灣社會政策に關する古碑拓本八十點の中特色ある賑恤、警察關係六點卽ち火災消防碑、嫁娶婣保護之碑等に解說を附し、景印宋會要稿、宋平江圖拓本の標本を展示した。

南洋史學は暹羅關係繪畫及び寫眞として、暹羅行御朱印狀、暹羅國書、歷代寶案等八點、參考品に大阪城の圖、ゼーランヂヤ城圖を、更に暹羅關係歐文史籍六十三點を陳列した。

土俗學人種學は我領土內の異民族に關する圖書として、アイヌ族に關するもの四十九點、委任統治南洋民族に關するもの十六點、朝鮮及南滿洲關係圖書八點、及土俗標本室の全部を解放して最も精彩を放つた。

開學記念講演

開學記念日講演は十七日記念式の前日午後六時幣原總長のラヂオ講演に始り、史學科は岩生敎授新竹に出張、十八日午後七時より同地公會堂に於て地方講演を行つた。

演題は左の如くである。

日本人南洋發展の歷史　岩生成一

近く記念講演集第四輯に掲載刊行の筈である。

中南部修學旅行

昭和十年十月二十九日午後十時半の急行にて、我等臺北帝國大學史學科敎職員、學生、卒業生の十五名（移川敎授、中村敎授、桑田敎授、岩生助敎授、小葉田助敎授、

青山助教授、宮本助手、松本副手、中村副手、馬淵副手、學生―齋藤、鈴木、少名子、卒業生淵脇、張學士）は、高砂の舊都臺南に、紅毛の故地安平に、或ひは全島一の名のある北港の朝天宮に、彰化の八掛山に、又は二百年間秘められた古文書の發見された臺中州豐原郡神岡庄岸裡大社に史學の實地研究を兼ね、史蹟を探ることになつた。

從來史學科では臺北近郊地の史蹟見學旅行を行つたことはあつたが、中南部迄修學旅行をしたことはなかつた。恰も昭和十年は、明治二十八年領臺後六月十七日に最初の始政記念式を擧行してから四十週年に當り、その記念の爲の臺灣博覽會に際し、臺南市にては內外の史料を蒐集して、歷史館を建設するに至つたので此の好機に會せるを幸として、此處に一同打揃つて出發することを思ひ立つに至つたのである。紅毛荷蘭が、安平にゼーランヂヤ城を築城してから三百餘年、玆に我等は思ひを臺灣文化の發祥地たる臺南の地に馳せながら、折からの博覽會と臺灣神社祭典との賑ひの臺北驛を發車す。

第一日（十月三十日）

午前七時臺南驛着。前島臺南一中敎諭や山村、若林の兩先輩の出迎へを受け、一先づ宿に旅裝を解き、朝食後貸切バスにて臺南神社に至る。境內に北白川宮御遺跡所ありて明治二十八年殿下が近衞師團長として御征討に向はせられ南進して十月二十二日臺南に御入城あらせられ、豪族後吕記の宅を師團司令部に充てさせられたるも、殿下には不幸瘴癘の冒す處となり、その月の二十三日現大宮町の吳汝祥の家に居を移させ給ひ、御療養遊ばされたるも御惱重らせられ二十八日遂に御登遐遊ばされたのである。一同心からなる御拜をなしたる後歷史館の一部として一般の拜觀に供された殿下御終焉の室に至れば薄暗き室に當時御使用遊ばされたる籐製臥榻、其の他竹製擔架及毛布等も拜され恐れ多く自ら襟を正さずには居られない。その他廣間や廊下には全島に散在する殿下の御遺跡地の寫眞參考品が蒐集してあり、又小早川畫伯の數枚の殿下を描ける歷史畫等は參拜者に對して多大の感動を與へることと思ふ。次で大南門に至る。最初門前に建てられた臺南所在の石碑を一堂に集めてあるのを見る。此等の碑は從來保存が惡く磨滅して解讀することが出來ないのもあるが斯くの如く舊位置を示し、半永久的施設を以て碑林を建設して、その保存と觀覽の便を講じたことは喜ばしいことである。實に此處に聚めた所の古碑は清朝領有時代に於ける臺灣府城下として、全臺隨一の賑盛を享有せる臺南市に現存するもので、康熙二十二年七月、鄭克塽が清に降つて清朝の版圖となつてより以來、明治二十八年大日本帝國の版圖となるまで約二百年間の政教の全貌を物語るものである。その誌す所は文治、武備、治匪、教學、社會政策、祀典信仰、農工、交通、商販、拓殖の各般に泝り、本島金石文の淵叢と稱してもよい程である。本學には昭和七年臺南市史料館に委囑して聚集した拓本が八十點程あるが今此處に至りて初てその原碑に接することが出來たわけであつて、次に社會政策に關係せるものの碑銘を示せば乞食取締碑、防火取締規則碑、媎媒嫺解放碑、墓塚取締碑、不當課稅取締碑等興味あるものが多い。次に城門に至る。大南門は康熙六十年朱一貴の亂により藍鼎元の「築城鑿濠臺中第一急務、當星速擧行者也」なる言により、更に論策築城書を巡視御史吳達禮に致すに及び雍正元年に至り、臺灣縣知縣周鍾瑄に採用され築城された七門を有する臺南城の一門で現時臺南に殘存する唯一のものである。城門壁内に以前綠町にあつた龜の碑が移置され、碑は乾隆帝がその五十三年に林爽文の亂を平定せる功に對し御製を九基幅凡そ三尺高さ丈餘の礎石に龜を刻するもので龜の碑の名がある。再び車を驅りて幸町の孔子廟に至る。鄭經時代の創建に係り後、臺廈巡道周昌之が增築改修をして臺灣府學としたものである。車を急がせて開山神社に至る。云ふ迄もなく臺灣開拓の始祖明の延平郡王鄭成功を祀れるものので社殿の裏庭を見れば鄭氏遺愛の梅がある。更に臺町の赤嵌樓に至る。樓の北方に往時和蘭人の築造せるプロビンシヤ城の舊壁と思はれるものが殘存してゐる。現在の樓臺は大正十年の修築になるもので同一樓の上層に登り、臺南全市を双眸に望みながら暫く休憩せる後午食の爲に料理屋臺灣樓に向ふ。晝食後安平のゼーランヂヤ城趾見學に出掛ける。此の城の歷史に就いては臺灣文化三百年紀念會で發行臺灣文化史說に元本學敎授たりし村上先生が「ゼーランヂヤ築城史話」と題して述べられてゐる。臺南市役所では此度費用を出して昔の俤を知る爲に盛に發掘を續け旣に從來知られて居なかつた城壁の礎石と思はれるものや稜堡の土臺等が現出する等相當の成績を收めてゐる。現存安平城址の向側に史料館をしつらへて附近から發掘されたもの、城の模型、ゼーランヂヤ關係圖面等を陳列してあつた。それより引き返し驛前の第一會場に向ふ。場内の陳列品數の多きこと又相當に珍しき出品物のある等の點で隨分參考になるものが多かつた。先づ書畫の部では鄭成功書、寧靖王眞筆、陳永華書や小早川畫伯の揮毫になる二十枚の大歷史畫は場内の壓卷で中にも曉のゼーランヂヤ城、伏見宮殿下布袋嘴御上陸の圖等はよく印象に殘るものであつた。文書の部には清國時代の契字や政府の證明書の類が多く、書籍の地圖、寫眞版、本の部にも普通に見られぬ物が相當にあつた。古錢、器具の部に至ると和蘭壺や燒物等が數多く見受けられた。一通り簡單に場内を通覽し、愈宿につきし時は旣に夕暮にて夜は市尹招待の宴に臨むことになつた。

第二日（十月三十一日）

午前八時二十分發にて臺南を發し一行中移川、桑田、岩生敎官中村副手、齋藤、少名子の六名は途中嘉義に下車しそれより自動車にて北港の媽祖廟見學に向ひ、殘餘の者はその儘彰化に直行し、八掛山の溫泉に向ふ。廟は市街の中央に在り、淸の康熙年間の創建で廟宇の宏莊、輪奐の美を極めて廟貌の盛なることで全島に知られてゐるが、我等臺北市にて龍山寺を見てゐる眼ではさして壯麗とも思はれなかつた。廟を見學後直ちに嘉義驛に引きかへし先發の後を追ふことにした。

溫泉場で長時間の休憩をし趣味のある連中は宮本助手の案内で附近の丘地に石器の採集に出掛け午後五時三十分彰北發にて臺中に向ひ六時臺中に着し直に旅館に至り一泊す。

第三日。(十一月一日)

午前八時宿を出發して臺中圖書館を訪問、一同手分けして此度舊岸裡社通事潘永安氏より州廳に提出された文書に眼を通す。文書中には官の發給文書あり。契約書あり。午前十時に臺中を發し愈文書の出た岸裡大社に向ふ。位置は豐原街より西南へ約一半哩を離れた處で先づ岸裡公學校に行き、學校に保存してある熟蕃使用の器具を見てから、學校の裏側より進んで行くと、先づ昔日の面影をとどめてゐる該部落の社門が巍然として聳えてゐるのが目につく。煉瓦や小石で敷き詰めた通路が四方八方に通じてゐる。潘永安氏の居宅に至り立派な蕃人禮服や藩執仔の畫像、牛車行樂圖等を見せて貰ふ。十二時に此處を辭して臺中に歸り午後一時十五分發にて愈〻臺北に向ふ。午後六時半愈〻臺北に歸着し過ぎて三日間の史學科最初の大修學旅行を解散することになつた。幸ひ今夏七月十六日より宮本助手松本副手中村副手學生齋藤の四名にて史學科臺灣史料調査室の仕事として此の文書の整理に出掛ることになつたので必ずや何等かの結果を得られるに相違ない。

臺灣史料調査室設置

史學科研究室内に臺灣史料調査室を開設、國史、東洋史、南洋史、西洋史、土俗人種學合同にて臺灣關係資料

の蒐集整理、島內の史蹟調査を行ひ、原住民時代、西班牙、和蘭時代、鄭氏時代、淸朝時代、日本領臺以後に大別して關係各國の根本資料文獻の集成を行ふ可く努力中である。

南方土俗例會

第三十回例會、昭和十年六月十五日(土)
於　土俗人種學教室
講演、五家莊及對島事情　力丸慈圓氏
臺灣行政區域と地名　水越幸一氏

第三十一回例會、昭和十年六月二十二日
於　土俗人種學教室
講演、比律賓の山と海　三吉朋十氏

第三十二回例會、昭和十一年二月廿日
於　土俗人種學教室
講演、モーナ・ルダオの最後　水越幸一氏

第三十三回例會、昭和十一年六月六日
於　土俗人種學教室
講演、臺灣の石敢當に就て　尾崎秀眞氏
パイワン族の燒成せりと傳ふる壺に就て　宮原敦氏

歷史讀書會

第二十八回例會(昭和十年十二月二日)
アグノエール氏のゴーレス再論　松本盛長

第二十九回例會(昭和十一年五月十日)
爲朝の琉球入　小葉田淳

第三十回例會(昭和十一年六月二日)
三浦按針の遺族と遺産　岩生成一

史學科職員氏名

國史學　教授　中村喜代三
同　助教授　小葉田淳
東洋史學　教授　桑田六郎
同　助教授　青山公亮

南洋史學　助教授　岩生成一
西洋史學　助教授　菅原憲
土俗・人種學　教授　移川子之藏
地理學　講師　小野鐵二
助手　宮本延人
副手　松本盛長
副手　中村孝志

史學關係出版物

史學科研究年報第一輯及第二輯の內容は次の如くである。

第一輯目次　昭和九年五月

近世に於ける出版取締法發布の沿革と出版手續法竝に檢閱制度　中村喜代三
日本と金銀島の關係形態の發展　小葉田淳
南洋崑崙考　桑田六郎
金朝行臺尙書省考　青山公亮
ジャガタラの日本人　村上直次郎
長崎代官村山等安の臺灣遠征と遣明使　岩生成一
米國人の臺灣占領計畫　庄司萬太郎
「パツ」を周る太平洋文化交渉問題と臺灣發見の類似石器に就て　移川子之藏

第二輯目次　昭和十年六月

ジャガタラの日本人補遺　村上直次郎
南洋日本町の盛衰　岩生成一
歷代行臺考　青山公亮
鎌倉時代に於ける博奕の社會的考察　中村喜代三
足利時代明錢輸入と國內流通事情　小葉田淳
明治七年征臺の役に於けるル・ジャンドル將軍の活躍　庄司萬太郎
臺灣パイワン族に行はれる五年祭に就て　宮本延人